PELLAPRAT

LA CUISINE
FAMILIALE ET PRATIQUE

Maquette Corinne Pauvert
Réalisation Octavo Éditions
avec la collaboration de Thomas Adda, Heimata Champs,
Sophie Mengin, Marie-Astrid Bailly-Maître
et Catherine Lasnier
Photogravure Colourscan France

PELLAPRAT

LA CUISINE
FAMILIALE ET PRATIQUE

Flammarion

SOMMAIRE

INTRODUCTION

Il en est de la cuisine comme de toute chose : si simple qu'elle soit, cette simplicité ne doit pas exclure la qualité, et il est aussi facile et pas plus onéreux de faire bien que de faire mal. Je dirais même que cela coûte moins cher de préparer quelque chose de bon avec les denrées que l'on a sous la main que de mal faire, puisqu'un bon plat sera dégusté avec appétit et profit, tandis qu'il sera gâché et demi-perdu s'il est manqué. À dépense égale, l'argent sera perdu dans le second cas. Il ne faut donc pas croire que la bonne cuisine doit forcément coûter très cher ; et puisque ce sont les denrées qui coûtent cher, la meilleure économie consiste à savoir les utiliser à bon escient.

C'est à cela que s'attachera ce livre sans prétention, qui ne vise qu'à aider la ménagère, en lui enseignant les principes de la bonne et saine cuisine, l'art de reconnaître la qualité des denrées qu'elle achète et d'accommoder les restes, la maîtrise des temps de cuisson pour les viandes et les légumes ; en un mot, nous embrasserons le problème de la cuisine dans son entier développement.

Toutes les recettes présentées ici sont prévues pour six personnes. En tête de certains chapitres, un avant-propos en détaille les différentes parties. En outre, l'une des dernières parties est consacrée aux divers régimes auxquels peut éventuellement être astreint un membre de la famille. Le matériel ou outillage strictement indispensable pour travailler est également indiqué ; il n'échappera à personne qu'aucun métier ne peut être exercé sans outils spécifiques ; la cuisine, elle aussi, est soumise à cette règle. Ce matériel, que je réduis au minimum, n'est d'ailleurs pas très coûteux ; en outre, bien entretenu, il se conservera longtemps. Première règle : il faut, quand on a fini de se servir d'un outil ou d'un moule, le nettoyer et le ranger tout de suite à sa place.

Je traite aussi des ingrédients nécessaires dans une cuisine, que l'on peut et doit avoir d'avance pour n'être pas obligé de courir au dernier moment. Les légumes frais seront naturellement achetés au fur et à mesure des besoins ; cependant, il est préférable d'avoir sous la main, en permanence, de petites quantités de pommes de terre, carottes, oignons, échalotes, ail et citrons.

Les vins, les conserves, les sirops, le service de la table étant aussi évoqués, j'ai l'impression de n'avoir rien oublié, dans ce domaine si étendu, qui puisse intéresser la ménagère, et d'être ainsi pour elle un auxiliaire utile, un aide de tous les jours et un collaborateur de son économie domestique et de son foyer.

Si j'y ai réussi, je serai récompensé de ce travail qui est le fruit d'une longue pratique et d'une expérience de plus d'un demi-siècle, dont près de trente ans consacrés à l'enseignement de la cuisine, tant par la plume que par la parole.

Je souhaite que cette expérience me serve d'introduction pour présenter ce livre aux femmes d'aujourd'hui, soucieuses du bien-être et du bonheur des leurs : la bonne table, plaisir simple et tradition typiquement française, en est un élément important.

H. P. Pellaprat

LES POTAGES

POTAGE JULIENNE AU BOUILLON

- Laver et éplucher les légumes. Tailler les carottes et les navets en cubes, hacher le chou vert et couper les poireaux en tronçons. Mettre les légumes dans une casserole, saler, mélanger, puis ajouter deux cuillerées de graisse de bouillon. Couvrir et laisser cuire doucement, jusqu'à ce que le fond commence à roussir légèrement. Ajouter alors le bouillon et laisser mijoter 15 mn.
- Parsemer la surface de cerfeuil haché avant de servir.

3 blancs de poireaux. 4 carottes. 2 navets. 1/2 chou vert. 2 litres de bouillon.
1 oignon. 2 cuillerées à café de cerfeuil haché.

POTAGE AU VERMICELLE

Temps
de cuisson,
15 à 20 mn

- Dégraisser le bouillon, puis porter celui-ci à ébullition. Y faire tomber le vermicelle en pluie, et laisser cuire jusqu'à obtention de la consistance adéquate.

2 litres de bouillon. 100 g de vermicelle.

POTAGE AUX PÂTES D'ITALIE

- Procéder comme pour le potage au vermicelle.

2 litres de bouillon. 80 g de pâtes d'Italie.

POTAGE AU TAPIOCA OU À LA SEMOULE

Temps
de cuisson,
10 mn

- Dégraisser le bouillon, puis porter celui-ci à ébullition. Verser le tapioca ou la semoule en pluie, en remuant constamment le liquide bouillant. Remuer fréquemment pendant toute la cuisson pour éviter la formation d'une «peau» à la surface ; si une telle pellicule apparaît malgré tout, la retirer soigneusement avant de servir.

2 litres de bouillon. 4 cuillerées à soupe de tapioca ou semoule.

POTAGE À LA PAYSANNE

Temps de
cuisson,
30 mn
à partir de
l'ébullition

- Couper en petites lames minces carottes, navets, poireaux, choux et pommes de terre. Faire fondre le beurre dans une casserole, ajouter les légumes et saler. Couvrir hermétiquement et laisser fondre les légumes, tout doucement, sur le côté du feu, avant d'ajouter l'eau.
- En fin de cuisson, servir accompagné de petites tranches de pain parsemées de cerfeuil haché.

2 poireaux. 200 g de carottes. 200 g de navets. 500 g de pommes de terre. 1/2 chou.
2 litres d'eau. 1 cuillerée à soupe de sel. 50 g de beurre. 6 croûtons de pain.
1 cuillerée à café de cerfeuil haché.

POTAGE AU CRESSON

- Faire cuire les pommes de terre et le cresson dans l'eau salée. En fin de cuisson, passer les légumes au tamis fin, puis délayer la purée obtenue avec le lait, de façon à obtenir un potage crémeux.
- Déposer le pain et le beurre au fond de la soupière ; ajouter quelques feuilles de cresson préalablement blanchies quelques minutes dans de l'eau bouillante, puis verser le potage. Servir sans attendre.

1/2 botte de cresson. 500 g de pommes de terre. 12 rondelles de pain.
1 litre 3/4 d'eau. 1 verre de lait. 1 cuillerée à soupe de sel. 30 g de beurre.

Temps de cuisson, 30 mn

POTAGE PARMENTIER

- Prélever les blancs de poireaux, les émincer finement, les faire blondir au beurre. Ajouter alors les pommes de terre coupées en quatre, puis l'eau et le sel, et laisser cuire.
- En fin de cuisson, passer le tout au travers d'une passoire fine. Délayer la purée obtenue avec un peu d'eau et de lait bouillants. Porter à nouveau le tout à ébullition, puis écumer et lier avec un jaune d'œuf. Verser le potage dans une soupière. Servir accompagné de petits croûtons frits au beurre.

3 poireaux. 600 g de pommes de terre. 2 litres d'eau. 50 g de beurre. 1 verre de lait.
12 croûtons de pain. 1 jaune d'œuf. 1 cuillerée à soupe de sel.

Temps de cuisson, 30 mn

SOUPE AUX POIREAUX ET POMMES DE TERRE

- Faire blondir les poireaux coupés en petits morceaux dans du beurre ; ajouter les pommes de terre coupées en quartiers, puis mouiller avec l'eau ; saler et laisser cuire doucement.
- En fin de cuisson, écraser les pommes de terre de manière à obtenir une purée. Verser le tout dans la soupière, sur les tranches de pain préalablement grillées au four, puis ajouter un morceau de beurre frais.

3 poireaux. 300 g de pommes de terre. 2 litres d'eau. 1 cuillerée à soupe de sel.
24 rondelles de pain. 100 g de beurre.

Temps de cuisson, 30 mn

SOUPE AU CHOU

- Mettre le petit salé ou le morceau de lard de poitrine dans une marmite remplie d'eau, puis porter le tout à ébullition.
- Écumer la surface, comme pour un pot-au-feu, puis ajouter le chou vert fendu en quatre, et prolonger la cuisson d'environ 1 h 30.
- Ajouter alors les pommes de terre coupées en quartiers et le saucisson de ménage.

Temps de cuisson, 2 h 30

Soupe
à l'oignon
au lait,
recette p. 13

Soupe
au chou,
recette p. 1

• Déposer les tranches de pain dans la soupière, ajouter le jus de cuisson et quelques légumes, en réservant le chou, le lard et le saucisson que vous servirez comme plat de résistance.

350 g de petit salé ou 250 g de lard maigre. 200 g de saucisson de ménage.
1 chou vert. 200 g de pommes de terre. 200 g de carottes. 200 g de navets. 1 oignon.
6 tranches de pain. 3 litres d'eau. 1/2 cuillerée à soupe de sel.

SOUPE À L'OIGNON AU FROMAGE

Temps
de cuisson,
10 mn

• Faire revenir doucement au beurre les oignons émincés finement ; lorsqu'ils sont bien roussis, les saupoudrer de farine, laisser brunir légèrement, puis mouiller avec l'eau ; saler, poivrer et laisser cuire le tout 10 mn.
• Déposer les tranches de pain parsemées d'un peu de gruyère frais dans la soupière, verser le potage dessus et couvrir environ 10 mn avant de servir.
• Si on ne souhaite pas servir cette soupe avec l'oignon, on peut la passer au-dessus d'un tamis en la versant sur le pain.
• On peut également servir cette soupe gratinée (avec ou sans oignon) ; il faut alors augmenter légèrement la quantité de farine pour qu'elle soit un peu plus épaisse. Verser la soupe dans une soupière allant au four, parsemer la surface de fromage râpé, puis mettre à four bien chaud jusqu'à ce que le dessus soit bien doré.

100 g d'oignons. 60 g de beurre. 25 g de farine. 1 litre 1/2 d'eau.
1 cuillerée à café de sel. 100 g de gruyère râpé. 12 rondelles de pain.

SOUPE À L'OIGNON AU LAIT

- Faire revenir les oignons finement émincés dans le beurre, jusqu'à ce qu'ils prennent une coloration jaune, mais sans les laisser roussir. Ajouter alors le lait, préalablement bouilli de préférence. Laisser cuire doucement, pour ne pas risquer de voir le lait déborder, puis verser la soupe sur le pain, après l'avoir bien assaisonnée.

Temps de cuisson, 15 mn

200 g d'oignons. 60 g de beurre. 1 litre 1/2 de lait. 125 g de pain.

PANADE

- Cette soupe se prépare traditionnellement avec les restes de pain.
- Mettre le pain dans la casserole avec l'eau froide, saler, poivrer et poser la casserole sur le feu ; quand l'ébullition est franchement acquise, retirer du feu et battre vigoureusement à l'aide d'un fouet, jusqu'à obtention d'un mélange homogène. Ajouter le lait bouillant et vérifier l'assaisonnement. Battre l'œuf entier (éventuellement deux) avec la tasse de crème, et verser le tout dans la panade bouillante, hors du feu. Ajouter le beurre, parsemer de ciboulette hachée et servir. La panade doit être un peu épaisse, de la consistance d'une bouillie.

Temps de cuisson, 15 mn

250 g de pain. 1 litre 1/2 d'eau. 1/2 litre de lait. 1 tasse de crème fraîche. 1 œuf. 1 cuillerée à soupe de sel. 30 g de beurre. 1 pincée de noix muscade. Ciboulette.

Panade

POTAGE AUX HARICOTS BLANCS SOISSONNAIS

- Faire cuire les haricots à l'eau comme il est indiqué au chapitre des légumes (voir page 166), puis les passer à la passoire fine.
- Mouiller la purée avec l'eau de cuisson des haricots et le lait jusqu'à obtention d'une consistance veloutée.
- Incorporer le beurre, assaisonner à point et garnir de croûtons de pain frits au beurre ; on peut aussi lier le potage avec un jaune d'œuf, en ayant soin d'ajouter celui-ci hors du feu.
- Ce potage peut-être servi garni de riz, de vermicelle, de tapioca, d'oseille, etc. Le riz et le vermicelle sont alors cuits à part, l'oseille est mise à fondre dans du beurre avant d'être incorporée au potage, et le tapioca est cuit directement dans le potage, avant la liaison ; dans ce dernier cas, le potage doit être plus délayé, le tapioca épaississant beaucoup.

250 g de haricots blancs. 1 verre de lait. 50 g de beurre. 1 jaune d'œuf.
12 petits croûtons de pain. 2 litres d'eau. 1/2 cuillerée à soupe de sel.

POTAGE CONTI

- Procéder de la même manière que dans la recette précédente.

250 g de lentilles. 1 verre de lait. 50 g de beurre. 1 jaune d'œuf.
12 petits croûtons de pain. 2 litres d'eau. 1/4 de cuillerée à soupe de sel.

POTAGE CONDÉ

- La recette et les proportions sont identiques à celles du potage aux haricots blancs, mais ceux-ci sont remplacés par des haricots rouges.

POTAGE ÉCLAIR

- Ce potage justifie son nom par la rapidité de son exécution.
- Faire bouillir l'eau salée, puis y verser le vermicelle ; quand celui-ci est cuit, battre, dans la soupière même, les œufs entiers avec le lait légèrement chauffé, ajouter le vermicelle en remuant. Rectifier l'assaisonnement et servir.

1 litre 1/2 d'eau. 150 g de vermicelle. 2 œufs. 1/4 de litre de lait.
1 cuillerée à soupe de sel.

POTAGE GARBURE

- Émincer finement les carottes, les navets, les pommes de terre et le chou vert, puis les faire étuver dans du beurre.
- Lorsque tous les légumes sont cuits, les passer au travers d'un tamis fin.

- Pendant ce temps, faire cuire les haricots blancs et les tomates dans une autre casserole, puis les passer également au tamis. Incorporer quelques cuillerées de purée de haricots blancs et de tomates à la première purée de légumes. Délayer avec l'eau et le jus de cuisson des haricots. Porter le tout à ébullition, saler et ajouter un bon morceau de beurre.
- Préparer la garniture : battre l'œuf, y ajouter le fromage râpé ; enduire les tranches de pain de ce mélange et les faire gratiner 5 mn à four chaud.
- Laisser tremper les tranches de pain 3 ou 4 mn dans ce potage typiquement béarnais avant de servir.

2 carottes. 2 navets. 3 pommes de terre. 1/2 chou vert. 100 g de haricots blancs.
150 g de tomates. 50 g de beurre. 1 œuf. 50 g de gruyère râpé. 12 rondelles de pain.
2 litres d'eau. 1 cuillerée à soupe de sel.

CRÈME DE RIZ (VELOUTÉ)

- Délayer la crème de riz dans le beurre fondu. Laisser cuire un instant et mouiller avec l'eau et le lait bouilli.
- Porter le tout à ébullition en remuant constamment, puis terminer la cuisson sur feu doux.
- Incorporer les jaunes d'œufs et un peu de lait, sans laisser bouillir. Servir, accompagné éventuellement de riz (cuit à part) ou de croûtons de pain.

Temps de cuisson, 20 mn

60 g de crème de riz. 50 g de beurre. 1 litre 1/2 d'eau ou de bouillon. 1 verre de lait.
2 jaunes d'œufs. 2 cuillerées à soupe de riz. 1/4 de cuillerée à soupe de sel.

POTAGE CRÉCY AU RIZ

- Émincer les oignons, détailler le lard maigre en petits lardons, et les faire blondir au beurre.
- Ajouter les carottes coupées en rondelles fines, puis mouiller avec l'eau. Verser le riz en pluie, remuer, saler, poivrer et laisser cuire doucement.
- Passer le tout au tamis très fin. Délayer la purée obtenue avec l'eau de cuisson de manière à obtenir un potage crémeux.
- Assaisonner à point, incorporer le beurre et le lait. Garnir de quelques cuillerées de riz cuit au bouillon si on le désire.

Temps de cuisson, 1 h

50 g d'oignons. 100 g de lard maigre. 300 g de carottes. 80 g de riz. 20 g de beurre.
1 litre 1/2 d'eau. 1/4 de cuillerée à soupe de sel. 1 verre de lait.

POTAGE VELOURS

- Procéder comme pour le potage Crécy au riz, en faisant cuire dans le potage 3 ou 4 cuillerées de tapioca qui remplaceront le riz de la garniture.

Temps de cuisson, 45 mn

Soupe
au potiron

Soupe
à la tomate

SOUPE AU POTIRON

*Temps
de cuisson,
25 mn*

• Couper le potiron en morceaux et le faire cuire à l'eau salée. Passer ensuite le tout au tamis fin. Allonger le potage avec le lait pour lui donner une consistance crémeuse, ajouter le sucre et rectifier l'assaisonnement en sel. Déposer les tranches de pain grillées dans la soupe et laisser mijoter environ 10 mn. Retirer du feu, ajouter la crème, puis verser le tout dans une soupière.

*1 kg de potiron. 1 litre 1/2 de lait. 1/2 litre d'eau. 1/4 de cuillerée à soupe de sel.
2 cuillerées à soupe de sucre. 30 g de crème fraîche. 12 rondelles de pain.*

SOUPE À LA TOMATE

*Temps
de cuisson,
45 mn*

• Faire blondir les oignons et la carotte émincés dans le beurre, ajouter ensuite la farine de manière à obtenir un roux, puis les tomates bien mûres, simplement écrasées à la main. Ajouter l'eau, le sel, le poivre et le sucre, et la branche de persil ; laisser cuire doucement. En fin de cuisson, passer le tout à la passoire assez fine pour retenir les graines de tomate. Remettre la soupe à chauffer dans la casserole et éclaircir avec du bouillon, ou, à défaut, avec de l'eau, jusqu'à obtention d'une consistance veloutée ; incorporer le beurre frais avant de verser le tout dans la soupière. Servir accompagné des tranches de pain, préalablement frites à la poêle ou grillées.

*500 g de tomates. 100 g d'oignons. 1 carotte. 1 cuillerée à soupe de farine.
50 g de beurre. 60 g de riz. 2 litres d'eau. 1/2 cuillerée à soupe de sel.
2 morceaux de sucre. Poivre. 1 branche de persil. 12 rondelles de pain.*

CRÈME DU BARRY

- Faire blanchir le chou-fleur pendant 8 à 10 mn. Préparer un petit roux avec le beurre et la farine, mouiller avec l'eau, puis porter le tout à ébullition.
- Ajouter alors le chou-fleur, et laisser celui-ci finir de cuire très doucement. Écumer le potage et passer le tout au tamis très fin.
- Remettre à bouillir avec le lait, lier avec les jaunes et la crème, de manière à obtenir un potage bien crémeux. Garnir de petits croûtons ou de petits bouquets de chou-fleur.
- Un reste de chou-fleur, en quantité insuffisante pour servir de légume, convient parfaitement pour préparer ce potage.

1 petit chou-fleur. 30 g de beurre. 40 g de farine. 1 litre 1/2 d'eau. 1 verre de lait. 2 jaunes d'œufs. 1 dl de crème.

Temps de cuisson, 20 mn

BOUILLON DE LÉGUMES

- Les bouillons de légumes, riches en vitamines et en sels minéraux mais pauvres en calories, sont prescrits dans de nombreux régimes.
- Voici comment on les prépare : couper finement carottes, navet, poireaux, pomme de terre, céleri, cerfeuil (ne jamais ajouter de chou).
- Verser les légumes dans une casserole, ajouter l'eau, saler et laisser cuire doucement, sans couvrir.
- Égoutter les légumes (que l'on dégustera nature avec une viande maigre) en recueillant le bouillon. On peut servir celui-ci tel quel, ou y faire cuire tapioca ou pâtes.

3 carottes. 1 navet. 2 poireaux. 1 pomme de terre. 1 petite branche de céleri. 1 branche de cerfeuil. 2 litres d'eau. 1/4 de cuillerée à soupe de sel.

Temps de cuisson, 1 h

CRÈME D'ASPERGES

- Préparer un roux avec le beurre et la crème de riz ; le laisser cuire 2 mn avant d'ajouter l'eau. Porter le liquide à ébullition en remuant constamment.
- Ajouter alors les pointes d'asperges vertes, préalablement épluchées et blanchies 5 ou 6 mn à l'eau salée. Laisser cuire à petit feu, puis écumer et passer le tout au tamis fin.
- Ajouter le lait bouilli. Remettre le potage à bouillir jusqu'à obtention d'une consistance crémeuse. Incorporer les jaunes d'œufs, la crème et le beurre.
- Garnir de quelques pointes d'asperges conservées à cet effet et cuites à l'eau salée pour qu'elles restent très vertes. On peut aussi préparer ce potage avec un reste d'asperges de la veille.

500 g d'asperges. 50 g de beurre. 50 g de crème de riz. 1 verre de lait. 2 jaunes d'œufs. 1 dl de crème. 1 litre 1/2 d'eau. 1 cuillerée à soupe de sel.

Temps de cuisson, 45 mn

17

Soupe
à l'oseille

SOUPE À L'OSEILLE

*Temps
de cuisson,
45 mn*

• Éplucher l'oseille en ôtant les queues. Laver et essorer soigneusement les feuilles, puis les émincer. Faire fondre le beurre dans une casserole, ajouter l'oseille et remuer jusqu'à ce qu'elle soit fondue. Mouiller avec l'eau, ajouter les pommes de terre, pelées et coupées en quartiers, saler et laisser cuire. On peut ensuite passer les légumes à la moulinette ou, simplement, les écraser à la fourchette, en ajoutant un peu d'eau si la soupe est trop épaisse. Casser l'œuf entier dans la soupière (surtout, ne pas faire bouillir la soupe avec l'œuf), le battre avec le lait froid, puis verser la soupe dessus. Ajouter aussitôt les croûtons de pain et un peu de cerfeuil haché.

À droite :
pot-au-feu

• Une variante consiste à faire cuire du vermicelle ou des pâtes dans la soupe (à la place du pain).

*250 g d'oseille. 50 g de beurre. 250 g de pommes de terre farineuses. 1 œuf.
1 verre de lait. 2 litres d'eau. 12 croûtons de pain. 1 cuillerée à soupe de sel.*

POT-AU-FEU

*Temps
de cuisson,
4 h*

• Déposer la viande et l'os dans une grande cocotte remplie d'eau froide, puis amener progressivement le tout à ébullition. Écumer soigneusement la surface, saler et ajouter les légumes, préalablement lavés et épluchés (le clou de girofle est piqué dans l'oignon). À la reprise de l'ébullition, écumer de nouveau, saler, couvrir la cocotte puis laisser cuire très lentement, pendant 3 h. En fin de cuisson, sortir la viande et les légumes pour dégraisser le bouillon, qui doit être limpide et d'une belle couleur ambrée.

- Servir la viande coupée en tranches sur un plat de service chaud, entourée des légumes. Servir le bouillon à part.

5 litres d'eau froide. 1 kg de gîte ou de paleron. 200 g d'os. 1 cuillerée à soupe 1/2 de sel. 1 clou de girofle. 250 g de carottes. 50 g de navets. 3 poireaux. 1 oignon. 1 bouquet garni.

CROÛTES AU POT

- Après avoir fait cuire le pot-au-feu, découper les légumes (carottes, navets et poireaux) en petits morceaux très réguliers. Ajouter le chou vert, cuit à part, également dans du bouillon, et coupé en morceaux. Déposer tous les légumes dans la soupière. Verser le bouillon dessus en le passant au travers d'une passoire. Préparer de petits croûtons avec quelques morceaux de pain débarrassés de leur mie, en les faisant légèrement griller au four et en les arrosant d'une cuillerée de graisse du pot-au-feu.
- Déposer les croûtes à la surface du bouillon et parsemer de cerfeuil haché.

18 rondelles de pain. 1 petit chou vert. 2 cuillerées à café de cerfeuil haché. Légumes et bouillon du pot-au-feu.

POTAGE AUX POIS CASSÉS, DIT SAINT-GERMAIN

Temps de cuisson, 1 h 30

- Recouvrir les pois cassés d'eau (environ un litre), sans ajouter de sel. Poser la casserole sur le feu et porter le tout à ébullition. Écumer, ajouter l'oignon et la carotte coupés en morceaux, couvrir et laisser cuire doucement. L'eau doit être complètement absorbée en fin de cuisson. Passer les légumes à la passoire fine, puis délayer la purée obtenue avec un litre d'eau, de manière à obtenir un potage crémeux, mais pas trop épais. Ajouter alors le sel et une pincée de sucre pour combattre l'âcreté de la purée de pois. Remettre le tout à bouillir, écumer et incorporer le beurre hors du feu.
- Cette soupe se sert nature ou accompagnée de petits croûtons de pain frits au beurre, ou encore de riz, de tapioca, de vermicelle, d'oseille, etc.

300 g de pois cassés. 2 litres d'eau. 1 oignon. 1 carotte. 1/4 de cuillerée à soupe de sel. 30 g de beurre plus 50 g pour les croûtons. 18 petits croûtons de pain ou 3 cuillerées à soupe de riz.

CRÈME DE LAITUES

Temps de cuisson, 1 h

- Procéder comme pour la crème d'asperges, en remplaçant ces dernières par les feuilles vertes des laitues, préalablement lavées, essorées et blanchies quelques minutes à l'eau bouillante.

200 g de laitues. 50 g de beurre. 50 g de crème de riz. 1 verre de lait. 2 jaunes d'œufs. 1 dl de crème. 1 litres 1/2 d'eau. 1/4 de cuillerée à soupe de sel.

BOUILLON AUX HERBES

- Ce bouillon fort simple à préparer constitue un excellent dépuratif, convenant aux adultes comme aux enfants. Éplucher, laver, essorer et hacher les feuilles d'oseille et de laitue. Passer le cerfeuil rapidement sous le robinet. Laver et couper en tronçons le poireau. Verser les légumes dans la casserole, ajouter l'eau et le sel et laisser cuire à petit feu, à découvert.

100 g d'oseille. 100 g de laitue. 1 petit bouquet de cerfeuil. 1 poireau.
2 litres d'eau. 1/2 cuillerée à soupe de sel.

Temps
de cuisson,
45 mn

BOUILLIE POUR BÉBÉS

- Il suffit de peu de temps pour préparer des bouillies nutritives et saines, généralement fort appréciées des bébés ; celle-ci convient à un enfant âgé de six mois.
- Mélanger, à froid, la farine et le lait dans une petite casserole, en battant à l'aide d'un fouet de manière à obtenir un mélange bien lisse, sans grumeaux. Porter la casserole sur feu doux, saler et sucrer, et laisser cuire sans cesser de remuer ; rajouter un peu de lait si la crème épaissit trop.
- La bouillie doit être assez fluide pour pouvoir être donnée au biberon ; plus épaisse, elle sera donnée à la cuillère, comme un petit pot.

175 g de lait. 1 cuillerée à soupe de farine de blé. 1 pincée de sel.
2 morceaux de sucre.

Temps
de cuisson,
5 à 20 mn
selon la farine

LES HORS-D'ŒUVRE

LES HORS-D'ŒUVRE FROIDS

Certains hors-d'œuvre permettent d'utiliser les petits restes, ils sont donc générateurs d'économie. En outre, deux ou trois hors-d'œuvre variés bien choisis peuvent avantageusement remplacer un plat de viande. C'est donc encore un facteur d'économie puisque, après s'être régalé d'une entrée copieuse, on attaquera avec un appétit diminué les plats suivants. Outre les recettes classiques, voici quelques salades et petites fantaisies qui permettront à la maîtresse de maison de garnir agréablement et à peu de frais ses raviers.

SALADE DE CÉLERI RÉMOULADE

Préparation,
15 mn

• Émincer le céleri aussi finement que possible, après l'avoir lavé et séché. Préparer la rémoulade comme on monte une mayonnaise, en remplaçant simplement le jaune d'œuf par la moutarde ; mélanger le céleri et la sauce 1 ou 2 h à l'avance, et tenir au frais jusqu'au moment de servir.

1 petit céleri en branches. 2 cuillerées à café de moutarde. 1 verre d'huile.
1/2 cuillerée à café de sel. 1 cuillerée à soupe de vinaigre. 1 pincée de poivre.

CÉLERI-RAVE RÉMOULADE

Préparation,
20 mn

• Préparer la rémoulade comme il est indiqué dans la recette précédente. Détailler le céleri en fine julienne, puis le jeter dans de l'eau bouillante, le temps de laisser celle-ci reprendre un bon bouillon (il ne s'agit pas de le cuire, mais seulement de l'attendrir). Égoutter soigneusement, assaisonner le céleri pendant qu'il est encore chaud, et laisser refroidir.
• On peut aussi assaisonner ce hors-d'œuvre d'une vraie mayonnaise bien moutardée, il n'en sera que meilleur (mais plus coûteux).

1 céleri-rave. 2 cuillerées à café de moutarde. 1 verre d'huile. 1/2 cuillerée à café
de sel. 1 cuillerée à soupe de vinaigre. 1 pincée de poivre.

SALADE RUSSE

Préparation,
45 mn

• Cette salade, aussi décorative que nutritive, est fort simple mais un peu longue à préparer. En effet, chaque légume (hormis les tomates et la laitue) doit être cuit à l'eau indépendamment des autres.
• Une fois tous les légumes cuits, les égoutter, les laisser refroidir, puis les couper en petits dés. Les mélanger dans un saladier puis incorporer délicatement la mayonnaise.

- Tapisser le fond du plat de service de feuilles de laitue, verser la salade. Décorer avec les olives et quelques rondelles d'œufs durs et de tomates : un hors-d'œuvre bien présenté stimule l'appétit et dénote le goût de l'hôtesse.

1 fond d'artichaut. 100 g de haricots verts. 50 g de haricots blancs. 2 carottes. 100 g de petits pois écossés. 100 g de chou-fleur. 100 g de tomates. 6 à 8 olives. 2 œufs durs. 1 laitue. 1/4 de litre de mayonnaise.

SALADE DE LANGOUSTE

- Déposer au fond du ravier un lit de feuilles de laitue émincées, disposer dessus la chair de homard ou de langouste coupée en morceaux, et napper le tout de mayonnaise très relevée. Décorer de quelques rondelles d'œuf dur et des cœurs de laitues fendus en quatre.

1 laitue. Un reste de langouste ou de homard, ou 250 g de chair de homard en boîte de conserve. 2 cœurs de laitues. 1 œuf dur. 4 cuillerées à soupe de mayonnaise.

SALADE NIÇOISE

- Faire cuire les haricots verts à l'eau bouillante salée, les égoutter. Éplucher puis couper en rondelles assez minces les pommes de terre cuites à l'eau et refroidies. Peler les tomates (voir ci-dessous) puis les couper en huit ou douze quartiers, selon la grosseur.
- Préparer la sauce vinaigrette en mélangeant l'huile, le vinaigre, le sel et le poivre. Assaisonner séparément les haricots verts, les pommes de terre et les tomates. Laisser macérer 30 mn. Pendant ce temps, dénoyauter les olives.
- Déposer les haricots verts au centre du saladier de service, entourer avec les pommes de terre, puis recouvrir avec les tomates. Décorer avec les anchois, les olives et les câpres. Arroser avec la sauce vinaigrette de macération des salades.

Préparation, 20 mn

250 g de haricots verts. 250 g de tomates. 250 g de pommes de terre cuites à l'eau. 100 g d'olives noires ou vertes. 1 ou 2 cuillerées à café de câpres. 12 à 18 filets d'anchois. 2 cuillerées à soupe de vinaigre. 5 cuillerées à soupe d'huile. 1/2 cuillerée à café de sel fin. Poivre facultatif.

SALADE DE TOMATES

- Tremper les tomates trente secondes dans l'eau bouillante pour pouvoir les peler facilement.
- Couper les tomates en tranches fines et arroser avec la vinaigrette ; décorer la surface de quelques anneaux d'oignon et saupoudrer de basilic haché.

Préparation, 10 mn

250 g de tomates. 4 cuillerées à soupe de sauce vinaigrette. 1 oignon. 1 cuillerée à soupe de basilic haché.

Salade
de tomates,
recette p. 25

Filets de
harengs sau...

SALADE DE CONCOMBRE

*Préparation,
40 mn*

- Peler et couper le concombre en deux dans le sens de la longueur ; ôter les graines et émincer chaque moitié.
- Plutôt que de faire dégorger le concombre au sel fin, je recommande de le déposer dans une terrine d'eau froide salée pendant 30 mn (le concombre ainsi traité reste croquant et ne devient pas mou). Il suffit alors de l'égoutter soigneusement en le pressant entre les mains, puis de l'assaisonner en le mélangeant avec la vinaigrette et les fines herbes hachées.

*1 concombre. 1 cuillerée à soupe de vinaigrette. 3 cuillerées à soupe d'huile.
2 cuillerées à café de fines herbes hachées.*

FILETS DE HARENGS SAURS

*Préparation,
10 mn*

- Couper les pommes de terre en rondelles, ajouter la vinaigrette et mélanger délicatement.
- Dresser cette salade dans le plat de service, puis déposer les filets de harengs. Arroser le tout d'un filet d'huile et décorer la surface d'anneaux d'oignon.
- On peut aussi ajouter un filet de vin blanc pour donner une saveur originale à ce classique des hors-d'œuvre.

*12 filets de harengs saurs. 250 g de pommes de terre cuites à l'eau. 2 oignons.
5 cuillerées à soupe de vinaigrette. 1 cuillerée à soupe d'huile.
1 cuillerée à soupe de vin blanc (facultatif).*

FILETS DE HARENGS À LA RUSSE

Préparation, 10 mn

- Cette préparation paraît originale et baroque à qui n'y a pas goûté, mais elle rencontre généralement un vif succès. Elle est encore meilleure avec des pommes un peu sures.
- Déposer dans le plat de service les pommes et la betterave pelées et coupées en petits dés. Disposer dessus les filets de harengs coupés en deux, l'aneth ciselé et l'œuf dur coupé en deux. Arroser copieusement de vin blanc, d'un filet de vinaigre et d'huile.

12 filets de harengs. 2 pommes de reinette. 1 betterave. 6 cuillerées à soupe de vin blanc. 1/2 cuillerée à soupe de vinaigrette. 1 brin d'aneth. 1 œuf dur.

SALADE DE CHOU ROUGE

- Saupoudrer de sel fin et arroser de vinaigre le chou préalablement coupé en fines lanières. Faire étuver le tout 30 mn à four doux.
- Égoutter, ajouter un petit oignon haché, et assaisonner, en ayant soin d'avoir la main légère en sel et en vinaigre, le chou ayant déjà cuit dans ces deux ingrédients. Le chou ainsi traité devient tendre et reste bien rouge.

1 petit chou rouge. 1 petit oignon. 1/2 cuillerée à café de sel fin.
4 cuillerées à soupe de vinaigrette.

Filets
de harengs
à la russe

TOMATES À L'ANTIBOISE

• Écraser le thon à l'huile et le beurre à l'aide d'une fourchette. Incorporer l'huile d'olive, le sel et le poivre, de manière à obtenir une purée crémeuse. Couper le sommet des tomates et évider l'intérieur avec une cuillère. Saler et vinaigrer la cavité, puis laisser dégorger les tomates 1/4 d'heure, en les retournant sur un plat. Bien les égoutter avant de les remplir avec la crème de thon. Dresser les tomates ainsi farcies sur un lit de persil frisé.

250 g de thon à l'huile. 6 tomates. 60 g de beurre. 2 pincées de poivre.
4 cuillerées à soupe d'huile d'olive. 12 branches de persil frisé.
2 cuillerées à café de sel.

MOULES À LA FÉCAMPOISE

• Faire cuire les moules de manière traditionnelle (voir page 79). Les retirer de leur coquille, et ôter la membrane qui les entoure. Couper le céleri et les pommes de terre en dés, ajouter les moules, puis mélanger délicatement. Dresser la salade dans le plat de service et napper copieusement de mayonnaise. Parsemer la surface de cerfeuil haché.

1 litre de grosses moules. 200 g de pommes de terre cuites. 100 g de céleri cuit.
2 cuillerées à café de cerfeuil haché. 5 cuillerées à soupe de mayonnaise.

ARTICHAUTS À LA GRECQUE

Temps de cuisson, 45 mn

• Mettre les petits artichauts entiers (ou coupés en quartiers s'ils sont gros) dans une casserole ; ajouter le vin blanc, le bouillon ou l'eau, les petits oignons, le poivre, le sel et la feuille de laurier. Arroser avec l'huile d'olive et cuire à feu assez vif. Laisser refroidir les artichauts dans leur sauce, puis les tenir au frais jusqu'au moment de servir.

• On peut aussi faire cuire les artichauts sans vin blanc, en augmentant les quantités d'eau (1/2 litre) et d'huile (un verre), et en ajoutant le jus de deux citrons ; les autres ingrédients restent dans les mêmes proportions.

18 petits artichauts. 100 g de petits oignons. 1/2 verre de vin blanc.
1 verre d'eau ou de bouillon. 1/2 verre d'huile d'olive. 1 pincée de poivre en grains.
1/2 cuillerée à café de sel. 1 feuille de laurier.

LÉGUMES À LA GRECQUE

• Beaucoup de légumes peuvent être accommodés à la manière des artichauts, dans la recette précédente. Citons entre autres le céleri en branches, le fenouil, les blancs de poireaux, les oignons grelots, les champignons. Mais cette liste n'est pas limitative et l'un des plaisirs de la cuisinière consiste à faire preuve d'imagination.

SALADE DE PIEDS DE VEAU

- Les pieds de veau ayant servi à faire de la gelée d'aspic peuvent constituer la base d'une salade, au même titre que le museau de bœuf.
- Couper les pieds de veau en morceaux, ajouter la vinaigrette pendant qu'ils sont encore chauds, puis les œufs durs hachés. Laisser refroidir avant de consommer la salade.

2 pieds de veau. 2 œufs durs.

Préparation, 10 mn

GOURILLOS À LA NIÇOISE

- Les gourillos permettent d'utiliser les trognons de chicorée ou de scarole au lieu de les jeter.
- Gratter et nettoyer les trognons de salades puis les ébouillanter 10 mn. Les égoutter, puis les remettre à cuire dans une casserole, en ajoutant l'eau, les oignons, l'huile, le poivre, le jus de citron et les tomates coupées en quartiers. Laisser cuire à découvert, sur feu moyen. Servir bien frais.

6 trognons de salades. 1/2 litre d'eau. 2 oignons. 1 cuillerée à soupe d'huile.
2 tomates. 1/2 citron. 1 pincée de poivre en grains.

Temps de cuisson, 30 mn

SALADE DE BŒUF

- Couper le bœuf bouilli en dés. Verser les morceaux dans le plat de service, ajouter les fines herbes et les oignons hachés, et la vinaigrette. Remuer délicatement avant de servir.
- Les restes de pot-au-feu ainsi que le museau de bœuf peuvent être assaisonnés de cette façon et constituer un excellent hors-d'œuvre.

200 g de bœuf bouilli. 2 oignons. 1 cuillerée à café de persil haché.
1 cuillerée à café de ciboule hachée. 1 cuillerée à café de cerfeuil haché.
4 cuillerées à soupe de vinaigrette.

Préparation, 10 mn

LES HORS-D'ŒUVRE CHAUDS
ou l'art d'accommoder les restes

C ertains mets légers s'apparentent aux entrées et peuvent constituer de délicieux et appétissants petits hors-d'œuvre chauds. Les bouchées feuilletées, les petits pâtés chauds, les allumettes au fromage, les croquettes et les beignets appartiennent à cette catégorie. Outre leurs qualités gustatives, les recettes qui suivent permettent d'utiliser indifféremment les restes de viande ou de poisson et peuvent ainsi être adaptées en fonction des ingrédients dont on dispose.

QUICHE À LA LORRAINE

Temps de cuisson, 30 mn

- Cette tarte, dont il existe une version sucrée semblable à un flan au lait, est un excellent plat régional, aujourd'hui très populaire.
- Garnir un moule à tarte, préalablement beurré, d'une fine abaisse de pâte brisée. Piquer le fond avec une fourchette. Disposer des lames minces de lard fumé bien grillé (ce bon lard qui pend dans les cheminées lorraines !), recouvrir le lard de lames de gruyère. Battre les œufs entiers, poivrer, saler modérément, le lard et le fromage étant déjà salés, ajouter le lait froid puis verser la préparation dans le fond de tarte. Cuire à four bien chaud. Servir la quiche bien gonflée et dorée à souhait.

À gauche : moules à la marinière, recette p. 79

Pâte brisée (avec 200 g de farine). 125 g de lard fumé. 60 g de gruyère. 3 œufs. 1/2 litre de lait entier. 1/2 cuillerée à café de sel. 2 pincées de poivre.

Quiche la lorraine

CROQUETTES DE VIANDE

Temps de cuisson, 5 mn

• Préparer une petite quantité de sauce béchamel avec le beurre, la farine et le lait. Couper la viande en petits dés (tous les restes de viande blanche peuvent être accommodés de cette manière), ajouter le jambon et les champignons préalablement hachés, puis lier le tout en ajoutant 2 cuillerées à soupe de sauce béchamel et les jaunes d'œufs.

• Façonner des croquettes de 3 à 4 cm de long, passer celles-ci dans l'œuf entier battu puis dans la chapelure et faire frire rapidement dans un bain de friture brûlant. Servir aussitôt, accompagné de persil frit et de sauce tomate ou de sauce madère.

300 g de veau ou de volaille. 125 g de jambon. 100 g de mie de pain.
2 jaunes d'œufs. 30 g de beurre. 30 g de farine. 1 verre de lait. 50 g de chapelure.

ÉMINCÉ DE GIGOT SAUCE PIQUANTE

Temps de cuisson, 6 à 8 mn

• Les restes de gigot peuvent être servis chauds, soit en hachis, soit accompagnés d'une sauce. La sauce piquante est particulièrement adaptée à cet emploi (voir page 51).

• Détailler la viande en tranches minces. Disposer les tranches dans un plat préchauffé, puis recouvrir de sauce. Réchauffer le tout à four doux, en ayant soin de ne pas laisser la sauce bouillir, sous peine de voir la viande durcir et se racornir irrémédiablement.

• Les restes de bœuf bouilli ou de veau braisé peuvent également être accommodés de cette manière ; déjà très cuites, ces viandes peuvent être réchauffées dans la sauce sans précaution particulière.

12 tranches de gigot. 1/3 de litre de sauce piquante.

BEIGNETS DE POISSON

Temps de cuisson total, 45 mn

• Préparer une purée de pommes de terre, comme pour les croustades en pommes d'or, et y mélanger une quantité égale de chair de poisson, réduite en purée, hachée ou écrasée – par exemple des restes de saumon, de turbot, de colin ou de morue.

• Ajouter les oignons hachés, préalablement cuits au beurre, un ou deux œufs selon la quantité, et un peu de poivre et de sel (sauf s'il s'agit de morue salée !).

• Mélanger soigneusement, puis façonner de petites galettes. Rouler celles-ci dans la farine avant de les faire frire quelques minutes. Servir aussitôt, accompagné de beurre fondu ou de sauce blanche (voir page 55).

300 g de pommes de terre. 300 g de poisson cuit. 2 petits oignons. 1 ou 2 œufs.
100 g de beurre. 2 cuillerées à soupe de farine. Bain de friture d'huile ou
de saindoux.

CROUSTADES EN POMMES D'OR

- Faire cuire les pommes de terre à l'eau puis les égoutter. Préparer une purée en passant la chair au tamis. Faire dessécher la purée sur le feu. Hors du feu, incorporer le beurre et les jaunes d'œufs. Saler, poivrer et laisser refroidir. Répandre la farine sur le plan de travail pour façonner des boulettes de purée de la grosseur d'une mandarine. Passer les boulettes dans l'œuf entier battu, puis dans la chapelure. Pratiquer une incision ronde au sommet de chaque boulette. Faire frire celles-ci quelques minutes dans un bain de friture brûlant, puis détacher le couvercle et évider l'intérieur en laissant une épaisseur suffisante pour assurer la tenue des croustades. Garnir la cavité de restes de viande, de volaille ou de poisson, d'œufs brouillés, d'épinards ou de tout autre légume. Ces petites bouchées, servies nature, peuvent aussi accompagner les pièces de viande.

Temps de cuisson total, 45 mn

500 g de pommes de terre. 3 jaunes d'œufs. 60 g de beurre. 1 œuf entier.
2 cuillerées à soupe de chapelure. 2 cuillerées à soupe de farine.
Bain de friture d'huile ou de saindoux. Garnitures diverses.

RISSOLES DE VOLAILLE

- Pour préparer cette recette, il suffit de disposer d'un reste de pâte feuilletée ou de pâte à croustade (voir page 216). Étendre celle-ci au rouleau en une abaisse de 2 à 3 mm d'épaisseur. Découper la pâte à l'aide d'un emporte-pièce cannelé rond, de 8 à 10 cm de diamètre. Humecter le tour de chaque galette de pâte avec un peu d'eau, garnir le centre d'une boulette de hachis de volaille mélangé à la sauce béchamel, et rabattre la pâte pour l'y enfermer de manière à former un petit chausson. Bien souder les bords en appuyant sur les deux épaisseurs de pâte et faire frire les rissoles dans un bain de friture brûlant. Dresser les chaussons sur une serviette. Servir sans sauce, accompagné d'un bouquet de persil frit.

Temps de préparation, 40 mn

Pâte feuilletée (avec 150 g de farine) ou pâte brisée (avec 250 g de farine).
150 g de volaille hachée. 2 cuillerées à soupe de sauce béchamel épaisse.
12 branches de persil. Bain de friture d'huile ou de saindoux.

CROMESQUIS DE VOLAILLE

- Mélanger le hachis de volaille et la sauce béchamel. Modeler de petites croquettes de 3 à 4 cm de long, puis tremper celles-ci dans la pâte à frire. Plonger aussitôt les croquettes dans un bain de friture brûlant. Servir les cromesquis bien chauds, accompagnés de sauce tomate.

Temps de cuisson, 5 à 7 mn

250 g de hachis de volaille. 2 cuillerées à soupe de sauce béchamel.
Pâte à frire (avec 100 g de farine). Bain de friture d'huile ou de saindoux.
3 dl de sauce tomate.

FRITOT DE VOLAILLE

Temps de cuisson, 6 à 8 mn

• Désosser soigneusement les restes de volaille et couper la chair en petits morceaux. Mettre celle-ci à macérer dans le jus de citron, avec les fines herbes, le sel et le poivre. Tremper les morceaux dans la pâte à frire avant de les plonger dans la friture brûlante. Servir accompagné de sauce tomate.

1 assiettée de restes de volaille. 1 jus de citron. 2 cuillerées à café de fines herbes. 1/2 cuillerée à café de sel. 2 pincées de poivre. Pâte à frire (avec 100 g de farine). Bain de friture d'huile ou de saindoux. 3 dl de sauce tomate.

ÉMINCÉ DE VOLAILLE À LA DUCHESSE

Temps de cuisson, 20 mn

• Garnir le pourtour d'un plat à gratin de purée de pommes de terre duchesse (voir page 174). Émincer les champignons et la chair de volaille.
• Mélanger la volaille et les champignons et disposer le tout au centre du plat. Napper copieusement de sauce Mornay (voir page 52), parsemer la surface de chapelure et faire gratiner dans le four.

200 g de volaille. 125 g de champignons. 250 g de pommes de terre. 1 jaune d'œuf. 2 cuillerées à soupe de chapelure. 3 dl de sauce Mornay.

COQUILLES DE VOLAILLE À LA MORNAY

Temps de cuisson, 25 mn

• Émincer finement la chair de volaille. Répartir la viande dans des coquilles Saint-Jacques et napper de sauce Mornay. Parsemer la surface de chapelure et de gruyère râpé et faire gratiner au four. Décorer chaque coquille d'un brin de persil.

250 g de volaille. 2 cuillerées à soupe de chapelure. 100 g de gruyère râpé. 1/2 litre de sauce Mornay. Persil.

TARTINES MARQUISE

Temps de cuisson, 6 à 8 mn

• Détailler le pain de mie en tranches de 1,5 cm d'épaisseur (du gros pain ordinaire un peu rassis convient également), puis enlever la croûte. Préparer une béchamel épaisse avec la farine et le lait, lier avec les jaunes d'œufs et ajouter le gruyère râpé.
• Mélanger soigneusement, puis enduire chaque tranche d'une bonne couche de sauce. Plonger les tartines dans la friture brûlante, le côté nappé dé sauce vers le dessus, et laisser cuire jusqu'à ce qu'elles soient bien croustillantes. Servir aussitôt.

200 g de pain de mie. 1/4 de litre de lait. 50 g de beurre. 2 jaunes d'œufs. 40 g de farine. 100 g de gruyère râpé. Bain de friture d'huile ou de saindoux.

LES ŒUFS

ŒUFS POCHÉS

- Ce type de cuisson exige des œufs très frais, susceptibles d'être mangés à la coque.
- Porter à ébullition une bonne quantité d'eau vinaigrée dans une casserole à large fond et plate. Casser les œufs dans l'eau frémissante, et laisser pocher 2 à 3 mn suivant la grosseur des œufs. Procéder en plusieurs fois si nécessaire, de manière à ce que les œufs cuisent sans se toucher et conservent leur forme. Enlever les œufs au fur et à mesure à l'aide d'une écumoire, en les transvasant dans un récipient d'eau chaude, mais non bouillante, afin de les rincer et de les tenir au chaud.
- Les œufs ainsi pochés constituent la base des recettes qui suivent.

6 œufs. 4 cuillerées à soupe de vinaigre. 2 litres d'eau.

Temps de cuisson, 3 mn

ŒUFS POCHÉS AU JUS

- Déposer les œufs bien égouttés sur les tranches de pain, frites ou grillées, puis arroser chaque œuf d'une bonne cuillerée à soupe de bon jus de viande (jus de rôti de veau, par exemple) réduit et bien assaisonné. On peut aussi servir les œufs pochés dans de petits ramequins préalablement chauffés, en supprimant le pain.

6 œufs. 6 tranches de pain à toast. 125 g de beurre.
6 cuillerées à soupe de jus de viande.

Temps de cuisson, 3 mn

ŒUFS POCHÉS À L'ESTRAGON

- Procéder comme dans la recette précédente, en faisant infuser une pincée d'estragon frais grossièrement haché dans le jus de viande.

ŒUFS POCHÉS À LA MORNAY

- Préparer une sauce Mornay (voir page 52) bien relevée. Faire pocher les œufs puis les plonger aussitôt dans de l'eau froide (de cette manière, la cuisson est stoppée net, ce qui permet de passer les œufs au four sans qu'ils durcissent). Égoutter les œufs refroidis avant de les déposer dans un plat à gratin. Napper copieusement de sauce Mornay bouillante, saupoudrer de chapelure, arroser de beurre et gratiner à four vif. Servir sans attendre.

6 œufs. 1/2 litre de sauce Mornay. 3 cuillerées à soupe de chapelure. 30 g de beurre.

Temps de cuisson, 15 mn

ŒUFS POCHÉS À LA FLORENTINE

Temps de cuisson, 30 mn

- Faire sauter les épinards dans le beurre.
- Déposer un lit d'épinards au fond d'un plat à gratin, disposer les œufs pochés refroidis et napper copieusement le tout de sauce Mornay.
- Saupoudrer de chapelure, arroser de beurre et faire gratiner vivement.

6 œufs. 1 kg d'épinards en branches. 75 g de beurre. 1/2 litre de sauce Mornay.
2 cuillerées à soupe de chapelure.

ŒUFS POCHÉS EN MATELOTE

Temps de cuisson, 15 mn

- Porter le vin rouge à ébullition dans une sauteuse pour y faire pocher les œufs.
- Retirer les œufs, ajouter l'oignon émincé, l'ail, le sel, le poivre et le bouquet garni dans le vin et laisser réduire de moitié sur feu vif.
- Lier la sauce en incorporant un bon morceau de beurre additionné de farine. Laisser épaissir la sauce quelques instants puis, hors du feu, ajouter à nouveau un morceau de beurre.
- Dresser les œufs sur des croûtons de pain frits et napper avec la sauce.

6 œufs. 1/2 litre de vin rouge. 1 oignon. 1 gousse d'ail. 1 bouquet garni.
1/2 cuillerée de sel. 1 pincée de poivre moulu. Beurre. 1 pincée de farine.

ŒUFS POCHÉS À LA POLONAISE

Temps de cuisson, 25 mn

- Hacher la viande de bœuf (un reste de pot-au-feu, par exemple). Y mélanger la sauce tomate, en relevant l'assaisonnement si nécessaire.
- Garnir de hachis à la sauce tomate le fond d'un plat à gratin, y déposer les œufs pochés et saupoudrer de chapelure.
- Faire gratiner à four bien chaud. Ce plat nutritif et économique est tout à fait délicieux.

6 œufs. 300 g de reste de bœuf bouilli. 1 verre de sauce tomate.
6 cuillerées à soupe de chapelure. 50 g de beurre.

ŒUFS MOLLETS

Temps de cuisson, 5 à 7 mn, selon grosseur

- Les œufs mollets sont cuits comme les œufs à la coque, mais pendant un temps réduit, à mi-chemin entre l'œuf coque et l'œuf dur : le blanc prend et le jaune reste liquide. On les accommode comme les œufs pochés ou on les sert froids, en gelée.

6 œufs. 1/2 litre d'eau. 1 cuillerée à café de sel.

Œufs
à la coque

ŒUFS À LA COQUE

• Les œufs destinés à être cuits à la coque doivent être d'une fraîcheur irréprochable. On peut les plonger délicatement dans l'eau bouillante ; on compte alors 3 minutes de cuisson (si on aime le blanc presque liquide) ou 3 minutes et demie (si on préfère le blanc bien pris). On peut aussi les plonger dans l'eau froide, arrêter la cuisson dès la première ébullition, couvrir et attendre une minute avant de retirer les œufs.

6 œufs. 1/2 litre d'eau.

*Temps
de cuisson,
3 à 3 mn 1/2
selon le goût*

ŒUFS DURS

• Porter l'eau à ébullition sur feu vif : elle doit bouillir à gros bouillons lorsqu'on y plonge les œufs, de manière que le blanc étant saisi immédiatement, le jaune reste bien au milieu. Dès la fin de la cuisson, porter la casserole sous le robinet d'eau froide et laisser couler celle-ci quelques instants. Le brusque changement de température permet d'éplucher la coquille très facilement.

6 œufs. 1/2 litre d'eau. 1/2 cuillerée à soupe de sel.

*Temps
de cuisson,
10 mn*

ŒUFS DURS À L'OSEILLE

• Faire cuire l'oseille, préalablement lavée et épluchée, dans une casserole d'eau bouillante pendant 4 mn. Pendant ce temps, mettre les œufs à durcir. Égoutter soigneusement l'oseille avant de la mélanger avec la sauce béchamel (on peut passer l'oseille au tamis ou la laisser telle quelle). Assaisonner, puis laisser cuire doucement une demi-heure pour que l'oseille perde son acidité. Incorporer un œuf entier, bien battu et redonner un bouillon. Verser l'oseille dans le plat de service et disposer les œufs durs coupés en deux à la surface.

7 œufs. 1 kg d'oseille. 1/4 de litre de sauce béchamel.

ŒUFS DURS À LA TRIPE

• Faire cuire les oignons émincés à l'eau salée, puis les égoutter soigneusement avant de les mélanger avec la sauce béchamel. Saler et poivrer généreusement, puis ajouter les œufs durs coupés en rondelles. Laisser mijoter 5 mn, parsemer la surface de persil haché et servir aussitôt.

6 œufs. 2 gros oignons. 1/4 de litre de sauce béchamel. 1 cuillerée à soupe de vinaigre. Poivre moulu. 2 cuillerées à soupe de persil haché.

ŒUFS DURS À LA CRÈME

• Faire durcir les œufs. Mélanger la béchamel et la crème, ajouter les œufs durs coupés en rondelles. Assaisonner puis laisser mijoter 5 mn avant de servir.

6 œufs. 1/4 de litre de sauce béchamel. 85 g de crème. Sel. Poivre.

ŒUFS DURS FARCIS

Temps de cuisson, 20 mn

• Couper en deux les œufs durs refroidis, écraser les jaunes avec le beurre, le sel et le poivre, les champignons, préalablement cuits et hachés, et le persil. Remplir les blancs d'œufs de farce, déposer les œufs dans un plat à gratin, napper de sauce Mornay (voir page 52), et faire gratiner. Servir sans attendre.

6 œufs. 125 g de champignons. 2 cuillerées à soupe de persil haché. 50 g de beurre. 1/3 de litre de sauce Mornay. 1/2 cuillerée à café de sel. 2 pincées de poivre moulu.

ŒUFS DURS MAYONNAISE

Temps de cuisson, 10 mn

• Napper le fond d'un ravier ou d'un plat creux de mayonnaise. Disposer dessus les œufs durs refroidis, entiers, coupés en deux ou en rondelles minces. Cette préparation constitue un hors-d'œuvre classique.

6 œufs. 1/4 de litre de mayonnaise.

ŒUFS FRITS

- Ce mode de cuisson exige des œufs très frais.
- Faire chauffer l'huile à feu vif dans une petite poêle ; pencher celle-ci pour amener toute l'huile dans un petit coin.
- Casser un œuf au-dessus d'une assiette, saler légèrement, puis précipiter l'œuf dans l'huile brûlante ; aussitôt, à l'aide d'une spatule en bois bien sèche, ramener le blanc délicatement sur le jaune pour envelopper celui-ci et redonner à l'œuf sa forme ovoïde.
- Faire cuire les œufs ainsi, l'un après l'autre, en ayant soin de ne pas dépasser le temps de cuisson indiqué, le jaune devant rester moelleux.
- Déposer les œufs sur un linge absorbant ; servir accompagné de sauce tomate. On peut aussi les servir sur une tranche de jambon frit ou sur des moitiés de tomates grillées.

6 œufs. 1 verre d'huile. 1/4 de litre de sauce tomate.

Temps de cuisson, 1 mn 1/2

ŒUFS BROUILLÉS AUX CROÛTONS

- Faire fondre un peu de beurre dans une petite casserole.
- Casser les œufs entiers au-dessus de la casserole, saler, poivrer, puis ajouter la sauce béchamel et placer la casserole au bain-marie bouillant.
- Remuer vivement avec le fouet jusqu'à obtention d'un mélange crémeux et homogène.
- On peut alors ajouter la crème épaisse ou un bon morceau de beurre. Servir accompagné de petits croûtons de mie de pain frits au beurre.

6 œufs. 60 g de beurre. 1/2 cuillerée à café de sel. 1 pincée de poivre moulu.
55 g de crème. 18 petits croûtons. 2 dl de sauce béchamel peu épaisse.

Temps de cuisson, 6 à 10 mn

ŒUFS BROUILLÉS AUX CHAMPIGNONS

- Procéder comme dans la recette précédente, en ajoutant, en fin de cuisson, les champignons émincés et sautés au beurre à cru.
- Cette recette se prête à de nombreuses adaptations ; il suffit de modifier l'ingrédient ajouté à la préparation de base : dés de jambon, crevettes, fonds d'artichauts, pointes d'asperges, etc.
- Les légumes tels que fonds d'artichauts ou asperges seront préalablement cuits, puis coupés en dés et sautés au beurre avant d'être incorporés aux œufs brouillés.

6 œufs. 60 g de beurre. 1/2 cuillerée à café de sel. 1 pincée de poivre moulu.
55 g de crème. 125 g de champignons. 2 dl de sauce béchamel peu épaisse.

Temps de cuisson, 6 à 10 mn

ŒUFS BROUILLÉS AU FROMAGE

Temps de cuisson, 6 à 10 mn

• Incorporer le gruyère râpé aux œufs brouillés au moment de servir.

6 œufs. 60 g de beurre. 1/2 cuillerée à café de sel. 1 pincée de poivre moulu. 55 g de crème. 50 g de gruyère râpé. 2 dl de sauce béchamel peu épaisse.

ŒUFS BROUILLÉS AUX FINES HERBES

Temps de cuisson, 6 à 10 mn

• Hacher finement le persil, le cerfeuil et l'estragon et les ajouter à la préparation au début de la cuisson pour qu'ils communiquent leur arôme aux œufs.

6 œufs. 60 g de beurre. 1/2 cuillerée à café de sel. 1 pincée de poivre moulu. 55 g de crème. 2 dl de sauce béchamel peu épaisse. 3 cuillerées à café de persil haché. 2 cuillerées à café de cerfeuil haché. 1 cuillerée à café d'estragon haché.

ŒUFS BROUILLÉS CHASSEUR

Temps de cuisson, 15 mn

• Dresser les œufs brouillés dans un plat creux, déposer les foies de volailles et les champignons sautés au centre. Parsemer le tout de persil haché.

6 œufs. 60 g de beurre. 1/2 cuillerée à café de sel. 1 pincée de poivre moulu. 55 g de crème. 2 dl de sauce béchamel peu épaisse. 50 g de champignons. 3 foies de volailles. 2 cuillerées à café de persil haché.

ŒUFS BROUILLÉS MORÉNO

Temps de cuisson, 20 mn

• Répartir les œufs brouillés dans de belles demi-tomates évidées et cuites quelques minutes sous le gril du four ; disposer un buisson d'oignons frits au centre.

6 œufs. 60 g de beurre. 1/2 cuillerée à café de sel. 1 pincée de poivre moulu. 55 g de crème. 2 dl de sauce béchamel peu épaisse. 6 tomates. 1 verre d'huile. 100 g d'oignons.

ŒUFS BROUILLÉS FORESTIÈRE

• Faire sauter les morilles et les petits lardons dans du beurre, dans deux poêles différentes. Les mélanger délicatement aux œufs brouillés. Verser la préparation dans le plat de service, garnir le centre d'un bouquet de tomates sautées et parsemer de persil haché.

6 œufs. 60 g de beurre. 1/2 cuillerée à café de sel. 1 pincée de poivre moulu. 55 g de crème. 2 dl de sauce béchamel peu épaisse. 100 g de morilles. 50 g de beurre. 50 g de lardons. 3 tomates. 2 cuillerées à café de persil haché.

Œufs
brouillés

ŒUFS BROUILLÉS AUX TRUFFES

- Émincer la truffe, puis la faire légèrement chauffer dans le beurre, sans la laisser roussir. En verser la moitié sur les œufs en début de cuisson puis continuer comme indiqué dans la recette de base. Répartir la préparation dans des ramequins et décorer du reste de truffe.

Temps de cuisson, 15 mn

6 œufs. 60 g de beurre. 1/2 cuillerée à café de sel. 1 pincée de poivre moulu. 55 g de crème. 2 dl de sauce béchamel peu épaisse. 1 petite truffe ou 1 petite boîte de truffe en morceaux ou de pelures de truffes. 15 g de beurre.

ŒUFS EN COCOTTE

- Les œufs en cocotte constituent une variante des œufs pochés puisqu'il suffit de casser chaque œuf dans un ramequin individuel puis de poser les ramequins dans une sauteuse remplie d'eau frémissante : les œufs cuisent ainsi au bain-marie *(photo pages 22-23)*.

Temps de cuisson, 6 mn

6 œufs.

41

ŒUFS COCOTTE À LA CRÈME

Temps de cuisson, 6 mn

• Faire chauffer les ramequins ; y déposer une bonne cuillerée de crème bouillante et y casser des œufs très frais. Poser les ramequins dans le bain-marie, saler et poivrer les œufs et laisser cuire 2 à 3 mn dans l'eau frémissante ; terminer la cuisson en passant les ramequins 3 mn au four en les couvrant d'une feuille d'aluminium.

6 œufs. 125 g de crème. 6 pincées de sel. 6 pincées de poivre moulu.

ŒUFS COCOTTE À LA BERGÈRE

Temps de cuisson, 8 mn

• Mélanger le beurre mou avec les champignons préalablement cuits et hachés, le persil haché, le sel et le poivre. Tapisser le fond et le tour des ramequins ; casser un œuf dans chaque ramequin et cuire au bain-marie.

6 œufs. 60 g de champignons. 50 g de beurre. 2 cuillerées à café de persil haché.
1 cuillerée à café de sel. 1/2 cuillerée à café de poivre moulu.

ŒUFS COCOTTE À LA COLBERT

Temps de cuisson, 6 mn

• Procéder comme pour les œufs en cocotte à la crème, en mélangeant 2 cuillerées de fines herbes hachées à la crème ; saler et poivrer les œufs, cuire au bain-marie puis déposer une bonne pincée de fines herbes sur chaque ramequin.

6 œufs. 125 g de crème. 6 pincées de sel. 6 pincées de poivre moulu.
3 cuillerées à café de fines herbes hachées. 50 g de beurre.

ŒUFS COCOTTE À LA SAINT-HUBERT

Temps de cuisson, 4 à 5 mn

• Tapisser le fond des cocottes d'un reste de gibier haché additionné de sa sauce ; y casser les œufs, et faire cuire au bain-marie. En fin de cuisson, arroser les œufs d'une petite cuillerée de sauce de gibier.

6 œufs. Reste de gibier haché.

ŒUFS SUR LE PLAT

Temps de cuisson, 3 à 5 mn

• Le secret de cette recette de base réside dans la cuisson, qui doit être conduite en deux temps. Faire fondre un peu de beurre dans le plat, casser dessus les œufs bien frais, laisser prendre le blanc 1 à 2 mn sur feu doux, puis terminer la cuisson à four chaud de manière à cuire le blanc en conservant le moelleux du jaune. Saler en fin de cuisson et servir sans attendre.

6 œufs. 50 g de beurre. 1/2 cuillerée à café de sel fin. 2 pincées de poivre moulu.

OMELETTE NATURE

- Une omelette, si simple à réussir a priori, demande malgré tout un «tour de main» pour être parfaitement présentée, roulée et moelleuse à souhait.
- Casser les œufs dans une terrine, ajouter la moitié du beurre coupé en petits morceaux, le sel et les 2 cuillerées d'eau. Battre le tout vigoureusement avec une fourchette.
- Faire fondre le reste de beurre dans une poêle, sur feu assez vif ; lorsque le beurre est bien chaud, verser les œufs battus dans la poêle, en les remuant avec la fourchette jusqu'à ce qu'ils commencent à prendre.
- Incliner la poêle pour faire glisser l'omelette sur un côté et, à l'aide de la fourchette, replier l'omelette sur elle-même avant de la faire glisser sur un plat et de la servir bien chaude.

8 œufs. 30 g de beurre. 2 cuillerées à soupe d'eau. 1/2 cuillerée à café de sel fin.

Temps de cuisson, 5 à 6 mn

OMELETTE AUX FINES HERBES

- Procéder comme pour l'omelette nature, en ajoutant le hachis de fines herbes aux œufs battus, avant cuisson.

8 œufs. 30 g de beurre. 2 cuillerées à soupe d'eau. 1/2 cuillerée à café de sel fin.
3 cuillerées à soupe de fines herbes hachées : persil, ciboulette et cerfeuil.

Temps de cuisson, 5 à 6 mn

OMELETTE AUX POMMES DE TERRE

- Faire fondre la moitié du beurre dans la poêle pour y faire rissoler les pommes de terres coupées en tranches ou en dés, verser les œufs battus directement dessus et terminer la cuisson de la même manière que pour une omelette nature.

8 œufs. 60 g de beurre. 2 cuillerées à soupe d'eau. 1/2 cuillerée à café de sel fin.
3 pommes de terre cuites à l'eau ou à la vapeur.

OMELETTE PAYSANNE

- Faire revenir le lard et les pommes de terre coupés en petits dés dans la moitié du beurre bien chaud.
- Verser les œufs battus (les lardons étant salés, on diminue de moitié la quantité de sel ajoutée aux œufs) et remuer avec la fourchette.
- Retourner l'omelette, comme une crêpe, à mi-cuisson : on la sert traditionnellement non roulée.

8 œufs. 30 g de beurre. 2 cuillerées à soupe d'eau. 1/4 de cuillerée à café de sel fin.
60 g de lard maigre. 1 pomme de terre.

OMELETTE AUX CHAMPIGNONS

• Faire fondre la moitié du beurre dans la poêle pour y faire revenir les champignons émincés ; saler et poivrer modérément et réserver au chaud.

• Battre les œufs et les 2 cuillerées d'eau vigoureusement avec une fourchette ; saler et poivrer. Faire fondre le reste de beurre dans la poêle, sur feu assez vif ; verser les œufs battus dans la poêle. Remuer avec la fourchette jusqu'à ce qu'ils commencent à prendre. Déposer les champignons au centre de l'omelette, puis incliner la poêle pour la faire glisser sur un côté et la replier sur elle-même. Dresser sur le plat de service, parsemer de quelques brins de persil et servir sans attendre.

8 œufs. 60 g de beurre. 2 cuillerées à soupe d'eau. 1/2 cuillerée à café de sel fin. 200 g de champignons : girolles, cèpes, champignons de Paris, etc.

OMELETTE AU JAMBON

Temps de cuisson, 4 à 5 mn

• Faire fondre la moitié du beurre dans la poêle pour y faire rissoler le jambon coupé en dés, verser les œufs battus directement dessus, remuer puis terminer la cuisson de la même manière que pour une omelette nature.

8 œufs. 50 g de beurre. 2 cuillerées à soupe d'eau. 1/2 cuillerée à café de sel fin. 60 g de jambon maigre.

Omelette nature, recette p. 4?

À droite : omelette au jambon

OMELETTE AUX TOMATES

Temps de cuisson, 8 mn

- Ébouillanter, peler et épépiner les tomates coupées en quartiers. Faire fondre la moitié du beurre dans la poêle pour y faire revenir les tomates avec le sel, le poivre et le persil haché. Tenir le tout au chaud dans une casserole. Essuyer la poêle et faire cuire l'omelette dans le reste de beurre. Déposer la fondue de tomates au centre de l'omelette avant de la rouler. Servir sans attendre.

8 œufs. 60 g de beurre. 2 cuillerées à soupe d'eau. 1/2 cuillerée à café de sel fin. 200 g de tomates. 1 cuillerée à café de persil haché. Poivre.

OMELETTE À L'OSEILLE

- Éplucher, laver et émincer l'oseille pour la faire fondre quelques minutes dans le beurre. Ajouter la fondue d'oseille aux œufs battus avant de faire cuire l'omelette.

8 œufs. 50 g de beurre. 2 cuillerées à soupe d'eau. 1/2 cuillerée à café de sel fin. 1 cuillerée à soupe d'oseille cuite ou 1 poignée d'oseille crue.

OMELETTE À LA LYONNAISE

- Faire revenir les oignons émincés dans le beurre. Ajouter les oignons et le persil haché aux œufs battus avant de procéder à la cuisson de l'omelette.

8 œufs. 60 g de beurre. 2 cuillerées à soupe d'eau. 1/2 cuillerée à café de sel fin. 12 petits oignons. 1 cuillerée à café de persil haché.

OMELETTE ARLÉSIENNE

- Faire fondre les tomates pelées, épépinées et coupées en dés, les aubergines coupées en tranches fines et l'ail écrasé dans la moitié du beurre. Tenir le tout au chaud. Procéder à la cuisson de l'omelette. Verser la fondue de légume avant de rouler l'omelette sur elle-même. Servir accompagné d'un coulis de tomates.

8 œufs. 30 g de beurre. 2 cuillerées à soupe d'eau. 1/2 cuillerée à café de sel fin. 100 g de tomates. 100 g d'aubergines. 1 gousse d'ail.

OMELETTE MOUSSELINE

Temps de cuisson, 4 à 5 mn

- L'omelette mousseline, légère et mousseuse, constitue une variante originale de l'omelette traditionnelle.
- Mélanger les jaunes d'œufs, le sel, le poivre et la crème épaisse dans une terrine. Monter les blancs d'œufs en neige ferme. Incorporer délicatement les blancs aux jaunes à l'aide d'une spatule. Procéder à la cuisson de l'omelette en employant une poêle plus grande et en augmentant légèrement la quantité de beurre.

6 œufs. 40 g de beurre. 1/2 cuillerée à café de sel. 1 pincée de poivre moulu. 3 cuillerées à soupe de crème épaisse.

SOUFFLÉ AU FROMAGE

• Faire fondre le beurre, ajouter la farine ; laisser cuire 1 à 2 mn en remuant constamment avant d'ajouter le lait ; continuer à remuer jusqu'à obtention d'une préparation épaisse. Saler, poivrer, ajouter la muscade. Retirer la casserole du feu avant d'ajouter les jaunes d'œufs. Monter les blancs en neige ferme. Incorporer les blancs en même temps que le gruyère râpé, en remuant délicatement à l'aide d'une spatule en bois pour ne pas faire retomber la masse. Verser la préparation dans un plat à soufflé, beurré et saupoudré de farine (elle empêche le soufflé d'attacher aux parois du moule) ; cuire à four doux, 15 mn, augmenter la température et laisser dorer le soufflé encore 5 mn. Servir aussitôt.

Temps de cuisson, 20 mn

50 g de beurre. 40 g de farine. 1/4 de litre de lait. 1/2 cuillerée à café de sel. 1 pincée de noix muscade râpée. 2 pincées de poivre. 4 œufs. 100 g de gruyère râpé.

Petits conseils du chef

ÉCALER LES ŒUFS SANS DIFFICULTÉ

Il est parfois difficile d'enlever la coquille des œufs, et la chose devient souvent catastrophique lorsqu'il s'agit d'œufs mollets. On conseille parfois de saler l'eau de cuisson pour faciliter l'écalage des œufs. Cependant, l'expérience permet de constater que le sel ne facilite en rien l'opération.

Pour résoudre efficacement ce petit problème, il suffit de plonger les œufs crus dans de l'eau en pleine ébullition, de contrôler soigneusement les temps de cuisson – 10 mn pour un œuf dur, 5 à 7 mn pour un œuf mollet – puis de précipiter les œufs sous le robinet d'eau froide jusqu'à complet refroidissement. On peut alors les écaler sous un filet d'eau (surtout les œufs mollets).

LES SAUCES

LES SAUCES CHAUDES

SAUCE TOMATE

Temps de cuisson, 40 mn

- Cette sauce peut se préparer avec des tomates fraîches, pendant la saison, ou avec des tomates pelées en conserve de bonne qualité.
- Mettre l'oignon émincé et la carotte coupée en rondelles à blondir dans le beurre avec le persil, le thym et le laurier.
- Ajouter la farine, puis les tomates, écrasées ou coupées en quatre ; saler, poivrer, mouiller d'un peu d'eau si nécessaire et cuire à petit feu, à couvert.
- En fin de cuisson, passer la sauce au chinois, ajouter éventuellement une noisette de beurre, puis le sucre pour combattre l'acidité de la tomate.
- Quand on prépare la sauce avec des tomates en conserve, plus aqueuses, on peut augmenter légèrement la quantité de farine et ne pas ajouter d'eau.

500 g de tomates. 2 oignons. 1 petite carotte. 1 brin de thym. 1 feuille de laurier. 2 branches de persil. 30 g de beurre. 1/2 cuillerée à soupe de farine. 1 morceau de sucre. 1/2 cuillerée à café de sel.

SAUCE VELOUTÉE

Temps de cuisson, 20 mn

- Cette composition, parfois appellée «sauce suprême», n'est autre qu'une sauce blanche préparée avec du bouillon de volaille, de veau ou de bœuf ; ainsi une sauce de blanquette est une sauce veloutée.
- Mettre le beurre à fondre ; ajouter la farine en mélangeant vivement et laisser cuire un instant, sans laisser roussir.
- Verser une quantité suffisante de bouillon pour obtenir une sauce crémeuse, mais pas trop épaisse.
- Laisser cuire une vingtaine de minutes, doucement, lier la sauce avec les jaunes d'œufs et la crème, puis rectifier l'assaisonnement.

30 g de beurre. 40 g de farine. 1/2 litre de bouillon de viande. 1/2 cuillerée à café de sel. 2 jaunes d'œufs. 80 g de crème.

SAUCE AURORE

- Cette sauce délicieuse accompagne les œufs pochés ou mollets et les poissons cuits au court-bouillon. Elle se compose d'un mélange à parts égales de sauce béchamel et de sauce tomate, de manière à obtenir une belle couleur rosée, d'où son nom de sauce aurore.

1/4 de litre de sauce béchamel. 1/4 de litre de sauce tomate.

SAUCE BRUNE (OU DEMI-GLACE)

- Cette sauce, assez délicate à préparer, est rarement employée dans la cuisine familiale ; cependant elle constitue la base de la sauce madère et de diverses sauces pour le gibier et, à ce titre, doit être mentionnée. Elle est évidemment meilleure lorsqu'elle est préparée avec du bon bouillon mais on peut utiliser du jus de viande tout préparé que l'on additionne d'eau.
- Faire un roux avec le saindoux et la farine et le laisser cuire lentement et longtemps, jusqu'à ce qu'il devienne aussi brun qu'un marron.
- Ajouter alors le bouillon puis la purée de tomates, en remuant au fouet jusqu'à l'ébullition.
- Prolonger la cuisson, sans remuer et à très petit feu, pendant au moins 1 h, en enlevant de temps en temps l'écume et la graisse qui remontent à la surface. Cette opération, que l'on appelle «dépouiller la sauce», est indispensable pour assurer sa parfaite digestibilité.
- En fin de cuisson, goûter, rectifier l'assaisonnement et passer la sauce. On peut y ajouter du beurre frais au moment de servir, mais on ne doit pas préparer le roux au beurre, car il noircit trop vite et rend la sauce amère.

50 g de saindoux. 40 g de farine. 1/2 litre d'eau ou de bouillon. 1 cuillerée à soupe de purée de tomates. 1/2 cuillerée à café de sel.

Temps de cuisson, 1 h

SAUCE MADÈRE

- Préparer une sauce brune, comme indiqué ci-dessus, en ajoutant à mi-cuisson le madère ou le porto.
- Cette sauce est parfaite pour accompagner les viandes et les volailles rôties, les œufs pochés ; elle peut aussi servir à lier la garniture d'un vol-au-vent ou des bouchées.

1/2 litre de sauce brune. 1 verre à madère de madère ou de porto.

Temps de cuisson, 1 h

SAUCE PIQUANTE

- Faire légèrement blondir au beurre les échalotes hachées, puis verser le vinaigre et laisser réduire celui-ci jusqu'à ce qu'il n'en reste presque plus.
- Ajouter alors la sauce brune (voir ci-dessus), puis le poivre et les cornichons émincés en rondelles, ainsi que la moutarde, sans refaire bouillir.
- Servir sur un reste de bœuf de pot-au-feu ou de gigot coupé en tranches fines, ou encore avec des côtes de porc grillées.

1/3 de litre de sauce brune. 1 cuillerée à soupe de vinaigre. 3 échalotes. 1 pincée de poivre. 50 g de cornichons. 1/2 cuillerée à café de moutarde. 30 g de beurre.

Temps de cuisson, 1 h pour la sauce brune + 20 mn

Sauce
béchamel

SAUCE BÉCHAMEL

*Temps
de cuisson,
10 mn*

• Faire fondre le beurre dans une petite casserole, ajouter la farine et mélanger vivement avec une cuillère en bois. Ajouter aussitôt le lait en mélangeant constamment, saler et poivrer. Laisser cuire la sauce sur feu doux, en continuant à remuer, jusqu'à ce qu'elle épaississe.

40 g de beurre. 40 g de farine. 1/2 litre de lait. 1/2 cuillerée à café de sel. Poivre.

SAUCE MORNAY

*Temps
de cuisson,
10 mn*

• La sauce Mornay n'est autre qu'une sauce béchamel additionnée de gruyère râpé ou de parmesan ; elle sert à napper diverses préparations, toujours servies gratinées.

Sauce béchamel (voir ci-dessus). 60 g de gruyère râpé ou 40 g de parmesan.

SAUCE POIVRADE POUR GIBIER

*Temps
de cuisson,
1 h 25 mn*

• Faire revenir dans l'huile quelques parures de gibier marinées ; ajouter les oignons, la carotte et l'échalote hachés. Quand le tout est bien coloré, verser le vinaigre et laisser réduire de moitié.
• Mouiller alors avec la sauce brune et la marinade ; ajouter le poivre et laisser

cuire lentement pendant 1 h pour que les parures de gibier aient le temps de cuire et de donner leur note à la sauce.

• Dégraisser puis passer celle-ci, relever fortement l'assaisonnement puis incorporer une cuillerée à café de gelée de groseilles pour atténuer l'acidité du vinaigre et de la marinade. Déglacer le fond de cuisson du gibier rôti avec un peu de marinade, le passer au tamis avant de le verser dans la sauce.

2 cuillerées à soupe d'huile. 2 oignons moyens. 1 carotte. 1 échalote.
1 verre à madère de vinaigre. 1/4 de litre de sauce brune. 1 verre de vin blanc
ou de marinade. 1/2 cuillerée à café de poivre. 1/2 cuillerée à café de sel.
1 cuillerée à café de gelée de groseilles.

SAUCE MOUTARDE

• Préparer une sauce blanche (voir page 55) avec 40 g de beurre. En fin de cuisson, incorporer la moutarde – ordinaire ou, mieux, en poudre délayée avec un peu d'eau froide (n'ajouter ni citron ni vinaigre). Cette sauce accompagne très bien les harengs frais, grillés ou frits à l'huile.

Temps de cuisson, 10 mn

Sauce blanche. 2 cuillerées à café de moutarde.

SAUCE ANCHOIS

• Préparer une sauce blanche en y ajoutant 3 ou 4 filets d'anchois pilés et passés au tamis ou, plus pratique, une cuillerée de crème d'anchois (que l'on trouve toute préparée dans le commerce). Cette sauce se sert avec les poissons grillés, parfois même avec des œufs.

Temps de cuisson, 10 mn

Sauce blanche. 1 cuillerée à café de crème d'anchois ou 3 ou 4 filets d'anchois.

Sauce poivrade pour gibier

Sauce moutarde

SAUCE ITALIENNE

Temps de cuisson, 20 mn

• Faire blondir les échalotes hachées dans le beurre (ou l'huile), ajouter les champignons crus hachés, et le jambon coupé en petits dés. Laisser cuire jusqu'à ce que les champignons grésillent, mouiller avec le vin blanc et la sauce tomate. Saler, poivrer généreusement, et laisser mijoter 15 mn. Corser un peu la sauce avec un reste de bon jus de viande ou avec un cube de bouillon.

50 g de beurre ou d'huile. 30 g de farine. 3 échalotes. 125 g de champignons. 50 g de jambon. 1/2 verre de vin blanc. 1/4 de litre de sauce tomate. 1/2 cuillerée à café de sel. 2 pincées de poivre.

SAUCE CREVETTES

Temps de cuisson, 15 mn

• Préparer une sauce béchamel très peu salée et y ajouter les épluchures de crevettes roses ou rouges, pilées au mortier avec un peu de beurre ou hachées menues. Donner un ou deux bouillons et passer la sauce au chinois. Relever l'assaisonnement au piment de Cayenne et aviver la couleur avec un soupçon de purée de tomates.

Sauce béchamel. 125 g de crevettes. 125 g de beurre. 1 pincée de piment de Cayenne. 2 cuillerées à café de purée de tomates.

SAUCE CHASSEUR

Temps de cuisson, 1 h pour la sauce brune + 25 mn

• Faire revenir au beurre les champignons crus coupés en lames minces dans une sauteuse. Ajouter les échalotes hachées ; laisser celles-ci revenir 1 mn, puis mouiller avec le vin blanc ; porter la préparation à ébullition de manière à ce qu'elle réduise de moitié. Incorporer la sauce brune et la purée de tomates. Laisser mijoter un moment, puis, hors du feu, ajouter le beurre, le persil et l'estragon hachés. Cette sauce accompagne le poulet chasseur et les viandes rôties.

100 g de champignons. 60 g de beurre. 4 échalotes. 1 verre de vin blanc. 1/4 de litre de sauce brune. 1 cuillerée à soupe de purée de tomates. 2 cuillerées à café de persil et d'estragon hachés.

SAUCE LYONNAISE

Temps de cuisson, 1 h pour la sauce brune + 25 mn

• Faire revenir les oignons hachés dans le beurre, sans les laisser prendre couleur. Mouiller avec le vin blanc ; porter la préparation à ébullition de manière à ce qu'elle réduise de moitié puis ajouter la sauce brune. Laisser mijoter une dizaine de minutes. On peut ajouter, en fin de cuisson, une cuillerée de sauce tomate. Cette sauce accompagne diverses préparations de viandes et de légumes, et notamment les artichauts.

50 g de beurre. 2 petits oignons. 1 verre de vin blanc. 2 dl de sauce brune.

SAUCE BLANCHE

- Cette sauce accompagne traditionnellement les asperges, le chou-fleur et divers poissons bouillis.
- Faire fondre le beurre dans une petite casserole, ajouter la farine tout en mélangeant vivement avec une cuillère en bois.
- Ajouter aussitôt l'eau ou le court-bouillon froid, en mélangeant constamment à l'aide d'un fouet. Saler, poivrer, et incorporer le jaune d'œuf hors du feu. Remettre la sauce à cuire sur le feu, en continuant à remuer vigoureusement avec le fouet.
- Retirer du feu dès le premier bouillon (la sauce «tourne» si on la laisse bouillir). Ajouter le reste de beurre et le jus de citron ou un filet de vinaigre.

60 g de beurre. 40 g de farine. 1/2 litre d'eau ou de court-bouillon.
1/2 cuillerée à café de sel. 1 jaune d'œuf. Le jus de 1/2 citron.

Temps de cuisson, 10 mn

SAUCE AUX CÂPRES

- Incorporer les câpres égouttées dans la sauce blanche en fin de cuisson (ne pas y rajouter de citron ou de vinaigre). Cette sauce accompagne exclusivement les plats de poisson.

Sauce blanche (voir ci-dessus). 100 g de câpres au vinaigre.

Temps de cuisson, 10 mn

SAUCE HOLLANDAISE

- Mettre le poivre et le vinaigre dans une casserole ; faire réduire sur feu vif jusqu'à évaporation presque totale du vinaigre. Laisser refroidir la casserole, puis ajouter les jaunes d'œufs, le sel fin, un dé à coudre d'eau ; poser la casserole dans un bain-marie pas trop chaud (60 °C) ; tourner vivement les jaunes à l'aide d'un fouet jusqu'à obtention d'une sauce crémeuse.
- Retirer le bain-marie du feu en y laissant la casserole pour incorporer le beurre coupé en petits morceaux. Goûter, rectifier l'assaisonnement si nécessaire et servir en saucière chaude. Cette sauce accompagne divers poissons, les asperges, le chou-fleur, etc.

1 cuillerée 1/2 à soupe de vinaigre. 2 jaunes d'œufs. 1 cuillerée à café d'eau.
200 g de beurre. 1 pincée de poivre. 1/2 cuillerée à café de sel.

Temps de cuisson, 15 mn

SAUCE MOUSSELINE

- Préparer la sauce hollandaise comme indiqué ci-dessus, puis incorporer la crème fraîche préalablement fouettée.

Sauce hollandaise (voir ci-dessus). 60 g de crème fraîche.

Temps de cuisson, 15 mn

Sauce
béarnaise

SAUCE BÉARNAISE

*Temps
de cuisson,
25 mn*

• Mettre dans une petite casserole le vinaigre, l'échalote hachée, une pincée de cerfeuil et d'estragon hachés, quelques grains de poivre écrasés, et porter le tout à ébullition. Laisser réduire jusqu'à ce qu'il ne reste plus qu'une cuillerée à café de vinaigre. Passer celui-ci au chinois au-dessus d'une petite casserole contenant les jaunes d'œufs, une noisette de beurre et une pincée de sel. Placer cette casserole au bain-marie et laisser cuire tout en fouettant vigoureusement la sauce. En fin de cuisson, ajouter une cuillerée à soupe de cerfeuil et d'estragon hachés très fin.
• Cette sauce accompagne les grillades de bœuf, mais aussi certains poissons, les œufs ou les viandes blanches.

*1/2 verre de vinaigre. 2 échalotes. 3 jaunes d'œufs. 150 g de beurre.
1 cuillerée à soupe d'estragon et de cerfeuil hachés. 1 pincée de poivre.
1/2 cuillerée à café de sel.*

SAUCE ROMAINE

• Mettre le sucre en poudre à caraméliser dans une casserole ; mouiller avec le vinaigre et laisser réduire celui-ci jusqu'à ce que le sucre soit sur le point de caraméliser à nouveau. Ajouter alors la sauce brune, bien écumée et dégraissée, puis les raisins de Corinthe triés, lavés et égouttés. Laisser mijoter 5 mn et servir avec du gibier à poil, ou de la langue de veau, de bœuf ou de mouton braisée.

*2 cuillerées à soupe de sucre en poudre. 1/2 verre de vinaigre.
1/4 de litre de sauce brune. 100 g de raisins de Corinthe.*

SAUCE COLBERT OU BEURRE COLBERT

• C'est improprement que l'on appelle «sauce» cette préparation ; il s'agit plutôt d'une variante du beurre maître d'hôtel. Il suffit d'incorporer au beurre ramolli en pommade (mais non fondu) le jus de viande froid, le persil et l'estragon hachés, le jus de citron, le sel et le poivre. Ce beurre accompagne viandes et poissons grillés. On peut remplacer le jus de viande par de l'extrait de bœuf ou de poule que l'on trouve dans le commerce.

100 g de beurre. 1 jus de citron. 1 cuillerée à soupe de persil et d'estragon hachés.
1/2 cuillerée à café de sel. 1 pincée de poivre. 1 cuillerée à soupe de jus de viande.

Temps de cuisson, 10 mn

SAUCE BORDELAISE

• Faire blondir les échalotes hachées dans du beurre ; mouiller avec le vin rouge, ajouter le poivre, le thym et le laurier et porter à ébullition, de manière à ce que la préparation réduise au tiers du volume initial. Incorporer alors la sauce brune. Laisser mijoter une quinzaine de minutes ; dégraisser puis passer la sauce. Ajouter la moelle de bœuf coupée en petits dés ; prolonger la cuisson, à feu très doux, une dizaine de minutes, sans laisser bouillir. Mélanger à la cuillère la moelle fondue qui surnage à la surface de la sauce.

• Cette sauce accompagne traditionnellement, et presque exclusivement, les tournedos et les entrecôtes grillés. On sert, sur la viande dressée, de belles lames de moelle de bœuf préalablement pochées à l'eau salée très chaude.

30 g de beurre. 3 échalotes. 1 verre de vin rouge. 1 pincée de poivre.
1 branche de thym. 1/2 feuille de laurier. 2 dl de sauce brune.
100 g de moelle de bœuf.

Temps de cuisson, 1 h 25 mn

Sauce tartare, recette p. 59

Sauce ravigote, recette p. 59

Petits conseils du chef

EMPLOI DES ROUX DANS LA LIAISON DES SAUCES

L'apparition de grumeaux dans une sauce peut avoir deux causes : soit le roux est trop sec, c'est-à-dire qu'il contient trop de farine pour la quantité de matière grasse, soit il est brûlant, et le liquide à lier est versé trop chaud. Le deuxième cas est fréquent lors de la confection des sauces espagnoles où la farine doit prendre une couleur havane. Il faut alors laisser le roux perdre un peu de chaleur et ajouter le liquide tiède en remuant avec un fouet. D'une manière générale, il faut compter 50 g de matière grasse et 50 g de farine pour un litre de liquide, selon la consistance de la sauce à obtenir. Pour une béchamel de consistance normale, un demi-litre de lait suffit. Un roux chaud sera délayé avec un liquide froid. Un liquide bouillant, tel que potage ou sauce de blanquette, sera lié avec un roux froid appelé «beurre manié», composé de 50 g de beurre travaillé à la fourchette avec 50 g de farine, et délayé au fouet. On obtiendra ainsi des sauces parfaitement lisses.

COMMENT PASSER LES SAUCES ?

Il est difficile de passer une sauce ou un potage au chinois (passoire métallique à fond pointu) lorsqu'on est seul. On facilitera l'opération en fabriquant un support à l'aide d'une boîte de conserve de 25 cm de haut par 15 cm de diamètre, dont on a enlevé le fond. Il suffit alors de poser le chinois dessus et de passer la sauce ou le potage par pression, à l'aide d'une petite louche ou d'un fouet.

LES SAUCES FROIDES

SAUCE MAYONNAISE

*Préparation,
8 à 10 mn*

• Mettre un jaune d'œuf dans un bol ; ajouter aussitôt, et sans remuer, le sel fin, un peu de poivre et le vinaigre. À ce moment seulement, tourner vivement avec un petit fouet en fil de fer (indispensable), et verser l'huile presque goutte à goutte au début, jusqu'à ce que la sauce commence à monter. On peut alors verser l'huile un peu plus vite, jusqu'à concurrence de 2 décilitres au plus ; il faut en effet 5 jaunes d'œufs pour absorber un litre d'huile. Goûter, rectifier l'assaisonnement en ajoutant un peu de vinaigre si nécessaire.

• Contrairement à ce que l'on prétend fréquemment, il n'est pas indispensable de tourner toujours dans le même sens, ni d'être placé dans un courant d'air. Ce qu'il faut, c'est : un fouet et une huile à température ambiante, et surtout non figée ; ne pas dépasser la dose d'huile pour ne pas sursaturer les jaunes au-delà de leur capacité d'absorption. Si toutefois la sauce tourne, il suffit de mettre une cuillerée d'eau bouillante dans une autre terrine, et de reprendre sa sauce sur cette eau, goutte à goutte, toujours à l'aide d'un fouet.

*1 jaune d'œuf. 1/4 de litre d'huile. 1/3 de cuillerée à soupe de vinaigre.
1/3 de cuillerée à café de sel fin. 1 pincée de poivre.*

SAUCE TARTARE

Préparation,
15 mn

• Préparer une mayonnaise comme indiqué ci-contre, en mélangeant le jaune d'œuf dur écrasé à la fourchette et le jaune cru. En fin de préparation, incorporer la moutarde, le hachis de fines herbes, les cornichons coupés en lamelles et les câpres bien égouttées. On appelle aussi cette sauce «sauce rémoulade».

Ingrédients pour une mayonnaise (voir ci-dessus). 1 œuf dur. 2 cornichons.
50 g de câpres. 1 cuillerée à café de moutarde. 1 cuillerée à soupe de fines herbes
hachées.

SAUCE RAVIGOTE

Préparation,
7 à 8 mn

• Faire durcir l'œuf avant de l'écaler ; ne conserver que le jaune. Mélanger l'huile, le vinaigre, le sel, le poivre, les fines herbes hachées et l'oignon haché fin dans une terrine. Ajouter le jaune d'œuf écrasé à l'aide d'une fourchette et bien remuer le tout avant de servir afin que le vinaigre, plus lourd que l'huile, ne stagne pas au fond. La sauce ravigote se sert avec la tête de veau, les asperges, les artichauts ou toute autre salade à base de viande.

1 verre d'huile. 3 cuillerées à soupe de vinaigre. 1 cuillerée à café de sel.
2 pincées de poivre. 2 cuillerées à soupe de fines herbes hachées. 1 œuf.
1 cuillerée à soupe d'oignons hachés.

SAUCE VERTE

Préparation,
20 mn

• Préparer la mayonnaise comme indiqué plus haut, puis ajouter une ou deux cuillerées de purée d'épinards, c'est-à-dire d'épinards cuits à l'eau, égouttés, pressés et passés au tamis très fin. Incorporer ensuite le cerfeuil et l'estragon hachés.

Mayonnaise. 2 cuillerées à soupe d'épinards hachés. 1 cuillerée à café de cerfeuil
haché. 1 cuillerée à café d'estragon haché.

Petits conseils du chef

LA MAYONNAISE

La mayonnaise passe pour difficile à réussir. L'élément liant de cette sauce est le sel et l'on peut en forcer la quantité pour éviter que la sauce refuse de prendre. Il faut éviter de verser l'huile sur des jaunes d'œufs sortant du réfrigérateur, car elle risquerait de figer, et une seule goutte suffit à tout faire tourner ! Il est également prudent de mélanger intimement les jaunes, le sel et le vinaigre à l'aide d'un fouet. Si la quantité de sel est suffisante, le mélange prend une certaine onctuosité. C'est alors seulement que l'on ajoute l'huile. Lorsque la mayonnaise a atteint la consistance voulue, on peut y ajouter une cuillerée à soupe d'eau bouillante pour un demi-litre de sauce : c'est ce qu'on appelle «cuire» une mayonnaise. La sauce peut alors se conserver plusieurs jours. Cependant, il ne faut jamais mettre au réfrigérateur une mayonnaise si elle doit être retravaillée avant d'être servie.

POISSONS ET CRUSTACÉS

Le poisson devrait jouer dans notre alimentation un rôle plus important que celui que nous lui accordons. C'est une nourriture excellente, à la fois nutritive et légère, riche en protéines et en vitamines A et D. Le poisson contient aussi du phosphore et de l'iode, ce qui en fait un aliment recommandé pour les enfants en cours de croissance. Maigre dans la plupart des cas, le poisson s'intègre également très bien aux régimes hypocaloriques.

Curieusement, nous qui possédons des milliers de kilomètres de côtes baignées par la mer du Nord, la Manche, l'Atlantique et la Méditerranée, nous consommons beaucoup moins de poisson que les Anglais ou les Hollandais, et c'est fort dommage : mangez du poisson, vous vous en trouverez bien !

Comment reconnaître un poisson frais ? Tout d'abord l'odeur, qui doit être nette et franche. En outre, la chair doit être ferme au toucher et ne pas conserver l'empreinte du doigt que l'on appuie dessus ; l'œil doit être clair et brillant ; la couleur doit être bien marquée, les écailles irisées et les ouïes rouges et humides ; enfin, la pièce doit être raide et non flasque.

Il faut l'écailler et le vider soigneusement aussitôt acheté ; si on ne doit pas le cuire tout de suite, il faut le conserver au frais, sur la glace si possible.

Voici les différentes méthodes pour faire cuire un poisson.

LA GRILLADE

Temps de cuisson, 6 à 15 mn suivant l'épaisseur

• Les poissons que l'on veut servir grillés, sur le gril – et non au four, car alors ils ne sont plus véritablement grillés – doivent être farinés puis badigeonnés d'huile avant d'être posés sur le gril préalablement chauffé. Si le poisson pèse plus de 150 g, il faut le ciseler, c'est-à-dire pratiquer des incisions d'environ 5 mm de profondeur le long des flancs, pour faciliter la cuisson sans que la peau brûle. Il suffit ensuite de retourner le poisson quand il est cuit d'un côté et, éventuellement, de le badigeonner d'huile ou de beurre fondu. On peut griller des poissons entiers ou des tranches de gros poissons.

LA FRITURE

Temps de cuisson, 6 à 12 mn suivant la grosseur

• Avant de faire frire un poisson, il convient de le tremper, quel qu'il soit, dans du lait froid salé, puis de le rouler dans de la farine, ce qui constitue autour une sorte de pâte légère formant une belle «cuirasse», croquante et dorée.

• On préfère en général faire frire le poisson à l'huile parce que celle-ci peut être chauffée à un très haut degré (300 °C) avant de brûler, et que le poisson se trouve mieux saisi. Plus le poisson est petit, plus il faut le saisir et n'en pas mettre trop à la fois pour ne pas refroidir le bain de friture ; lorsqu'il s'agit d'une pièce plus grosse, il est préférable de la ciseler, comme pour les poissons grillés. En fin de cuisson, égoutter soigneusement le poisson avant de le dresser sur le plat de service. Saler et servir aussitôt, accompagné de citron et, éventuellement, d'un bouquet de persil frit.

LE COURT-BOUILLON

- Un court-bouillon se compose d'eau, en quantité suffisante pour que le poisson qui doit y cuire soit complètement et largement immergé, et de divers légumes et aromates.
- Certains poissons, principalement les gros, se mettent au court-bouillon à froid, c'est-à-dire que l'on met les aromates et les légumes coupés en petits morceaux dans l'eau froide en même temps que le poisson et que le tout cuit ensemble ; d'autres, plus petits, se jettent dans le court-bouillon préalablement cuit et refroidi.
- Le poisson ne doit jamais bouillir : il doit pocher doucement, pendant un temps déterminé par sa grosseur, soit environ 12 mn par livre à partir de l'ébullition du court-bouillon.
- En revanche, les crustacés doivent être cuits en pleine ébullition. De plus, pour les homards, langoustes, tourteaux, crabes, le court-bouillon ne sera composé que d'eau très salée, sans aucun condiment. De même les turbots et les barbues se cuisent à l'eau salée, leur chair possédant une finesse qui se suffit à elle-même.

1,500 kg de poisson. 3 litres d'eau. 1 verre de vinaigre. 1 gros oignon. 2 échalotes.
1 carotte. 3 cuillerées à soupe de sel gris. 1 pincée de poivre en grains.
Bouquet garni.

Temps de cuisson du court-bouillon, 1 h

LA MEUNIÈRE

- Ce sont surtout les petits poissons – truites, soles, merlans, maquereaux – que l'on prépare à la meunière, parfois aussi des tranches de gros poissons. Les poissons cuits «à la meunière», quels qu'ils soient, doivent être passés dans du lait et de la farine.
- On les fait ensuite cuire à la poêle, dans du beurre très chaud, à feu plus ou moins vif selon leur grosseur. De même que pour les poissons grillés, il est préférable de ciseler les pièces de 150 g et au-dessus.

LES POISSONS DE MER

CABILLAUD SAUCE PERSIL

- Faire cuire au court-bouillon des tranches de cabillaud de 150 g environ. Incorporer le persil haché dans la sauce blanche (voir page 55). Dresser les tranches de poisson sur le plat de service et servir la sauce en saucière.

900 g de cabillaud. 1/2 litre de sauce blanche. 2 cuillerées à café de persil haché.

Temps de cuisson, 10 à 12 mn

Cabillaud
sauce persi[...]
recette p. 6[...]

CABILLAUD FRIT

Temps de cuisson, 6 à 8 mn

• Passer les tranches dans du lait puis dans de la farine. Les plonger dans un bain de friture brûlant. Égoutter, saler, puis servir en décorant le plat de quelques quartiers de citrons.

• Le cabillaud, ou morue fraîche, et l'églefin, son proche cousin, nous sont rapportés par les terre-neuvas, souvent au péril de la vie des pêcheurs.

6 tranches de cabillaud d'environ 150 g. 2 citrons.

CABILLAUD AU COURT-BOUILLON

Temps de cuisson, 10 à 15 mn

• Faire cuire le cabillaud coupé en tranches au court-bouillon. Dresser le poisson sur le plat de service, décorer de quelques brins de persil frisé ; servir accompagné de haricots verts cuits à la vapeur et d'une saucière de beurre fondu ou de sauce blanche.

6 tranches de cabillaud d'environ 150 g. 1 kg de haricots verts. 100 g de beurre ou 1/4 de litre de sauce blanche. 6 branches de persil.

FILETS DE COLIN À LA BERCY

Temps de cuisson, 30 mn

• Prélever les filets du colin et les déposer dans un plat à gratin. Préparer un court-bouillon avec les carcasses et les débris. Faire blondir les échalotes hachées dans du beurre, ajouter le vin blanc puis laisser réduire de moitié. Ajouter alors le court-bouillon, le sel, le poivre, le jus de citron et le persil haché, et enfin le beurre pétri avec la farine. Donner un bouillon ou deux puis verser la préparation sur les filets de colin crus ; saupoudrer de chapelure et faire gratiner à four vif. Parsemer la surface de persil haché avant de servir.

1 kg de colin. 120 g de beurre. 3 échalotes. 1 verre de vin blanc. 1/2 cuillerée à café de sel. 1 pincée de poivre. 1 jus de citron. 2 cuillerées à café de persil haché. 1 cuillerée à soupe de farine. 2 cuillerées à soupe de chapelure.

COLIN À LA PORTUGAISE

Temps de cuisson, 15 mn

• D'une manière générale, la lotte peut être accommodée comme le colin, une fois débarrassée de la peau et des arêtes, en tranches ou sous forme de filets.
• Prélever les filets de colin (ou de lotte) puis les faire cuire au four avec le sel, le poivre et le vin blanc. Pendant ce temps, faire revenir au beurre, dans une poêle, les oignons finement émincés.
• Lorsque ceux-ci ont pris une belle couleur blonde, ajouter les tomates, préalablement pelées et hachées, et laisser cuire quelques minutes. En fin de cuisson du poisson, recueillir le vin blanc utilisé pour sa cuisson et l'ajouter dans la poêle ; lier cette sauce avec le beurre et la farine : elle doit devenir onctueuse, mais pas trop épaisse. Rectifier l'assaisonnement, puis verser la sauce sur les filets de poisson et parsemer de persil haché.

1 kg de colin. 2 verres de vin blanc. 100 g d'oignons. 500 g de tomates. 50 g de beurre. 1 cuillerée à soupe de farine. 1 cuillerée à café de sel. 1/2 cuillerée à café de poivre. 2 cuillerées à soupe de persil haché.

cabillaud au court-bouillon

COLIN À LA MORNAY

Temps de cuisson, 20 mn

• Faire cuire les filets de colin au vin blanc, comme dans la préparation précédente. En fin de cuisson du poisson, faire réduire le vin blanc, puis l'ajouter à la sauce béchamel avant d'y incorporer le gruyère râpé. Déposer le poisson dans un plat à gratin, verser la sauce dessus, parsemer de chapelure, arroser de beurre fondu et faire gratiner à feu vif.

1 kg de colin. 2 verres de vin blanc. 1/4 de litre de sauce béchamel. 100 g de gruyère râpé. 2 cuillerées à soupe de chapelure. 30 g de beurre. 1/2 cuillerée à café de sel.

COLIN À LA FLORENTINE

Temps de cuisson, poisson, 20 mn épinards, 10 mn

• Faire cuire le colin comme indiqué dans la recette du colin à la portugaise, en filets, et préparer une sauce Mornay, comme dans la recette précédente. Réserver la sauce et les filets de poisson. Faire cuire les épinards bien effeuillés à l'eau salée, puis les égoutter soigneusement avant de les faire sauter au beurre. Garnir le fond du plat à gratin d'un lit d'épinards, déposer les filets de poisson dessus, napper de sauce Mornay et faire gratiner au four. Toutes sortes de poissons peuvent être accommodés de cette manière.

1 kg de colin. 1/4 de litre de sauce Mornay. 1 kg d'épinards. 75 g de beurre.

COLIN PANÉ À L'ANGLAISE

Temps de cuisson, 10 mn

• Saler et poivrer les filets de colin. Les passer dans le lait, puis dans la farine, puis dans le blanc d'œuf battu avec l'huile, et enfin dans la chapelure. Les disposer au fur et à mesure dans un plat allant au four ; arroser d'huile et faire cuire ainsi à four très chaud. Servir accompagné d'une sauce tomate.

6 filets de colin. 1 cuillerée 1/2 à café de sel. 1/2 cuillerée à café de poivre.
1 verre de lait. 4 cuillerées à soupe de farine. 2 blancs d'œufs.
4 cuillerées à soupe de chapelure. 1/2 verre d'huile.

MERLANS AU VIN BLANC

Temps de cuisson, 10 à 12 mn

• Faire pocher (sans les faire bouillir) les merlans arrosés du vin blanc, saler et poivrer. Compter environ 10 mn de cuisson pour des merlans de 125 g. Déposer les merlans pochés sur le plat de service. Faire réduire le jus de cuisson à grands bouillons jusqu'à ce qu'il n'en reste plus que 5 ou 6 cuillerées à soupe. Pendant ce temps, préparer une sauce blanche (voir page 55). Incorporer le reste de jus de cuisson à la sauce blanche, verser le tout sur les merlans et servir sans attendre. Tous les poissons blancs peuvent être préparés de même.

6 merlans. 1 verre de vin blanc. 1 cuillerée à café de sel. 2 pincées de poivre.
1/4 de litre de sauce blanche.

MERLANS À LA MEUNIÈRE

- Procéder comme pour les truites (voir page 83).

MERLANS FRITS

- Lorsque les merlans pèsent plus de 100 g, il faut en inciser les flancs avant de les tremper dans du lait et de les rouler dans la farine. On les plonge ensuite dans un bain de friture très chaud, ou brûlant, suivant la grosseur des poissons. Ils doivent être très croquants et bien raides quand on les sert ; pour ne pas qu'ils soient mous, ne pas en faire frire trop à la fois, et servir aussitôt.

6 merlans. 1 verre de lait. 100 g de farine. Bain de friture.

Temps de cuisson, 8 à 12 mn

HARENGS GRILLÉS MAÎTRE D'HÔTEL

- Ciseler, fariner et huiler légèrement les merlans. Les faire cuire au gril posé sur des braises ardentes, en les retournant deux fois au cours de la cuisson. Préparer le beurre maître d'hôtel en le pétrissant avec le sel, le poivre, le jus de citron et le persil haché. Servir les poissons parsemés de noisettes de beurre.

6 harengs frais. 60 g de farine. 3 cuillerées à soupe d'huile. 100 g de beurre.
1 cuillerée à café de sel. 2 pincées de poivre. 2 cuillerées à soupe de persil haché.
1 jus de citron.

Temps de cuisson, 8 à 10 mn

HARENGS SAUCE MOUTARDE

- Préparer une sauce blanche (voir page 55) sans y ajouter de jaune d'œuf. Nettoyer puis fariner les harengs avant de les faire cuire au gril, ou à la poêle, soit au beurre, soit à l'huile. Dresser les poissons sur le plat de service. Incorporer la moutarde à la sauce blanche avant de servir.

6 harengs frais. 60 g de farine. 100 g de beurre. 1/4 de litre de sauce blanche.
1 cuillerée à café de moutarde.

Temps de cuisson, 15 mn

HARENGS MARINÉS FROIDS

- Déposer les harengs bien nettoyés et essuyés dans un récipient creux, du type terrine (éviter le métal).
- Dans une casserole, faire cuire pendant une vingtaine de minutes tous les ingrédients du court-bouillon : le vin blanc, le vinaigre, les oignons et les échalotes émincés, la carotte coupée en rondelles, le persil, le thym, le laurier, le sel et le poivre en grains.
- Verser ce court-bouillon encore bouillant sur les harengs. Couvrir d'une feuille d'aluminium et enfourner le tout.

Temps de cuisson, court-bouillon, 20 mn poisson, 20 mn

Filets
de maquere
vénitienne

En fin de cuisson, verser un doigt d'huile sur les harengs et laisser refroidir avant de les servir tels quels, avec leur marinade.

12 petits harengs. 1 verre de vin blanc. 1/2 verre de vinaigre. 2 oignons. 1 carotte.
2 échalotes. 2 branches de persil. 1 branche de thym. 1 cuillerée à café de sel.
3 grains de poivre.

MAQUEREAUX MARINÉS

• Procéder comme pour les harengs marinés, en employant de préférence de petits maquereaux (les plus gros seront coupés en tronçons).

MAQUEREAUX GRILLÉS MAÎTRE D'HÔTEL

• Procéder comme pour les harengs maître d'hôtel.

FILETS DE MAQUEREAUX MIREILLE

Temps
de cuisson,
10 mn

• Assaisonner les filets, les fariner et les cuire à la poêle, dans l'huile brûlante. Dresser les filets cuits sur le plat de service. Changer l'huile ; quand elle est bien chaude, y faire rissoler les champignons crus hachés, l'oignon, l'échalote et l'ail, également hachés. Verser cette préparation sur les filets, arroser de vinaigre brûlant. Entourer de tomates sautées, parsemer de persil et servir.

3 gros maquereaux. 100 g de farine. 1 verre d'huile. 125 g de champignons.
1 oignon. 2 échalotes. 1 gousse d'ail. 2 cuillerées à soupe de vinaigre. 2 tomates.
2 cuillerées à café de persil. 1 cuillerée à café de sel.

FILETS DE MAQUEREAUX VÉNITIENNE

- Faire cuire les filets de maquereaux dans le vin blanc. Réserver les filets cuits puis faire réduire le vin blanc de cuisson. Incorporer celui-ci à la sauce blanche, ainsi que les fines herbes hachées. Dresser les filets sur la sauce. Servir accompagné des asperges cuites à la vapeur et décorer le plat de brins d'estragon.

Temps de cuisson, 10 mn

3 gros maquereaux. 1 verre de vin blanc. 1/4 de litre de sauce blanche.
1 cuillerée à soupe de fines herbes hachées. 1 botte d'estragon.
300 g d'asperges.

BRANDADE DE MORUE

- Choisir de la morue bien blanche. Faire pocher celle-ci quelques minutes, sans vraiment la laisser cuire, avant de l'éplucher soigneusement puis de l'effeuiller. Mettre la morue dans une casserole contenant un décilitre d'huile d'olive brûlante ; écraser la chair du poisson en la travaillant à l'aide d'une spatule. Ajouter l'ail broyé puis, progressivement, en travaillant vigoureusement le mélange, incorporer 2 décilitres d'huile d'olive brûlante, à raison de 3 cuillerées à la fois ; lorsque la morue a absorbé 6 à 8 cuillerées d'huile, ajouter 3 cuillerées de lait bouillant ; répéter ces opérations jusqu'à ce que la brandade prenne la consistance d'une purée de pommes de terre. Goûter et rectifier l'assaisonnement qui doit être un peu relevé en poivre. Dresser la brandade en pyramide sur le plat de service, servir accompagné de petits croûtons de pain frits à l'huile.

Temps de cuisson, 40 mn

500 g de morue. 3 dl d'huile d'olive. 1 gousse d'ail. 2 dl de lait. 3 pincées de poivre.
12 rondelles de pain.

Brandade
de morue

MORUE À LA MÉNAGÈRE

Temps de cuisson, 10 mn

- Faire dessaler la morue pendant 24 h en changeant l'eau plusieurs fois ; la couper ensuite en morceaux et la faire cuire, sans la laisser bouillir, dans de l'eau non salée.
- Lorsque l'eau est sur le point de bouillir, pousser la casserole sur le coin du feu et l'y laisser une dizaine de minutes.
- Pendant ce temps, faire cuire des pommes de terre en robe de chambre. Mettre l'oignon haché fin à blondir doucement dans du beurre avant de l'incorporer à la sauce béchamel, puis éclaircir celle-ci avec un peu de jus de cuisson de la morue.
- Peler et couper en tranches les pommes de terre, effeuiller la morue par-dessus en ôtant soigneusement la peau et les arêtes, et verser la sauce sur le tout, après l'avoir relevée d'un peu de poivre.

500 g de morue. 600 g de pommes de terre. 1/4 de litre de sauce béchamel. 1 oignon. 30 g de beurre. 2 pincées de poivre.

MORUE SAUTÉE AUX TOMATES

Temps de cuisson, 20 mn

- Couper la morue dessalée en carrés ; fariner les morceaux et les faire cuire dans un beurre brûlant, pas trop rapidement, à la poêle (compter de 12 à 15 mn pour la cuisson). Déposer les morceaux de morue dans un plat et tenir celui-ci au chaud.
- Peler, vider et hacher grossièrement les tomates avant de les faire cuire dans la même poêle. Assaisonner modérément celles-ci en y ajoutant du sel, du poivre, le persil haché et l'ail haché fin. Prolonger la cuisson quelques secondes puis verser sur la morue.

500 g de morue. 500 g de tomates. 125 g de beurre. 50 g de farine.
3 pincées de poivre. 2 cuillerées à café de persil haché. 1 gousse d'ail.

MORUE À LA CRÈME

Temps de cuisson, 1 h

- Couper la morue bien dessalée en morceaux ; faire cuire ceux-ci au beurre, dans une poêle, tout doucement pour bien donner le temps à la chaleur d'atteindre le cœur des morceaux.
- Vérifier la cuisson en ouvrant un morceau en deux : la cuisson est à point si la morue est à peine dorée en surface et bien blanche au centre ; si elle est rosée, prolonger la cuisson de quelques minutes.
- Déposer la morue sur le plat de service ; verser la crème dans la poêle, ajouter un filet de vinaigre et faire bouillir à gros bouillons 2 mn ; poivrer légèrement, saler si nécessaire et verser la sauce sur le poisson.

500 g de morue. 50 g de farine. 75 g de beurre. 85 g de crème épaisse.
1 cuillerée à soupe de vinaigre. 1 pincée de poivre.

CARRELETS AU GRATIN

• Hacher finement les champignons crus. Les faire rissoler dans un peu de beurre, puis ajouter le vin blanc et la sauce brune (voir page 51).

• Assaisonner, incorporer la purée de tomates et le persil haché, puis verser cette sauce sur les carrelets placés dans un plat à gratin, salés et poivrés.

• Parsemer la surface de chapelure et enfourner. Servir le poisson bien gratiné accompagné de persil haché. Tous les poissons – entiers s'ils sont plats, en tranches ou en filets – peuvent être préparés ainsi : les limandes, les plies, les merlans, les rougets, etc.

6 carrelets. 125 g de champignons. 60 g de beurre. 1/2 verre de vin blanc.
1/4 de litre de sauce brune. 1 cuillerée à soupe de purée de tomates.
1 cuillerée à soupe de persil haché. 1 cuillerée à soupe de chapelure.
1 cuillerée à café de sel. 2 pincées de poivre.

Temps de cuisson, 20 mn

CARRELETS SUR LE PLAT À LA MINUTE

• Nettoyer les carrelets ; inciser la peau des flancs avec la pointe d'un couteau en formant un quadrillage.

• Déposer les poissons dans un plat à gratin, parsemer de sel et de poivre, ajouter les échalotes hachées et le persil, arroser avec le vin blanc au ras des poissons, saupoudrer de chapelure, déposer une noisette de beurre de place en place. Cuire dans un four brûlant pour assurer la cuisson en même temps que le gratinage.

• Toutes sortes de poissons ou tranches de poissons peuvent se préparer ainsi, notamment les soles et les merlans.

6 carrelets. 1 cuillerée à café de sel. 2 pincées de poivre. 3 échalotes.
1 cuillerée à soupe de persil haché. 3 verres de vin blanc.
2 cuillerées à soupe de chapelure. 50 g de beurre.

Temps de cuisson, 15 mn

FILETS DE DAURADE BONNE FEMME

• Couper la tête des daurades et détacher les filets en glissant la lame d'un couteau le long de l'arête centrale, en commençant vers la queue et en remontant. Laver, éponger et fariner les filets, puis les faire cuire dans du beurre bien chaud, à la poêle, en les retournant à mi-cuisson.

• Dresser les filets cuits sur le plat de service. Faire brunir le beurre dans la poêle avec le reste de beurre de cuisson. Verser sur le poisson, arroser celui-ci d'un filet de vinaigre ou de jus de citron, parsemer de câpres et de fines herbes.

• La daurade, coupée en tronçons, peut se préparer à la portugaise, comme le colin (voir page 65).

3 daurades de 500 g. 100 g de farine. 150 g de beurre. 1 jus de citron.
100 g de câpres. 2 cuillerées à soupe de fines herbes hachées.

Temps de cuisson, 18 mn

Daurade
grillée

Rougets
au vin blanc

DAURADE RÔTIE

*Temps
de cuisson,
30 à 45 mn*

• La daurade, quand elle est un peu grosse, est très bonne rôtie. Commencer par ciseler les flancs du poisson puis entourer celui-ci d'une mince barde de lard après l'avoir ciselée. Rôtir à four très chaud, en arrosant fréquemment de beurre. Le lard fond et la daurade doit être dorée en fin de cuisson. Déposer celle-ci dans le plat de service, déglacer le fond de cuisson avec le vin blanc, ajouter les échalotes puis laisser réduire de moitié avant d'incorporer le beurre et la crème. Donner un tour de moulin à poivre sur la daurade, napper de sauce et servir.
• On peut aussi préparer la daurade à la Bercy, soit entière, soit en filets (selon sa taille), en suivant la recette donnée pour le colin.

*1,250 kg de daurade. 50 g de beurre. 85 g de crème. 50 g d'échalotes.
1 verre de vin blanc. Quelques grains de poivre. 1 cuillerée à café de sel.
125 g de barde de lard mince.*

DAURADE GRILLÉE

*Temps
de cuisson,
25 à 30 mn*

• Bien nettoyer et écailler le poisson, puis inciser les flancs, assez profondément, la daurade étant épaisse ; passer celle-ci dans la farine avant de la mettre à cuire soit sur le gril à feu modéré, après l'avoir badigeonnée d'huile, soit dans un four très chaud. Servir accompagné d'un beurre maître d'hôtel.

*1,250 kg de daurade. 2 cuillerées à soupe de farine. 1 cuillerée à soupe d'huile.
75 g de beurre. 1 cuillerée à café de sel.*

ROUGETS GRONDINS

- Le rouget grondin peut être accommodé de diverses manières : frit, grillé ou poêlé, cuit au vin blanc, etc. On peut en somme lui appliquer les mêmes recettes qu'à la daurade, au maquereau ou à l'anguille ; cependant, il est surtout apprécié dans la bouillabaisse, que toute maîtresse de maison peut préparer, peut-être pas selon les règles de la grande cuisine marseillaise, mais très simplement en constituant, à peu de frais, un véritable régal.

1,250 g de rougets.

Temps de cuisson, 10 à 15 mn

RAIE À LA NORMANDE

- La raie ne se prête pas à de multiples préparations comme d'autres poissons ; seuls le beurre noir ou une sauce à la crème lui conviennent. La raie bouclée, c'est-à-dire dotée d'aiguillons recourbés, est la plus recherchée. Ce poisson doit être parfaitement frais (dans le cas contraire, il dégage une forte odeur ammoniacale qui le rend impropre à la consommation).
- Faire cuire la raie au court-bouillon, à feu très doux (le court-bouillon doit frémir). En fin de cuisson, sortir la raie à l'aide d'une écumoire, puis, en raclant avec un couteau, ôter la peau des deux côtés. Ranger la raie dans le plat de service, saler et poivrer. Porter la crème à ébullition. Saler et poivrer celle-ci, relever d'un filet de vinaigre avant de verser la sauce sur la raie.

1,200 kg de raie. 85 g de crème. 1 cuillerée à soupe de vinaigre.
1 cuillerée à café de sel. 3 pincées de poivre.

Temps de cuisson, 20 mn

Raie
eurre noir,
cette p. 74

RAIE AU BEURRE NOIR

Temps de cuisson, 20 mn

• Faire cuire la raie comme indiqué dans la recette précédente. Ranger le poisson cuit et épluché dans le plat de service et arroser d'une bonne quantité de beurre bien noir ; verser le vinaigre dans la poêle brûlante pour lui faire prendre un bouillon avant de le verser sur le poisson. Parsemer le tout de persil haché et de câpres. On peut également servir cette raie avec un simple beurre fondu, sans oublier les câpres.

1,200 kg de raie. 125 g de beurre. 3 cuillerées à soupe de persil haché. 100 g de câpres.
1 cuillerée à café de sel. 3 pincées de poivre. 3 cuillerées à soupe de vinaigre.

SOLE GRILLÉE

Temps de cuisson, 8 à 10 mn

• Détacher la peau noire (mais pas la blanche que l'on doit écailler). Inciser légèrement les flancs des soles en formant un quadrillage ; fariner et huiler les poissons puis les faire griller en les arrosant d'huile de temps en temps. Dresser sur un plat chaud. Servir accompagné de quartiers de citron et, éventuellement, de beurre fondu ou maître d'hôtel.

6 petites soles. 3 cuillerées à soupe d'huile. 50 g de farine. 2 citrons.
75 g de beurre. 1 cuillerée à café de sel.

SOLE À LA MISTRAL

Temps de cuisson, 20 mn

• Déposer au fond d'un plat à gratin l'oignon émincé, les tomates pelées et hachées, l'ail (facultatif), et un peu de persil haché ; y placer les soles, assaisonner et ajouter le vin blanc puis faire pocher les poissons au four.
• Réserver les soles cuites, puis faire réduire le jus de cuisson (tomates comprises) de moitié ; lier la sauce avec la purée de tomates et un bon morceau de beurre. Verser la sauce sur les soles, parsemer la surface de chapelure et passer 5 mn à four vif.
• Différents poissons peuvent être préparés de cette manière ; détailler les filets des grosses pièces ou les couper en tronçons.

3 soles moyennes. 2 tomates. 1 oignon. 1 gousse d'ail. 1 cuillerée à soupe de persil haché. 1 verre de vin blanc. 1 cuillerée de purée de tomates. 75 g de beurre.
2 cuillerées à soupe de chapelure. 1 cuillerée à café de sel.

CONGRE À LA COCOTTE

Temps de cuisson, 40 mn

• Faire couper le congre en tranches par le poissonnier. Faire revenir celles-ci au beurre, dans une cocotte en fonte de préférence, avec les petits oignons. Quand le tout est bien coloré, mouiller avec le vin blanc, saler, poivrer et ajouter le bouquet garni ; couvrir et laisser cuire lentement, soit au four, soit à petit feu. Disposer le poisson et les petits oignons dans le plat de service ; lier le jus de cuisson avec le beurre et la farine. Verser la sauce sur le congre et servir accompagné de pommes de terre vapeur.

1 kg de congre. 100 g de beurre. 150 g d'oignons. 1 verre de vin blanc. 1 cuillerée à café de sel. 2 pincées de poivre. 1 bouquet garni. 500 g de pommes de terre.

SARDINES FRAÎCHES GRILLÉES

• Vider les sardines en pratiquant une incision sur le ventre. Rincer et éponger les poissons dans du papier absorbant avant de les badigeonner d'huile. Faire cuire au gril ou, mieux, au barbecue, en retournant les sardines à mi-cuisson. Servir accompagné de beurre fondu, de quartiers de citron et de persil haché.

Temps de cuisson, 5 à 7 mn

2 douzaines de sardines. 100 g de beurre. 2 citrons.
2 cuillerées à soupe de persil haché.

THON BRAISÉ AUX CHAMPIGNONS

• Faire revenir les tranches de thon dans un mélange à parts égales de beurre et d'huile. Ajouter alors l'oignon et les échalotes émincés, les tomates pelées et coupées en quatre, mouiller de vin blanc et de sauce brune. Assaisonner, couvrir et laisser mijoter une demi-heure ; retirer le poisson, faire réduire la sauce avant d'y ajouter les champignons (les girolles sont idéales pour cette recette) sautés au beurre. Prolonger la cuisson d'une dizaine de minutes puis verser le tout sur le poisson.

Temps de cuisson, 40 mn

600 g de thon en tranches. 1 verre d'huile. 100 g de beurre. 4 tomates.
1/2 verre de vin blanc. 1/4 de litre de sauce brune. 100 g de champignons. 1 oignon.
2 échalotes. 1/2 cuillerée à café de sel. 2 pincées de poivre.

THON À L'ÉTUVÉE

• Faire cuire le thon à l'étuvée, tout doucement, en versant tous les ingrédients dans la sauteuse. Disposer le poisson sur le plat de service et servir accompagné de différents légumes (macédoine, épinards, oseille, etc.).

Temps de cuisson, 50 à 60 mn

600 g de thon. 1 verre d'huile. 100 g de beurre. 4 tomates. 1/2 verre de vin blanc.
1 oignon. 2 échalotes. 1/2 cuillerée à café de sel. 2 pincées de poivre.

BOUILLABAISSE

• Il faut prévoir environ 1 kg de poissons à chair ferme (par exemple grondins, vives, anguilles de mer, lotte, maquereaux) et un ou deux merlans, dont la chair tendre, en fondant à la cuisson, contribuera à lier la sauce.
• Nettoyer, couper en morceaux et laver tous les poissons. Faire blondir les blancs de poireaux et l'oignon très finement émincés dans l'huile, ajouter les

Temps de cuisson, 20 mn

gousses d'ail hachées et les tomates pelées et hachées (ou l'équivalent en purée de conserve), le vin blanc et l'eau, et enfin les poissons. Assaisonner en sel, poivre, persil haché et safran, arroser d'un bon filet d'huile et laisser cuire 20 mn à grands bouillons. Saupoudrer de persil haché et servir aussitôt, dans le plat de cuisson, accompagné de croûtons de pain frits à l'huile. On peut aussi, comme à Marseille, servir le poisson dans un plat et le bouillon de cuisson, à part, comme une soupe, sur des tranches de pain.

1,500 kg de poissons variés. 1 verre d'huile. 2 blancs de poireaux. 2 oignons.
6 gousses d'ail. 500 g de tomates. 2 verres de vin blanc. 2 verres d'eau.
1 cuillerée à soupe de sel. 1/2 cuillerée à café de poivre.
1 cuillerée à soupe de persil haché. 2 g de safran. 18 croûtons.

SOUFFLÉ DE POISSON

Temps de cuisson, 20 à 30 mn

• Éplucher et écraser la chair du poisson à l'aide d'une fourchette ou d'un hachoir. Additionner la purée obtenue d'un volume égal de béchamel très épaisse. Rectifier l'assaisonnement puis faire chauffer la préparation ; lorsqu'elle est bouillante, retirer la casserole du feu. Incorporer 4 jaunes d'œufs et 3 blancs montés en neige ferme. Verser le tout dans un plat à soufflé beurré et cuire à four très doux. Servir aussitôt, comme tout soufflé.

• Cette recette peut être adaptée à toutes sortes de restes : volaille, ris de veau, jambon, gibier, etc.

250 g de chair de poisson cuite. 1/3 de litre de béchamel. 4 œufs.

Bouillabaisse, recette p. 75

CRUSTACÉS
ET COQUILLAGES

Les crustacés tels que homards, langoustes, langoustines, crabes, tourteaux, étrilles, se font cuire simplement à l'eau bouillante très salée, dans laquelle on les plonge, vivants si possible. On compte 20 mn de cuisson par livre, 35 mn pour une pièce de 1 kg.

Toute règle a ses exceptions : les écrevisses se cuisent dans un court-bouillon condimenté et se servent avec leur court-bouillon.

Les homards et les langoustes se servent en général froids, accompagnés d'une sauce mayonnaise.

Nous n'aborderons pas les préparations chaudes trop coûteuses qui appartiennent au domaine de la grande cuisine et n'ont pas place en ce manuel.

LANGOUSTINES À LA BORDELAISE

Temps cuisson, 12 mn

• Faire revenir l'oignon, la carotte et les échalotes hachés dans du beurre. Y jeter les langoustines (environ 500 g) bien lavées et les faire sauter 3 mn. Flamber avec le cognac, mouiller avec le vin blanc, ajouter la purée de tomates, saler

et poivrer. Couvrir la casserole et faire cuire à feu vif une dizaine de minutes. Sortir les langoustines à l'aide d'une écumoire et les tenir au chaud dans le plat de service. Faire réduire de moitié la sauce avant d'en arroser les langoustines. Saupoudrer de persil haché et servir aussitôt.

18 langoustines. 100 g de beurre. 1 oignon. 1 carotte. 2 échalotes. 2 cuillerées à soupe de cognac. 1 verre de vin blanc. 2 cuillerées à de soupe purée de tomates. 1 cuillerée à café de sel. 3 pincées de poivre. 2 cuillerées à café de persil haché.

LANGOUSTINES À LA NAGE

Temps de cuisson, 6 à 10 mn

• Les langoustines peuvent très bien remplacer les écrevisses, très chères ; on les accommode de la même façon. Préparer le court-bouillon en mettant tous les ingrédients dans l'eau vinaigrée. Porter le tout à ébullition avant d'y jeter les langoustines bien fraîches. Laisser cuire de 6 à 10 mn (selon la grosseur) et servir dans le jus de cuisson, froid ou tiède.

18 langoustines. 1 verre de vinaigre. 1 carotte. 1 oignon. 2 échalotes. Thym. Laurier. Persil. 1 pincée de poivre en grains. Sel.

TOURTEAUX À LA RUSSE

• Les tourteaux étant cuits et refroidis, prélever et éplucher la chair en ôtant toutes les parties cartilagineuses ; mélanger la chair avec une macédoine de petits légumes – carottes, navets, petits pois, etc. – et lier le tout avec une sauce mayonnaise bien relevée et moutardée. Laver et essuyer la carapace avant de la remplir de ce mélange. Servir accompagné de cornichons et de sauce mayonnaise additionnée de fines herbes.

• Il existe une variante chaude de cette préparation qui consiste à lier la chair des tourteaux avec une sauce Mornay et à la faire gratiner dans les carapaces avec du fromage dessus.

3 tourteaux. 1/4 de litre de mayonnaise. 3 œufs. 600 g de macédoine de légumes. 3 cornichons.

HOMARD À LA NEWBURG

Temps de cuisson, 10 à 12 mn

• Faire cuire le homard au court-bouillon, puis le décortiquer. Couper la chair des queues en tronçons, casser les pinces et le coffre et en extraire les chairs. Faire fondre le beurre dans une sauteuse pour y faire revenir légèrement la chair de homard, puis verser le cognac et le madère. Laisser mijoter quelques minutes, ajouter une bonne partie de la crème, les champignons et la truffe coupés en lamelles, le sel et le cayenne. Faire réduire doucement. Juste avant la fin de la cuisson incorporer les jaunes d'œufs et le reste de crème. Ne pas laisser bouillir et servir aussitôt.

• Cette préparation est l'une des meilleures et la plus simple pour déguster le homard chaud. Elle peut être adaptée à la langouste, toutefois le homard est meilleur chaud que la langouste. Le homard à l'armoricaine, dit – par erreur – à l'américaine, est plus difficile à préparer ; il faut aussi le découper vivant ce qui n'est guère agréable (on en trouvera la recette dans mon ouvrage consacré au poisson, plus complet).

500 g de chair de homard. 125 g de beurre. 1 verre à liqueur de cognac.
1 verre de madère. 85 g de crème. 125 g de champignons. 1 truffe.
1/2 cuillerée à café de sel. 1 pincée de cayenne. 2 jaunes d'œufs.

PILAF DE MOULES À L'ORIENTALE

• Faire cuire du riz pilaf (voir page 189) et, d'autre part, faire cuire des moules à la marinière (voir ci-dessous). Préparer une sauce blanche avec le jus de cuisson des moules en y incorporant le curry ou le safran. Napper les moules décortiquées de sauce et dresser le riz autour.

Pour les ingrédients, se reporter aux recettes du riz pilaf et des moules marinières.
1/2 litre de sauce blanche. 1/2 cuillerée à café de curry ou de safran.

MOULES À LA MARINIÈRE

• Laver, gratter puis laver encore les moules en les brassant bien dans plusieurs eaux froides, mais sans les y laisser séjourner, car elles risqueraient de s'ouvrir et de perdre leur eau de mer.
• Mettre les moules dans une grande casserole avec le poivre (pas de sel), le persil, le thym et les échalotes hachées. Mouiller avec le vin blanc et laisser bouillir à couvert, à feu vif, jusqu'à ce qu'elles soient bien ouvertes, ce dont on s'assure en les faisant sauter plusieurs fois de façon à faire remonter celles du fond à la surface et vice versa. Retirer la casserole du feu dès que les moules sont bien ouvertes (un excès de cuisson durcit la chair). Sortir les moules à l'aide d'une écumoire. Filtrer le jus de cuisson pour en ôter le sable avant de le faire réduire de moitié sur feu vif, dans la casserole rincée. Incorporer le beurre, et rectifier l'assaisonnement. Verser le jus de cuisson réduit sur les moules, parsemer de persil haché et servir aussitôt.

Temps de cuisson, 6 à 10 mn

2 litres de moules. 2 pincées de poivre. 1 branche de thym. 2 échalotes.
2 verres de vin blanc. 100 g de beurre. 2 cuillerées à soupe de persil haché.

MOULES À LA POULETTE

• Faire cuire les moules comme dans la recette précédente. Recueillir et filtrer le jus de cuisson qui servira à préparer la sauce. Mettre le beurre à fondre dans une casserole, verser la farine et mélanger vivement, sur feu doux. Verser aussitôt le jus de cuisson des moules, et laisser épaissir en remuant constamment.

Temps de cuisson, 20 mn

Moules
à la poulet█
recette p. 7█

Retirer du feu dès le premier bouillon. Incorporer un jaune d'œuf en remuant très vite à l'aide d'un fouet. Ajouter la crème et le persil haché, rectifier l'assaisonnement et servir les moules nappées de sauce.

2 litres de moules. 30 g de beurre. 25 g de farine. 80 g de crème. 1 jaune d'œuf.
2 cuillerées à soupe de persil haché.

COQUILLES À LA DIABLE

Temps
de cuisson,
20 à 25 mn

● Préparer et faire cuire les chairs comme pour les coquilles Saint-Jacques à la parisienne. Faire revenir au beurre l'oignon haché, saupoudrer de farine, mouiller avec le jus de cuisson des Saint-Jacques préalablement filtré. Ajouter les coquilles Saint-Jacques (noix et corail) et la mie de pain rassis trempée dans du lait froid, essorée et émiettée. Ajouter le persil haché, le sel, le poivre et la moutarde et laisser cuire le tout quelques minutes. Répartir la préparation dans les coquilles, parsemer de chapelure, arroser de beurre et gratiner.

6 coquilles Saint-Jacques. 1 oignon. 30 g de farine. Court-bouillon (voir la recette
suivante). 100 g de pain. 1/2 verre de lait. 2 cuillerées à café de persil haché.
1/2 cuillerée à café de sel. 1 pincée de poivre moulu. 1 cuillerée à café de moutarde.
3 cuillerées à soupe de chapelure. 30 g de beurre.

COQUILLES SAINT-JACQUES À LA PARISIENNE

Temps de cuisson, 20 mn

• Poser les coquilles sur le fourneau, ou dans le four, 5 mn pour qu'elles s'ouvrent. Détacher les noix et le corail et réserver la partie creuse des coquilles. Laver et éponger soigneusement les chairs pour en ôter le sable, puis supprimer le filament noir.

• Préparer un petit court-bouillon (suffisamment pour que les Saint-Jacques y baignent) avec le vin blanc, l'oignon et l'échalote émincés, un petit bouquet garni, le sel et le poivre. Faire cuire 10 mn. Pendant ce temps, mettre les champignons à cuire dans une poêle. Recueillir et filtrer le jus de cuisson des coquillages pour préparer la sauce. Mettre le beurre à fondre dans une casserole, verser la farine et mélanger vivement. Verser aussitôt le jus de cuisson (compléter avec du lait si nécessaire). Faire épaissir la sauce quelques minutes. Couper la chair des coquilles et les champignons en petits morceaux, lier le tout avec la sauce et bien relever l'assaisonnement. Remettre à cuire 5 mn, en remuant, puis, hors du feu, ajouter le gruyère râpé ; garnir les coquilles, bien brossées et essuyées, parsemer la surface de fromage et de chapelure et faire gratiner. Servir aussitôt.

6 coquilles Saint-Jacques. 1 verre de vin blanc. 1 oignon. 1 échalote.
1 bouquet garni. 2 pincées de poivre. 125 g de champignons. 80 g de beurre.
2 cuillerées à soupe de farine. 50 g de gruyère râpé. 6 cuillerées à café
de chapelure.

Coquilles
à la diable

81

LES POISSONS D'EAU DOUCE

ALOSE GRILLÉE ET À L'OSEILLE

Temps de cuisson, 10 mn

• L'alose est un poisson de mer mais qui, au printemps, remonte vers l'embouchure des fleuves et des rivières pour se reproduire. Bien que contenant beaucoup d'arêtes, c'est un poisson apprécié qui atteint parfois une très grande taille.

• Après l'avoir écaillé, vidé, lavé et épongé, inciser les flancs du poisson pour faciliter la pénétration de la chaleur et la cuisson. On peut alors faire griller l'alose sous le gril du four – on la sert accompagnée de beurre, de citron et de persil haché – ou la faire cuire comme indiqué dans la recette de la matelote d'anguille bourguignonne, et la servir sur un lit d'oseille cuite au beurre.

1 kg d'alose. 125 g de beurre. 1 jus de citron. 3 cuillerées à soupe de persil haché. 1 kg d'oseille.

BROCHET AU COURT-BOUILLON

Temps de cuisson, 30 à 40 mn

• Préparer un court-bouillon (voir page 63) en quantité proportionnée à la grosseur du poisson, afin que celui-ci soit entièrement immergé. Mettre le brochet bien écaillé et vidé dans le court-bouillon froid et mettre la poissonnière sur le feu. Dès le début de l'ébullition, poser la poissonnière sur le côté du feu, de manière à ce que le court-bouillon soit à peine frémissant : le poisson doit pocher tout doucement.

• Égoutter et ôter la peau du brochet avant de le dresser sur le plat de service. Servir accompagné de beurre fondu ou de sauce aux câpres (voir page 55).

• Les restes peuvent être dégustés froids avec une mayonnaise, ou en coquilles, nappés de sauce Mornay et gratinés au four.

1 kg de brochet. Court-bouillon. 150 g de beurre ou 1/2 litre de sauce aux câpres.

BROCHET EN BLANQUETTE

Temps de cuisson, 30 mn

• Couper le brochet en tranches assez épaisses et faire blanchir celles-ci dans le beurre. Saupoudrer de farine, mouiller avec le vin blanc, compléter avec de l'eau pour couvrir le poisson, saler et poivrer, ajouter les petits oignons et les champignons et laisser cuire lentement. Juste avant la fin de la cuisson, incorporer les jaunes d'œufs et la crème pour lier la sauce.

• Le brochet peut être préparé au bleu, comme les truites, ou cuit au court-bouillon et accompagné de diverses sauces.

1 kg de brochet. 150 g de beurre. 2 cuillerées à soupe de farine. 1 verre de vin blanc. 1 verre d'eau. 60 g d'oignons. 100 g de champignons. 85 g de crème. 2 jaune d'œufs. 1/2 cuillerée à soupe de sel. 1/2 cuillerée à café de poivre moulu.

MATELOTE D'ANGUILLE BOURGUIGNONNE

• Écorcher et couper l'anguille en tronçons de 8 à 10 cm de longueur, après l'avoir bien vidée et lavée ; déposer les morceaux dans une casserole sur un lit d'oignons, d'échalotes et d'ail émincés, ajouter quelques grains de poivre et un petit bouquet garni. Recouvrir le poisson de bon vin rouge et saler légèrement, puis faire cuire à petits bouillons pendant une vingtaine de minutes.

• En fin de cuisson, retirer les morceaux d'anguille à l'aide d'une écumoire et réserver dans une autre casserole, puis laisser réduire le jus de cuisson d'un tiers en le portant à ébullition pour qu'il n'y ait pas trop de sauce. Lier la sauce en y incorporant le beurre pétri avec la farine. Elle doit alors devenir crémeuse dès le premier bouillon ; ajouter une cuillerée de caramel liquide pour la colorer, puis passer la sauce à la passoire fine sur les morceaux d'anguille. Ajouter les petits oignons et les champignons cuits au beurre séparément, tout doucement. Goûter la sauce, rectifier l'assaisonnement si nécessaire, et servir la matelote entourée de croûtons de pain frits à l'huile.

• La matelote peut se préparer avec tous les poissons à chair ferme : poissons d'eau douce tels que carpes, brochets, tanches, perches, brèmes, etc., et poissons de mer tels que congres, anguilles de mer, lottes, daurades, etc. (1 kg de poisson suffit pour six personnes).

1 kg d'anguille. 2 verres de vin rouge. 60 g d'oignons. 2 échalotes. 1 gousse d'ail.
Quelques grains de poivre. 1 bouquet garni. 1 cuillerée à café de sel.
Liaison : 60 g de beurre. 20 g de farine. 1 cuillerée à café de caramel liquide.
100 g de petits oignons. 125 g de champignons. 60 g de beurre. 6 croûtons frits.

Temps de cuisson, 40 mn

ANGUILLE À LA TARTARE

• Préparer et faire cuire l'anguille comme il est indiqué dans la première partie de la recette de la matelote d'anguille bourguignonne. En fin de cuisson, égoutter et laisser refroidir les morceaux, avant de les rouler dans la farine, puis dans le blanc d'œuf battu avec l'huile et enfin dans la chapelure de mie de pain (blanche et non pas brune). Ces morceaux d'anguille panés peuvent alors être frits dans un bain de friture brûlant ou grillés sous le gril du four. On les sert chauds accompagnés d'une sauce tartare (voir page 59).

Mêmes proportions que pour la matelote d'anguille pour la première partie de la cuisson. 3 cuillerées à soupe de farine. 1 blanc d'œuf. 1 cuillerée à soupe d'huile. 50 g de chapelure blanche. 1/4 de litre de sauce tartare.

Temps de cuisson dans la friture, 10 mn

TRUITES À LA MEUNIÈRE

• Vider, écailler et couper les nageoires des truites (il n'est pas nécessaire qu'elles soient vivantes). Laver et essuyer les poissons avant de les tremper dans le lait froid salé puis dans la farine. Faire cuire aussitôt à la poêle dans du beurre

Temps de cuisson, 10 à 15 mn

Truites
de rivière
au bleu

bien chaud, en salant et poivrant de chaque côté. Dresser les truites bien dorées sur le plat chaud, arroser de jus de citron et de beurre brûlant, parsemer de persil haché et servir sans attendre.

6 petites truites. 1 verre de lait. 1 cuillerée à café de sel.
3 cuillerées à soupe de farine. 125 g de beurre. 1 pincée de poivre moulu.
3 cuillerées à soupe de persil haché. 2 citrons.

TRUITES DE RIVIÈRE AU BLEU

Temps
de cuisson,
6 à 8 mn

• Cette manière de préparer les truites de rivière est aussi simple que délicieuse, mais elle doivent impérativement être achetées vivantes (elles doivent être très fraîches pour se colorer en bleu).

• Préparer et faire cuire un court-bouillon vinaigré et bien condimenté, en quantité suffisante pour baigner les truites.

• Assommer les truites d'un coup sur la tête en les tenant avec un torchon pour éviter qu'elles glissent des mains, puis les vider vivement, sans les écailler afin de conserver tout le limon qui les enveloppe, et les rincer sous le robinet. Jeter les truites dans le court-bouillon bouillant. Sortir les truites à l'aide d'une écumoire. Dresser les poissons dans un plat creux avec un peu de court-bouillon et servir accompagné d'une saucière de beurre fondu et de quartiers de citron.

6 petites truites. Court-bouillon très condimenté. 1 verre de vinaigre.
125 g de beurre. 2 citrons.

GRENOUILLES À LA POULETTE

● Faire revenir les cuisses de grenouilles dans du beurre, doucement pour éviter qu'elles dorent. Ajouter la crème à mi-cuisson et laisser mijoter encore quelques minutes. Incorporer les jaunes d'œufs en fin de cuisson pour lier la sauce. Parsemer de persil haché et servir sans attendre.

Temps de cuisson, 10 mn

6 douzaines de cuisses de grenouilles. 50 g de beurre. 85 g de crème.
2 jaunes d'œufs. 2 cuillerées à café de persil haché.

GRENOUILLES SAUTÉES

● Cette recette est d'autant plus simple à préparer que les cuisses de grenouilles s'achètent en brochettes, toutes préparées. Il suffit de les retirer des brochettes puis de les faire sauter à la poêle, dans du beurre bien chaud, en les assaisonnant copieusement en sel et en poivre. Dresser les cuisses de grenouilles bien dorées dans le plat de service. On peut les parsemer de persil haché et garnir de quartiers de citron.

Temps de cuisson, 10 mn

6 douzaines de cuisses de grenouilles. 100 g de beurre. 1 cuillerée 1/2 à café de sel.
1/2 cuillerée à café de poivre moulu. 2 cuillerées à café de persil haché. 3 citrons.

Grenouilles
sautées

GRENOUILLES EN BEIGNETS

Temps de cuisson, 5 à 7 mn

● Mélanger le vinaigre, le sel, le poivre et la moitié du persil haché dans un plat creux pour y faire macérer les cuisses de grenouilles (au moins 1 h). Éponger celles-ci, les tremper aussitôt dans la pâte à frire, puis les plonger dans le bain de friture brûlant. Servir en buisson saupoudré du reste de persil.

6 douzaines de cuisses de grenouilles. 1 cuillerée à café de sel. 1 pincée de poivre moulu. 2 cuillerées à café de persil haché. 1/2 verre de vinaigre.
Pâte à frire préparée avec 250 g de farine.

ESCARGOTS

Temps de cuisson, 10 mn

● Lorsqu'on élève soi-même les escargots, il faut les laisser jeûner dans un récipient couvert d'un grillage serré. On doit ensuite les faire dégorger plusieurs heures dans de l'eau salée et vinaigrée et les laver à plusieurs reprises en changeant l'eau. On les met alors à cuire une huitaine de minutes dans de l'eau, puis on les égoutte et on les rince. On peut enfin les sortir de leur coquille et supprimer le filament. Laver une dernière fois avant de procéder à la cuisson. Cependant, on trouve aujourd'hui des escargots tout préparés, bien pratiques.

● Mettre les escargots à cuire doucement avec le vin blanc, le sel, le poivre, le bouquet garni et l'ail. Les laisser refroidir dans leur jus de cuisson, puis les remettre dans leurs coquilles, préalablement lavées et séchées. Préparer la farce en pétrissant le beurre avec le sel, le poivre, les échalotes, l'ail et le persil hachés. Finir de remplir les coquilles en tassant bien, déposer les escargots dans un plat (à alvéoles si possible). Cuire à four brûlant 10 mn, en surveillant la cuisson pour que le beurre ne noircisse pas.

6 douzaines d'escargots. 50 g de sel gris. 2 verres de vinaigre. 2 verres de vin blanc.
1 verre d'eau. 1 cuillerée à café de sel. 1/2 cuillerée à café de poivre moulu.
1 bouquet garni. 1 gousse d'ail.
Farce : 250 g de beurre. 2 échalotes. 3 gousses d'ail. 2 cuillerées à soupe de persil haché. 1/2 cuillerée à café de sel. 1/2 cuillerée à café de poivre moulu.

PETITE FRITURE DE SEINE

Temps de cuisson, 4 à 6 mn

● Sous le nom de friture, on désigne les tout petits poissons, goujons, gardons, ablettes, hotus, vairons, etc., et les éperlans et les équilles parmi les poissons de mer. Vider et nettoyer les poissons sans les laisser séjourner dans l'eau. Les égoutter soigneusement avant de les tremper dans le lait froid salé, puis de les rouler dans la farine. Plonger les poissons par petites quantités dans le bain de friture bien brûlant : ils doivent être croquants. Dresser la friture en buisson sur une serviette et entourer de quartiers de citron.

1 kg de petits poissons. 1 verre de lait. 1 cuillerée à café de sel. 150 g de farine.
Bain de friture d'huile. 3 citrons.

WATERZOÏ DE POISSON À LA FLAMANDE

Temps de cuisson, 45 mn

- Ce plat, d'origine flamande, est le pendant de notre classique matelote. Pour le réaliser, choisir un assortiment de poissons de rivière variés, tels que brochet, carpe, tanche, anguille, etc.
- Couper les poissons en tronçons. Mettre les morceaux dans la casserole, recouvrir d'eau, ajouter le sel, le poivre, le bouquet de persil et de sauge, un peu de céleri émincé finement, et un bon morceau de beurre. Cuire à feu assez vif pour que le jus de cuisson réduise. En fin de cuisson, ajouter les biscottes écrasées. La sauce ne doit cependant pas devenir trop épaisse. Retirer le bouquet garni, servir dans un plat rond bien chaud, accompagné de fines tartines de pain beurré (du pain bis de préférence).

1,500 kg de poissons de rivière variés. Céleri. 1 bouquet de persil et de sauge. 1 cuillerée 1/2 à café de sel. 3 pincées de poivre. 100 g de beurre. 1/2 litre d'eau. 2 biscottes.

CARPE, BRÈME, TANCHE

- Ces poissons peuvent être cuits au court-bouillon, frits, cuisinés en matelote avec du vin blanc ou du vin rouge.

1 kg de poisson.

PERCHE

- La perche est, en général, servie frite. On procède de la même manière que pour la friture de Seine (voir ci-contre), en respectant les conseils donnés pour la friture en tête de ce chapitre.

1,250 kg de perches.

Petits conseils du chef

À QUELLE TEMPÉRATURE DOIT-ON POCHER ?

Lorsqu'un aliment doit être poché, la recette conseille généralement de faire bouillir le liquide puis de réduire le feu afin que la surface du liquide soit juste frémissante. Ce type de pochage convient aux œufs et aux gnocchi. Lorsqu'on poche une viande ou un poisson, le liquide doit d'abord être porté à ébullition, puis la température abaissée et maintenue à 90 °C jusqu'à la fin de la cuisson. Le pochage d'une galantine doit être conduit à une température n'excédant pas 85 °C si l'on veut conserver le moelleux de la farce (une galantine pochée dans un liquide bouillant laisse échapper sa graisse et devient coriace). On compte 35 minutes de pochage par kilogramme. Un thermomètre à yaourt plongé dans le liquide pendant la durée de la cuisson permet un contrôle parfait des températures.

LES VIANDES

La France est riche d'une tradition ancienne dans le domaine de l'élevage. Citons les bœufs élevés dans les beaux pâturages du Charolais, du Limousin, de Normandie ou du Nivernais ; les moutons de pré-salé, nourris dans les pâtures côtières riches en herbes aromatiques ; les agneaux de Pauillac ou de Béhague. La qualité de nos animaux de boucherie a donc été un facteur essentiel de la réputation de la cuisine française.

Les viandes de boucherie destinées à être grillées ou rôties doivent avant tout être tendres, savoureuses et de bonne qualité. Cette qualité dépend pour une grande part de la race, de l'âge et de la façon dont ont été nourris les animaux d'élevage, mais l'aspect de la viande peut cependant guider la ménagère dans son choix.

La viande de bœuf doit être bien rouge, avec un grain fin, ferme et marbrée de graisse blanche ou jaunâtre, sans excès. Les viandes roseâtres proviennent d'animaux trop jeunes et ne sont pas suffisamment saignantes ; les viandes trop sombres proviennent d'animaux âgés et sont dures. Le temps de cuisson d'un rôti de 3 à 4 livres est d'environ un quart d'heure par livre, mais un morceau d'une livre exigera un peu plus d'un quart d'heure, car il faut ajouter le temps de saisir la pièce de viande sur toutes ses faces.

La viande de mouton doit être rouge vif, brillante et présenter un grain serré ; la graisse doit être blanche ou jaune clair. La viande d'agneau doit être blanche, ferme sans excès, la graisse blanc rosé.

La chair du veau doit être blanche ou légèrement rosée, onctueuse, et présenter une graisse blanche et ferme.

Le type de morceau à employer et le poids de viande sont indiqués dans chaque recette ; on compte généralement 150 g de viande par personne.

Les viandes de boucherie se font rôtir, griller, braiser, sauter ou bouillir (par exemple la blanquette et la plupart des abats).

LES RÔTIS

Temps de cuisson, 15 mn pour 500 g de viande rouge

• On peut rôtir une viande à la broche, au four, ou en cocotte. Le rôti doit être enveloppé dans une barde de lard gras ou, éventuellement, piqué de lardons (comme le filet de bœuf), puis salé et mis à four d'autant plus chaud que le morceau est petit. Il faut arroser le rôti de son jus régulièrement au cours de la cuisson et le saler en plusieurs fois, en mettant peu de sel à chaque fois. En fin de cuisson, on déglace le fond de la cocotte ou de la lèchefrite avec l'eau pour lier la sauce.

750 g de viande. 1 cuillerée à café de sel fin. 20 g de beurre. 1/4 de verre d'eau.

LES GRILLADES

• Faire chauffer le gril quelques minutes à l'avance pour éviter que la viande n'adhère aux barreaux de la grille, puis badigeonner la viande d'huile avant de la poser sur le gril. Ce type de cuisson convient aux entrecôtes, aux biftecks, aux tournedos, aux côtes de porc ou d'agneau, et parfois aux escalopes. Le temps de cuisson varie selon l'épaisseur et le type de viande ; pour les viandes rouges, moins la pièce est épaisse, plus elle doit être saisie pour rester saignante ; le veau, de même que le porc, ne doit jamais être consommé saignant et doit donc cuire plus longtemps. On sale en cours de cuisson.

6 morceaux de 125 à 150 g de viande. 1 cuillerée à soupe d'huile.
1/2 cuillerée à café de sel fin.

LES BRAISÉS

• Les viandes braisées – par exemple le bœuf en daube et le bœuf mode – doivent cuire longtemps et lentement dans leur sauce d'accompagnement ; les ragoûts sont donc des viandes braisées. Le principe ne varie guère : on fait dorer la viande dans la matière grasse à feu vif pour la saisir, puis on ajoute divers aromates et un peu de liquide (bouillon, eau, vin) ; on couvre et on laisse mijoter le temps nécessaire, sur feu doux.

1 kg de viande. 40 g de matière grasse.

LES SAUTÉS

• Les viandes sautées sont cuites au beurre ou dans toute autre matière grasse, dans une poêle ou une sauteuse. Ce type de cuisson, d'un usage courant dans la cuisine familiale, convient à de nombreuses pièces de viande, généralement de petite taille : escalopes, côtelettes, biftecks, etc.

• Il est à noter que certaines viandes, tel le sauté de veau Marengo, sont dites sautées de manière impropre puisqu'elles cuisent avec leur sauce ; ce sont donc plutôt des ragoûts avec très peu de sauce.

Temps de cuisson, 3 à 12 mn suivant l'épaisseur

600 à 700 g de viande. 40 g de beurre.

LE BŒUF

BŒUF À LA MODE

*Temps
de cuisson,
3 à 4 h*

- Il est plus intéressant, d'un point de vue économique, de préparer le bœuf à la mode en assez grande quantité, d'autant plus qu'il supporte très bien d'être réchauffé et qu'il est délicieux servi froid en gelée.
- Faire revenir le bœuf à la cocotte avec un peu de saindoux, en retournant les morceaux pour qu'ils dorent sur toutes leurs faces. Ajouter l'eau, le vin, le bouquet garni, le pied de veau désossé et les couennes préalablement ébouillantés et rincés. Saler et poivrer, couvrir la cocotte et laisser mijoter pendant 1 h 30 à 2 h. Ajouter alors les petits oignons et les carottes coupées en rondelles. Terminer la cuisson sur feu doux, en surveillant de temps en temps. Retirer le bouquet garni, dégraisser la sauce et couper la viande en tranches. Verser les légumes et le jus de cuisson dans le plat de service, disposer les tranches de viande. Servir très chaud.

*1 kg de bœuf (culotte, macreuse, tranche, aiguillette). 1 pied de veau.
150 g de bardes de lard. 30 g de saindoux. 2 verres de vin blanc.
1 verre d'eau. 30 petits oignons. 1 kg de carottes. 1 cuillerée à café de sel.
1/2 cuillerée à café de poivre moulu. 1 bouquet garni.*

Bœuf
à la mode

Bœuf
en daube

BŒUF EN DAUBE

- Couper la viande en gros cubes ; introduire dans chaque morceau un lardon roulé dans le persil et l'ail hachés. Faire revenir le lard coupé en petits dés et la couenne de porc au fond de la cocotte, déposer les morceaux de bœuf, ajouter les oignons et les carottes coupés en quatre, le bouquet garni, saler, poivrer et mouiller avec le vin rouge.
- Laisser mijoter sur feu doux en surveillant la cuisson de temps à autre. Lier la sauce avec quelques cuillerées de purée de tomates épaisse. Dégraisser la sauce et servir dans la cocotte, bien chaud.

1 kg de bœuf (macreuse, culotte, gîte). 100 g de lard. 1 cuillerée à soupe de persil haché. 1 gousse d'ail. 2 oignons. 2 carottes. 2 verres de vin rouge. 1/2 cuillerée à café de sel. 2 pincées de poivre moulu. 1 bouquet garni. Purée de tomates.

Temps de cuisson, 4 h

BŒUF À LA BOURGUIGNONNE

- Détailler la viande en cubes de 3 à 4 cm de côté et couper le lard en petits dés. Faire fondre le beurre dans la cocotte. Ajouter les oignons (entiers s'ils sont petits, coupés en quartiers s'ils sont gros) et les lardons. Attendre qu'ils soient bien dorés pour les retirer et les réserver dans une assiette. Faire revenir alors les morceaux de viande sur toutes leurs faces, à feu vif. Saupoudrer de farine et laisser roussir en remuant avec une cuillère en bois. Verser le bouillon chaud, remettre les oignons et les lardons, ajouter l'ail écrasé, le vin rouge et la purée de tomates ; saler, poivrer et ajouter le bouquet garni. Couvrir et laisser mijoter doucement 3 h.

Temps de cuisson, 3 h 30

● Dégraisser la sauce et ajouter les champignons crus, préalablement nettoyés et coupés en lamelles. Prolonger la cuisson de 20 à 30 mn. Saupoudrer de persil haché et servir sans attendre.

1 kg de bœuf (tranche grasse, paleron, pointe, collier, culotte). 100 g de lard salé. 60 g de beurre. 60 g d'oignons. 100 g de champignons. 1 cuillerée à soupe de farine. 3 verres de vin rouge. 2 verres de bouillon. 1 gousse d'ail. 1/2 cuillerée à café de sel. 2 pincées de poivre moulu. 1 bouquet garni. Purée de tomates. 1 cuillerée à soupe de persil haché.

STEW-STEAK

Temps de cuisson, 3 h

● Faire rissoler la viande sur toutes ses faces avec la graisse de rôti ou le sain-doux dans une cocotte. Retirer la viande pour faire revenir à la place les oignons émincés et les carottes coupées en dés. Mouiller avec le vin blanc et l'eau (ou le bouillon), ajouter la purée de tomates, le sel, le poivre et le bouquet garni ; remettre la viande. Couvrir hermétiquement et laisser cuire très lentement. Bien dégraisser la sauce avant de servir le plat parsemé de persil haché.

600 g d'entrecôte. 60 g de graisse de rôti ou de saindoux. 100 g d'oignons. 100 g de carottes. 1 verre de vin blanc. 1 verre d'eau ou de bouillon. 3 cuillerées à soupe de purée de tomates. 1 cuillerée à café de sel. 1 bouquet garni. 1 cuillerée à café de persil haché.

AIGUILLETTE DE BŒUF BRAISÉE

Temps de cuisson, 3 h au moins

● L'aiguillette est le morceau de bœuf qui se prête le mieux au braisage : il n'est ni gras ni sec, comme le sont parfois la pointe de culotte ou la tranche.

● Détailler le lard en dés et rouler ceux-ci dans un mélange de sel, de persil haché et d'ail écrasé. Introduire les lardons dans le morceau de viande.

● Faire revenir l'aiguillette ainsi lardée dans le saindoux avec les oignons émincés et les carottes coupées en rondelles. Enlever la graisse, mouiller avec le vin blanc et laisser réduire de moitié.

● Ajouter alors la sauce brune de manière à recouvrir tout juste le morceau de viande. Saler, poivrer et ajouter le bouquet garni. Couvrir hermétiquement la cocotte et laisser mijoter lentement. En fin de cuisson, ôter l'aiguillette en la réservant au chaud ; dégraisser et laisser réduire la sauce quelques minutes à feu vif. Découper la viande, disposer les tranches sur le plat de service et napper de sauce.

● Servir accompagné de riz, de choux braisés au lard ou, et c'est une garniture parfaite pour ce plat, de macaroni à la napolitaine (voir page 185).

700 g d'aiguillette de bœuf. 150 g de bardes de lard. 30 g de saindoux. 50 g d'oignons. 100 g de carottes. 1/2 litre de vin blanc. 1/4 de litre de sauce brune. 1 cuillerée à café de sel. 1/4 de cuillerée à café de poivre moulu. 1 bouquet garni. 1 cuillerée à soupe de persil haché. 1 gousse d'ail. Garniture au choix.

AIGUILLETTE DE BŒUF À LA FLAMANDE

Temps de cuisson, 4 h

- Détailler le lard maigre en petits dés puis piquer l'aiguillette de lardons. Faire revenir le morceau de viande sur toutes ses faces, ajouter le verre de bouillon (ou d'eau) et laisser mijoter.
- Pendant ce temps, laver et éplucher le chou avant de le mettre à braiser dans une autre cocotte, avec le lard gras et le cervelas. Éplucher les navets, les pommes de terre et les carottes ; couper celles-ci en rondelles. Ajouter les légumes dans la cocotte où cuit la viande environ 30 mn avant la fin de la cuisson de cette dernière.
- En fin de cuisson, découper la viande et disposer les tranches sur le plat de service, disposer le chou et le cervelas coupé en rondelles autour, puis les pommes de terre, les navets et les carottes. Servir bien chaud ce plat délicieux.

600 g d'aiguillette. 100 g de lard gras. 150 g de lard maigre. 1 verre de bouillon. 1 petit cervelas. 1 chou. 500 g de pommes de terre. 50 g de beurre. 250 g de carottes. 100 g de navets. 1 cuillerée à café de gros sel.

POINTE DE CULOTTE DE BŒUF À L'ANGLAISE

Temps de cuisson, 1 h

- Ce plat constitue une excellente manière de servir une pièce de bœuf braisée mais cependant saignante. Déposer le morceau de viande dans une grande marmite d'eau froide. Porter le tout à ébullition ; écumer soigneusement.
- Ajouter les carottes, les navets et les poireaux, préalablement lavés et épluchés, puis le bouquet garni.
- Laver, éplucher et couper le chou en quartiers et faire blanchir ceux-ci quelques minutes à l'eau bouillante avant de les ajouter dans la cocotte. Saler et poivrer copieusement et laisser mijoter en comptant un quart d'heure de cuisson par livre de viande.
- Servir la viande et les légumes, en réservant le bouillon de cuisson pour le repas du soir.

2 kg de pointe de culotte ou de rumsteck. 3 litres d'eau. 1 cuillerée à soupe de sel gris. 200 g de carottes. 100 g de navets. 2 poireaux. 1 bouquet garni. 1 chou. 1/2 cuillerée à café de poivre.

GOULASH À LA HONGROISE

Temps de cuisson, 3 à 4 h

- Le goulash est une sorte de ragoût de bœuf, fort apprécié dans toute l'Europe centrale.
- Couper le bœuf en cubes, puis faire blondir les oignons grossièrement hachés dans le saindoux ; ajouter la viande sans la faire revenir. Bien mélanger et couvrir la cocotte pour que la viande rende son jus. Après un quart d'heure de cuisson, ajouter la purée de tomates, l'eau et les tomates fraîches, pelées, épépinées et hachées. Assaisonner en sel et en paprika (originaire de Hongrie, cet aromate

Goulash
à la hongr[...]
recette p. [...]

est indispensable à la confection du plat), ajouter le bouquet garni et laisser mijoter lentement, à couvert.

• Dégraisser la sauce et servir accompagné de pâtes ou de petites pommes de terre cuites à la vapeur ou à l'eau.

750 g de culotte de bœuf. 50 g de saindoux. 200 g d'oignons. 4 cuillerées à soupe de purée de tomates. 1 verre d'eau. 500 g de tomates fraîches. 1 cuillerée à café de sel. Paprika. 1 bouquet garni.

CARBONADE DE BŒUF À LA FLAMANDE

Temps de cuisson, 2 h

• Faire sauter les biftecks, de préférence un peu épais, à la poêle. Pendant ce temps, éplucher et émincer les oignons pour les faire revenir dans le saindoux au fond d'une cocotte. Enlever une partie des oignons ; disposer les biftecks dans la cocotte sur un lit d'oignons, recouvrir avec le reste d'oignons, assaisonner et mouiller avec la bière. Ajouter le bouquet garni et la sauce brune. Couvrir et laisser cuire lentement, à four moyen. Dégraisser la sauce et servir le plat tel quel, accompagné, par exemple, de pommes de terre cuites à la vapeur.

6 biftecks de 125 g. 150 d'oignons. 60 g de saindoux. 1 cuillerée à café de sel fin. 1/2 cuillerée à café de poivre moulu. 1/2 litre de bière. 1 bouquet garni. 1/4 de litre de sauce brune.

TRIPES À LA MODE DE CAEN

- Bien que l'on puisse facilement se procurer des tripes toutes prêtes, je crois utile d'indiquer la façon de les préparer. Il est préférable d'en prévoir une assez grosse quantité, la réalisation étant assez longue. Les tripes comprennent la panse, le bonnet, le feuillet et la caillette. Au moment de l'achat, demander au boucher de fendre le pied de bœuf en deux.
- Laver très soigneusement les tripes, puis couper celles-ci en carrés. Éplucher les oignons. Éplucher et découper les carottes en rondelles épaisses. Découper les blancs de poireaux en tronçons.
- Déposer la moitié des tripes dans une marmite en terre pouvant aller au four ; disposer les légumes par-dessus, ajouter le bouquet garni, le poivre en grains et les clous de girofle, la graisse de rognon de bœuf et le pied de bœuf. Mettre le reste de tripes par-dessus et saler. Couvrir d'eau et ajouter le cognac. Fermer hermétiquement la marmite en entourant le couvercle d'un cordon de pâte. Commencer la cuisson sur feu doux, puis terminer celle-ci à four modéré, de manière à maintenir l'ébullition.
- En fin de cuisson, dégraisser la sauce et servir bouillant dans des assiettes bien chaudes.
- Les tripes se conservent bien au réfrigérateur, dans leur gelée, et sont encore meilleures réchauffées.

2 kg de tripes. 1 pied de bœuf. 100 g d'oignons. 100 g de carottes. 1 bouquet garni. 3 blancs de poireaux. 1/2 cuillerée à café de poivre en grains. 4 clous de girofle. 250 g de graisse de rognon. 1 verre de cognac. 1 cuillerée à soupe de sel gris.

Carbonade de bœuf flamande

Tripes à la mode de Caen

GRAS-DOUBLE À LA LYONNAISE

Temps de cuisson, 45 mn

• Le gras-double est débité dans les parties les plus grasses de la panse de bœuf ; sa cuisson est assez longue.

• Éplucher et émincer les oignons et les faire revenir à la poêle jusqu'à ce qu'ils soient bien dorés.

• Pendant ce temps, détailler le gras-double en lanières et faire revenir celles-ci à feu vif dans le saindoux, dans une sauteuse. Ajouter la farine, laisser revenir encore un moment, puis mouiller avec l'eau. Saler et poivrer copieusement, ajouter la purée de tomates et les oignons rissolés, et laisser cuire doucement, à couvert.

• En fin de cuisson, arroser d'un filet de vinaigre, parsemer de persil haché et servir aussitôt.

800 g de gras-double. 75 g de saindoux. 1 cuillerée à soupe de farine.
1 verre d'eau. 1/2 cuillerée à café de sel. 1/2 cuillerée à café de poivre.
2 cuillerées à soupe de purée de tomates. 150 g d'oignons.
2 cuillerées à soupe de vinaigre. 1 cuillerée à soupe de persil haché.

MIROTON DE BŒUF

Temps de cuisson, 20 mn

• Éplucher et émincer les oignons pour les faire dorer tout doucement dans le saindoux ou dans de la bonne graisse de rôti. Saupoudrer les oignons rissolés de farine, mouiller avec le bouillon (ou avec de l'eau), ajouter la purée de tomates, le sel, le poivre et le vinaigre et laisser mijoter le tout.

• Pendant ce temps, découper la viande de bœuf en tranches. Déposer les tranches dans la sauce et prolonger la cuisson de quelques minutes pour que la viande ait le temps de réchauffer. Servir tel quel après avoir dégraissé la sauce.

400 g de de bœuf bouilli (reste de pot-au-feu, par exemple). 3 gros oignons.
50 g de saindoux. 1 cuillerée à soupe de farine. 1/2 verre de bouillon.
1 cuillerée à soupe de purée de tomates. 1/2 cuillerée à café de sel.
1/4 de cuillerée à café de poivre. 1 cuillerée à soupe de vinaigre.

BŒUF SAUTÉ LYONNAISE

Temps de cuisson, 10 mn

• Cette recette est parfaite pour accommoder un reste de bœuf bouilli. Émincer les oignons pour les faire rissoler doucement à la poêle.

• Dans une autre poêle, faire dorer la viande de bœuf coupée en tranches dans le beurre. Ajouter alors les oignons rissolés, saler, poivrer, et prolonger la cuisson de quelques minutes. Transvaser le tout dans le plat de service, arroser d'un filet de vinaigre et parsemer de persil haché.

500 g de bœuf bouilli. 3 oignons. 60 g de beurre. 1/2 cuillerée à café de sel.
1/4 de cuillerée à café de poivre. 1 cuillerée à soupe de vinaigre.
1 cuillerée à café de persil haché.

FRICADELLES DE BŒUF

Temps
de cuisson,
5 mn

- Hacher menu la viande de bœuf.
- Faire risssoler l'oignon haché dans une poêle. Faire cuire les pommes de terre à l'eau, puis écraser leur chair en une purée sèche (sans y ajouter de lait).
- Mélanger le hachis de viande, l'oignon, les fines herbes hachées, la purée de pommes de terre (environ un tiers du volume de viande) et l'œuf entier. Saler et poivrer copieusement.
- Façonner des boulettes de hachis de la grosseur d'un œuf puis passer celles-ci dans la farine.
- Faire frire les boulettes dans le bain de friture brûlant et servir aussitôt, accompagné de sauce tomate.

300 g de bœuf bouilli. 1 oignon. 30 g de beurre. 1 cuillerée à soupe de fines herbes hachées. 250 g de pommes de terre. 1/2 cuillerée à café de sel. 1/4 de cuillerée à café de poivre. 1 œuf. 50 g de farine. Bain de friture. 1/2 litre de sauce tomate.

ROGNON DE BŒUF SAUTÉ

Temps
de cuisson,
10 mn

- Éplucher, rincer sous l'eau courante et émincer les champignons pour les faire sauter à la poêle.
- Pendant ce temps, éplucher et dégraisser soigneusement le rognon avant de le découper en lamelles et de le faire sauter au beurre, dans une grande poêle, à feu très vif : il doit être bien saisi pour conserver son jus.
- Lorsque le rognon est «raidi», parsemer de farine, ajouter le madère et le bouillon, saler, poivrer, donner un bouillon, ajouter les champignons sautés et servir. Il est important de ne pas laisser bouillir le rognon en sauce plus qu'il n'est indiqué, car il deviendrait dur.

1 rognon de bœuf. 100 g de beurre. 1 cuillerée à café de farine. 1/2 verre de madère. 1/2 verre de bouillon. 1/2 cuillerée à café de sel. 1/4 de cuillerée à café de poivre. 250 g de champignons.

HACHIS À LA PARMENTIER

Temps
de cuisson,
45 mn

- Hacher le plus finement possible un reste de bœuf bouilli (pot-au-feu, par exemple). Faire rissoler l'oignon haché au saindoux dans une poêle ; ajouter alors la farine, le vin blanc, 2 ou 3 tasses d'eau, le hachis de viande et la purée de tomates. Saler et poivrer copieusement puis laisser mijoter doucement en remuant de temps à autre.
- Pendant ce temps, préparer une purée de pommes de terre en la délayant avec le bouillon (pas avec du lait). Déposer le hachis dans un plat à gratin en une couche bien plane, recouvrir entièrement avec la purée en aplanissant la surface.
- Saupoudrer de fromage râpé, ajouter quelques noisettes de beurre ou

Hachis à la
Parmentie
recette p.

badigeonner d'œuf battu. Mettre à gratiner à four très chaud une vingtaine de minutes. Servir très chaud, dans le plat de cuisson. Le hachis constitue un plat économique, aussi nutritif que savoureux.

500 g de bœuf bouilli. 30 g de saindoux. 1 gros oignon. 1 cuillerée à café de farine. 1/2 verre de vin blanc. 2 verres d'eau. 1 cuillerée à soupe de purée de tomates. 1 kg de pommes de terre. 1/2 litre de bouillon. 50 g de beurre. 1 œuf. 1/2 cuillerée à café de sel. 1/4 de cuillerée à café de poivre. 100 g de fromage râpé.

ENTRECÔTE GRILLÉE MAÎTRE D'HÔTEL

Temps de cuisson, 12 mn environ

• L'entrecôte, comme son nom l'indique, est une tranche de viande taillée entre deux côtes. Faire chauffer le gril à l'avance. Huiler légèrement et saler l'entrecôte avant de la poser sur le gril ; plus la viande est épaisse, plus le gril doit en être éloigné pour qu'elle ne soit pas trop saisie.

• L'entrecôte peut aussi être cuite à la poêle, au beurre. Il faut alors éviter de la faire cuire à feu trop vif pour ne pas faire noircir le beurre qui donnerait un goût désagréable à la viande.

900 g d'entrecôte. 30 g de beurre ou 1 cuillerée à soupe d'huile. 1/2 cuillerée à café de sel fin.

ENTRECÔTE À LA BORDELAISE

Temps de cuisson, 12 mn environ

• Faire dorer l'entrecôte au beurre dans une poêle, environ 5 mn de chaque côté. Retirer la viande en la réservant au chaud sur le plat de service. Jeter l'échalote hachée dans la poêle, en la laissant revenir 1 à 2 mn. Saupoudrer de farine, mouiller avec le vin rouge et le bouillon, saler, poivrer et ajouter le bouquet garni. Laisser réduire de moitié à feu vif. Ajouter alors la moelle de bœuf coupée en lamelles et laisser mijoter encore 2 mn. Ôter le bouquet garni, verser la sauce sur la viande et parsemer de persil haché.

900 g d'entrecôte. 60 g de beurre. 1 cuillerée à café de farine. 1 verre de vin rouge. 1 verre de bouillon. 1 bouquet garni. 50 g de moelle de bœuf. 1 cuillerée à soupe de persil haché. 1 échalote hachée. 1/2 cuillerée à café de sel. Poivre.

TOURNEDOS

• Les tournedos ne sont ni plus ni moins que des tranches de filet de bœuf d'un à deux centimètres d'épaisseur, parées, bardées et ficelées par le boucher. Les tournedos, réputés pour leur tendreté, sont assez onéreux. On pourra leur substituer de bons biftecks dans les recettes qui suivent.

TOURNEDOS CHASSEUR

• Faire sauter les tournedos dans le beurre, à la poêle. Pendant ce temps, faire griller les tranches de pain de mie ou les faire frire rapidement dans de l'huile. Dresser les tournedos sur les tranches de pain grillées, arroser de sauce chasseur aux champignons (voir page 54). Parsemer la surface de persil haché avant de servir.

Temps de cuisson, 10 mn

6 tournedos. 6 tranches de pain de mie rond. 75 g de beurre. Sauce chasseur. 1 cuillerée à soupe de persil haché. 1 cuillerée à café de sel.

Entrecôte bordelaise

TOURNEDOS HENRI IV

Temps de cuisson, 10 mn

• Faire griller les tournedos avant de les dresser sur les tranches de pain de mie grillées, comme dans les recettes précédentes. Servir accompagné de sauce béarnaise (voir page 56) et d'un légume au choix.

6 tournedos. 6 tranches de pain de mie rond. Sauce béarnaise.

TOURNEDOS À L'ESTRAGON

Temps de cuisson, 10 mn

• Faire sauter les tournedos dans le beurre et préparer les tranches de pain de mie grillées comme dans la recette précédente.
• Pendant la cuisson de la viande, faire chauffer la purée de tomates en y ajoutant l'estragon haché.
• Dresser les tournedos sur les toasts, napper de sauce tomate à l'estragon et décorer chaque tournedos d'un brin d'estragon réservé à cet usage.

6 tournedos. 6 tranches de pain de mie rond. 75 g de beurre. 1 cuillerée à café d'estragon haché. 1 cuillerée à soupe de purée de tomates.

TOURNEDOS PIÉMONTAIS

Temps de cuisson, 30 mn

• Dans une casserole, faire blondir les oignons émincés dans 50 g de beurre. Ajouter le riz, en remuant à l'aide d'une spatule jusqu'à ce qu'il devienne translucide. Verser le bouillon, couvrir et laisser cuire jusqu'à absorption complète du liquide (environ 20 mn).
• Pendant ce temps, faire sauter les tournedos d'une part, et les tomates coupées en deux d'autre part, avec le reste de beurre.
• Incorporer la purée de tomates au risotto. Disposer celui-ci au fond du plat, puis les tournedos surmontés d'une demi-tomate sautée. Servir sans attendre, accompagné éventuellement d'un coulis de tomates.

6 tournedos. 125 g de beurre. 250 g de riz. 75 g d'oignons. 2 fois 1/2 le volume de riz de bouillon. 3 cuillerées à soupe de purée de tomates. 3 tomates.

BIFTECKS

Temps de cuisson, 4 mn

• Le bifteck est une tranche de viande assez mince taillée dans la tranche, la bavette, l'onglet, le rumsteck, la hampe ou l'araignée. On les fait cuire comme les entrecôtes, soit au gril, soit à la poêle.
• On les sert fréquemment accompagnés de beurre «maître d'hôtel», c'est-à-dire travaillé avec le sel, le poivre, le persil haché et quelques gouttes de jus de citron.

6 biftecks de 125 à 150 g. 60 g de beurre. 1 cuillerée à café de sel. 1/4 de cuillerée à café de poivre. 1 citron. 1 cuillerée à soupe de persil haché.

RÔTI DE BŒUF

- Seules certaines parties du bœuf se prêtent au rôtissage ; ce sont les morceaux les plus tendres : le filet, le faux-filet, le contre-filet, le rosbif et le rumsteck. Le pièce de bœuf à rôtir doit être piquée de lardons ou enveloppée d'une barde de lard et ficelée ; c'est généralement ainsi que le boucher la prépare. On compte généralement 150 à 175 g de viande par personne et 15 mn de cuisson par livre.
- Faire préchauffer le four ; rappelons que le four doit être d'autant plus chaud que le rôti est petit afin que ce dernier soit bien saisi. Déposer la pièce de viande dans un plat, parsemer la surface du rôti de noisettes de beurre, saler légèrement et enfourner à four bien chaud. Arroser le rôti de son propre jus plusieurs fois au cours de la cuisson (mais ne jamais mettre d'eau dans le plat à rôtir en le mettant au four).
- En fin de cuisson, couper le rôti en tranches minces, dans le sens opposé au fil de la viande. Déglacer le fond du plat de cuisson avec une cuillerée à soupe d'eau. Servir le rôti sans attendre (la viande refroidit vite), accompagné de son jus de cuisson.

1 rôti de bœuf de 1 kg. 75 g de beurre. Sel.

Temps de cuisson, 30 mn

QUEUE DE BŒUF EN HOCHEPOT

- Ce plat très ancien, aujourd'hui un peu délaissé, mérite d'être remis à l'honneur.
- Faire couper la queue de bœuf en tronçons par le boucher. Déposer les morceaux de queue de bœuf, les pieds et l'oreille de porc dans une grande cocotte remplie d'eau froide. Porter le liquide à ébullition en écumant soigneusement la surface. Laver et éplucher les légumes. Couper le chou en quartiers et détailler les carottes en rondelles épaisses. Ajouter tous les légumes dans la cocotte. À la reprise de l'ébullition, écumer à nouveau si nécessaire, saler, puis laisser mijoter doucement. Servir les légumes et les viandes accompagnés des pommes de terre cuites à la vapeur. Le bouillon de cuisson peut constituer un excellent potage.

1 kg de queue de bœuf. 2 pieds de porc. 1 oreille de porc. 3 litres d'eau. 1 chou. 200 g de carottes. 125 g de navets. 100 g de poireaux. 500 g de pommes de terre. 1 cuillerée 1/2 à soupe de sel gris.

Temps de cuisson, 4 h au moins

— Petits conseils du chef —

QUAND FAUT-IL SALER LES GRILLADES ET LES RÔTIS ?

Il faut toujours saler en cours de cuisson, c'est-à-dire lorsque les viandes ont pris une belle couleur, et non en fin de cuisson comme on l'indique trop souvent. Ainsi les escalopes, les côtelettes, les biftecks seront grillés sur une face, laquelle sera salée pendant la cuisson de l'autre face. Les rôtis seront saisis à feu vif, puis salés et enfournés.

LE VEAU

La viande d'un veau de bonne qualité se reconnaît à sa couleur : elle doit être blanche, à la rigueur rosée. La viande de veau doit toujours être consommée très cuite, jamais saignante.

VEAU AUX CAROTTES

Temps de cuisson, 1 h 45

- La pièce de veau se fait cuire entière, parée et ficelée par le boucher, en cocotte ; on choisira du quasi, de la longe, de l'épaule, de la sous-noix ou du jarret, selon que l'on préfère un morceau gras, maigre ou gélatineux comme le jarret.
- Mettre le beurre à fondre dans la cocotte pour y faire revenir le morceau de viande sur toutes ses faces, répartir autour les carottes épluchées et coupées en rondelles et les oignons coupés en quatre. Couvrir la cocotte et laisser cuire doucement pendant une vingtaine de minutes. Mouiller avec l'eau, saler et poivrer, et laisser mijoter à couvert. Dégraisser la sauce avant de servir.

800 g de veau. 60 g de beurre. 50 g d'oignons. 1 kg de carottes. 1/2 litre d'eau. 1/2 cuillerée à soupe de sel gris. 1 pincée de poivre moulu.

PAUPIETTES DE VEAU À LA BONNE FEMME

Temps de cuisson, 45 mn au moins

- Bien qu'assez difficiles à réaliser, les paupiettes, parfois appelées oiseaux sans tête, sont si bonnes et si connues qu'elles méritent que l'on fasse un effort !

Paupiettes
veau à la b
femme

te de veau
la crème,
ette p.107

• Choisir des escalopes plutôt minces et larges. Saler et poivrer les escalopes. Faire cuire les oignons hachés ; émietter la mie de pain rassis avant de la mélanger avec le persil haché ou le fromage râpé, selon son goût. Répartir les oignons sur les escalopes, puis étaler une bonne couche de mie de pain en appuyant pour qu'elle adhère à la viande. Rouler les escalopes sur elles-mêmes, de manière à emprisonner la farce ; ficeler chaque paupiette en l'entourant de deux tours de fil. Faire rissoler les paupiettes sur toutes leurs faces, au beurre, dans une cocotte, avec les légumes, puis ajouter le verre de bouillon (ou d'eau). Enfourner, sans couvrir, et laisser braiser en arrosant souvent. Servir les paupiettes avec leur jus de cuisson bien dégraissé et une garniture de petits légumes nouveaux variés : champignons, petits pois, oignons grelots, etc.

6 escalopes de 100 g. 1 cuillerée à café de sel. 1 pincée de poivre moulu. 2 cuillerées à soupe d'oignons hachés. 30 g de mie de pain. 2 cuillerées à café de persil haché ou 50 g de gruyère râpé. 1 carotte. 1 verre de bouillon. 100 g de beurre.

CÔTES DE VEAU À LA NÎMOISE

• Peler, couper en tranches et fariner les aubergines. Peler, épépiner et couper les tomates en quartiers. Faire frire les aubergines à la poêle dans de l'huile. Retirer et réserver les aubergines, puis faire revenir les tomates. Pendant ce temps, faire cuire les côtes de veau, légèrement farinées, dans une autre poêle. Saler et poivrer les tomates, ajouter le persil et l'ail hachés, et remettre les

Temps de cuisson, 40 mn

aubergines. Dresser les côtes dans le plat de service, déglacer le plat de cuisson avec le vin blanc ; verser la sauce sur la viande et napper de fondue d'aubergines et de tomates.

6 côtes de veau. 6 cuillerées à soupe d'huile. 2 aubergines. 2 cuillerées à soupe de farine. 250 g de tomates. 1 cuillerée 1/2 à café de sel fin. 2 pincées de poivre moulu. 1 cuillerée à café de persil. 1 gousse d'ail. 1/2 verre de vin blanc.

CÔTES DE VEAU À LA POLONAISE

Temps de cuisson, 15 mn

• Hacher la noix de veau crue, bien dénervée, et les oignons. Faire fondre ces derniers dans du beurre et tremper la mie de pain dans du lait. Mélanger la viande, les oignons et la mie de pain bien essorée et émiettée. Saler, poivrer, ajouter le paprika, puis diviser la farce en huit parts. Rouler celles-ci sur la table enfarinée, en leur donnant la forme d'une galette plate. Passer chaque galette dans l'œuf battu puis dans la chapelure, et faire cuire à la poêle, dans le beurre brûlant.

300 g de noix de veau. 60 g d'oignons. 100 g de beurre. 50 g de mie de pain. 2 cuillerées à soupe de lait. 1 cuillerée à café de sel fin. 1/2 cuillerée à café de paprika. 2 cuillerées à soupe de farine. 2 œufs. 50 g de chapelure.

CÔTES DE VEAU SAUTÉES AUX FINES HERBES

Temps de cuisson, 15 mn

• Assaisonner et fariner les côtes avant de les faire cuire au beurre dans une sauteuse. Dresser la viande sur le plat de service et tenir au chaud. Verser le vin blanc dans la sauteuse pour le faire réduire de moitié sur feu vif. Retirer le vin et ajouter le beurre, les fines herbes et l'échalote hachées ; laisser fondre le beurre dans le vin chaud sans faire bouillir la sauce, et verser sur les côtelettes.

6 côtes de veau (ou escalopes). 50 g de farine. 60 g de beurre. 1/2 verre de vin blanc. 1 cuillerée à café de fines herbes. 1 échalote. 1 cuillerée à café de sel fin.

CÔTES DE VEAU GRILLÉES

Temps de cuisson, 20 mn

• Saler, poivrer et fariner de belles côtes de veau, de préférence assez épaisses. Badigeonner les côtes de beurre fondu avant de les poser sur le gril modérément chaud. Laisser cuire lentement (le veau se consomme bien cuit), en retournant et en arrosant les côtes pour éviter le dessèchement de la surface.

6 côtes de veau. 90 g de beurre. 1/2 cuillerée à café de sel fin. 1 pincée de poivre moulu. 2 cuillerées à soupe de farine.

CÔTES DE VEAU À LA FOYOT

Temps de cuisson, 45 mn

• Choisir des côtes assez épaisses (2 cm). Saler et poivrer chaque face. Faire fondre les oignons hachés sans les laisser dorer.
• Mélanger la chapelure et le gruyère râpé. Enduire les côtes de veau d'une

couche de chapelure et de gruyère râpé en l'y faisant adhérer avec la main.

• Répandre les oignons au fond d'un plat creux pouvant aller au four. Disposer les côtes par-dessus, mouiller avec le vin blanc, arroser de beurre et mettre à braiser à four doux, en arrosant la viande à plusieurs reprises au cours de la cuisson.

• Si le vin blanc est évaporé, ajouter un peu de bouillon ou, à défaut, un peu d'eau. Servir tel quel ce plat délicieux dans lequel les escalopes peuvent remplacer les côtes.

6 côtes de veau. 1/2 cuillerée à café de sel fin. 1 pincée de poivre moulu.
60 g d'oignons. 75 g de beurre. 1 cuillerée à soupe de chapelure.
60 g de gruyère râpé. 1/2 verre de vin blanc.

CÔTES DE VEAU À LA CRÈME

• Nettoyer et émincer les champignons et peler les oignons. Faire cuire les champignons et les oignons 5 mn à l'eau bouillante puis les égoutter. Fariner les côtes de veau, puis les faire cuire à la poêle dans le beurre, sur feu doux pour ne pas les laisser dorer. Ajouter les champignons et les oignons au bout d'une dizaine de minutes ; saler et poivrer. En fin de cuisson, verser la crème épaisse autour. Laisser mijoter 5 mn et servir aussitôt.

Temps de cuisson, 35 mn

6 côtes de veau. 2 cuillerées à soupe de farine. 60 g de beurre.
100 g de crème épaisse. 1 cuillerée à café de sel fin. 1 pincée de poivre.
500 g de champignons. 100 g de petits oignons blancs.

ESCALOPES À LA MILANAISE

• Mettre les macaroni à cuire dans une grande casserole d'eau bouillante salée. Pendant ce temps, paner et cuire les escalopes comme dans la recette précédente ; tenir la viande au chaud sur le plat de service. Égoutter les pâtes, ajouter la sauce tomate, le jambon et les champignons coupés finement et laisser mijoter 5 à 6 mn. Incorporer le gruyère hors du feu. Verser les pâtes dans un plat creux, après avoir vérifié l'assaisonnement, et disposer les escalopes autour.

Temps de cuisson, 15 mn

6 escalopes. 2 cuillerées à soupe de farine. 1 blanc d'œuf. 1/4 de verre d'huile.
75 g de chapelure blanche. 60 g de beurre. 1 jus de citron. 150 g de macaroni.
Sauce tomate. 100 g de jambon. 100 g de champignons. 50 g de gruyère râpé.
2 cuillerées à café de sel. 1 pincée de poivre moulu.

ESCALOPES CHASSEUR

• Faire sauter les escalopes au beurre, non panées, dans une poêle. Dresser les escalopes sur le plat de service et tenir au chaud. Nettoyer et émincer les champignons pendant la cuisson de la viande, puis les mettre à rissoler dans la même poêle, en ajoutant un peu d'huile ; ajouter l'échalote hachée, laisser revenir un

Temps de cuisson, 15 mn

instant avant d'ajouter le vin blanc, qui doit réduire de moitié. Ajouter alors la sauce brune ou la purée de tomates et le bouillon de viande. Verser la sauce sur les escalopes, parsemer de persil haché et servir.

6 escalopes. 60 g de beurre. 250 g de champignons. 1 cuillerée à soupe d'huile. 1 échalote hachée. 1/4 de verre de vin blanc. 2 cuillerées à soupe de sauce brune ou de purée de tomates. 2 cuillerées à soupe de bouillon. 1 cuillerée à café de persil haché. 1 cuillerée à café de sel. 1 pincée de poivre moulu.

ESCALOPES DE VEAU PANÉES À L'ANGLAISE

Temps de cuisson, 10 mn

• Saler, poivrer et fariner les escalopes, qui doivent être plutôt minces. Tremper chaque escalope dans le blanc d'œuf mélangé avec l'huile, puis dans la chapelure blanche. Faire cuire au beurre, dans une poêle, à feu moyen pour ne pas brûler le pain avant que la viande ne soit cuite. Servir les escalopes bien croustillantes, arrosées de jus de citron et du beurre de cuisson.

6 escalopes. 2 cuillerées à soupe de farine. 1 blanc d'œuf. 1/4 de verre d'huile. 75 g de chapelure blanche. 60 g de beurre. 1 jus de citron. 1 cuillerée à café de sel.

RIS DE VEAU AUX PETITS POIS

Temps de cuisson, 25 à 40 mn

• Faire tremper les ris de veau dans l'eau froide pendant au moins 2 h, en changeant l'eau à plusieurs reprises. Les faire blanchir 5 mn dans l'eau bouillante légèrement salée, puis les égoutter et les rafraîchir à l'eau froide. Enlever soigneusement les parties cartilagineuses et non comestibles, mais sans retirer la

Ris de veau
aux petits

fine peau qui les recouvre. Mettre ensuite les ris de veau sous presse pendant 1 h, pour briser les fibres et éviter leur rétraction à la cuisson. Détailler le lard en petits dés et piquer les ris de lardons.

• Éplucher les carottes et les oignons, couper les premières en rondelles et les seconds en lamelles. Faire rissoler les légumes, puis les ris. Remettre les légumes dans le fond de la cocotte, déposer les ris dessus et mouiller avec le bouillon. Enfourner à four bien chaud pour dorer le dessus, puis laisser cuire doucement en arrosant de temps à autre au cours de la cuisson. Le temps de cuisson varie en fonction de la grosseur des ris.

• Faire cuire les petits pois, à la française ou au beurre (voir page 170), pendant la cuisson des ris. Dresser les ris dans le plat de service, arroser de leur jus de cuisson, bien dégraissé et réduit de moitié, garnir de petits pois et servir.

1 ris 1/2 de veau. 100 g de lard de poitrine. 100 g de carottes. 60 g d'oignons.
1 verre de bouillon. 1 cuillerée à café de sel fin. 1 pincée de poivre moulu.
1 kg de petits pois.

FOIE DE VEAU SAUTÉ

• Assaisonner et fariner les tranches de foie avant de les faire cuire à la poêle, dans du beurre très chaud, mais non coloré. Le foie doit rester légèrement rosé, sans être saignant. Arroser la viande cuite de son beurre de cuisson et parsemer de persil haché.

Temps de cuisson, 10 mn à peine

600 g de foie. 2 cuillerées à soupe de farine. 80 g de beurre. 2 cuillerées à café
de persil haché. 1 cuillerée à café de sel fin. 1 pincée de poivre moulu.

...ti de veau,
...ette p. 112

RAGOÛT DE VEAU

*Temps
de cuisson,
1 h 15
à 1 h 30*

• Le ragoût de veau se prépare exactement comme le ragoût de mouton (voir page 115). Cependant la cuisson du ragoût de veau (1 h 15 environ) est beaucoup moins longue (2 h pour le ragoût de mouton).

1 kg de flanchet ou d'épaule de veau. 50 g de saindoux. 2 cuillerées à soupe de farine. 1 gousse d'ail. 1/2 litre d'eau. 2 cuillerées à soupe de purée de tomates. 125 g d'oignons. 100 g de navets. 150 g de carottes. 750 g de pommes de terre. 1/2 cuillerée à soupe de sel fin. 2 pincée de poivre moulu. 1 cuillerée à soupe de persil haché. 30 g de beurre. 1 bouquet garni.

SAUTÉ DE VEAU AUX MACARONI

*Temps
de cuisson,
1 h 15
à 1 h 30*

• Ce plat n'est autre qu'un ragoût de veau dans lequel les pommes de terre sont remplacées par des macaroni. Ceux-ci seront partiellement cuits à l'eau avant d'être ajoutés dans la cocotte où ils finiront de cuire directement dans la sauce.

1 kg de veau. 150 g de macaroni. 1/2 cuillerée à soupe de sel.

SAUTÉ DE VEAU AUX PETITS POIS

*Temps
de cuisson,
1 h 15*

• Il s'agit d'un ragoût de veau garni de petits oignons et de petits pois. Pendant la saison des pois nouveaux, on choisira de préférence des gros pois qui cuiront directement dans le ragoût ; on aura soin de diminuer de moitié la quantité de farine, les pois étant eux-mêmes farineux.

1 kg de veau. 60 g d'oignons. 1 kg de petits pois. 1/2 cuillerée à soupe de sel.

SAUTÉ DE VEAU À LA MARENGO

*Temps
de cuisson,
1 h 30*

• Faire revenir l'épaule de veau coupée en morceaux dans un mélange de beurre et d'huile brûlant pour bien saisir la viande.
• Laisser celle-ci dorer sur toutes ses faces avant d'ajouter les oignons hachés et une pincée de farine.
• Laisser dorer à nouveau quelques minutes en remuant à l'aide d'une cuillère en bois, puis ajouter l'ail écrasé, le vin blanc et la purée de tomates pour constituer la sauce ; compléter avec un peu d'eau si elle est trop épaisse.
• Saler, poivrer, ajouter le bouquet garni et laisser cuire 1 h avant d'ajouter les champignons crus et de poursuivre la cuisson. Dégraisser soigneusement la sauce et servir parsemé de persil haché et accompagné de tranches de pain frites à l'huile.

1 kg d'épaule de veau. 30 g de beurre. 3 cuillerées à soupe d'huile. 60 g d'oignons. 30 g de farine. 1 gousse d'ail. 1 verre de vin blanc. 1 cuillerée à soupe de purée de tomates. 1 bouquet garni. 200 g de champignons. 1 cuillerée à café de persil haché. 12 tranches de pain. 1 cuillerée à café de sel. 1 pincée de poivre moulu.

FRICANDEAU À L'OSEILLE

• Le fricandeau, vieux plat français, jouissait autrefois d'un succès mérité. Choisir une tranche de noix de veau d'au moins 3 cm d'épaisseur. Détailler le lard en dés et piquer la viande de lardons. Faire revenir le morceau de viande sur toutes ses faces. Enlever la viande, puis faire rissoler les carottes coupées en rondelles et les oignons émincés dans le plat à rôtir.

• Disposer la viande sur les légumes. Ajouter le bouillon non dégraissé et enfourner à four moyen. Pendant la cuisson, arroser fréquemment la surface de la viande qui doit émerger de son jus ; saler et poivrer en plusieurs fois. Pendant la cuisson du fricandeau, laver et éplucher l'oseille, puis mettre celle-ci à braiser dans une casserole. Disposer les légumes autour de la viande et arroser de jus bien dégraissé et réduit.

800 g de noix de veau. 150 g de bardes de lard. 50 g d'oignons. 100 g de carottes.
1/2 litre de bouillon. 1 kg d'oseille. 1 cuillerée à café de sel. 1 pincée de poivre.

Temps de cuisson, 1 h 30

TENDRONS DE VEAU À LA PAYSANNE

• Faire revenir le tendron sur toutes ses faces ; mouiller de bouillon jusqu'aux 3/4 de la hauteur de la viande et enfourner à four moyen, sans couvrir ; assaisonner au cours de la cuisson, en plusieurs fois, et arroser souvent.

• Pendant ce temps, éplucher et émincer les oignons, les carottes, les navets et le céleri. Faire fondre un peu de beurre dans une petite cocotte, ajouter les légumes, couvrir hermétiquement la cocotte et enfourner : les légumes cuiront à l'étuvée. Ajouter les légumes dans le plat à rôtir quelques minutes avant la fin de la cuisson du tendron et servir le tout après avoir bien dégraissé le jus. On peut aussi ajouter quelques pommes de terre qui cuiront dans le bouillon de cuisson du tendron.

800 g de tendron de veau. 1/2 litre de bouillon. 1 cuillerée à café de sel.
1 pincée de poivre moulu. 50 g d'oignons. 200 g de carottes. 100 g de navets.
1 branche de céleri. 50 g de beurre.

Temps de cuisson, 1 h 30

CŒUR DE VEAU BRAISÉ AUX CAROTTES

• Éplucher les oignons et les carottes ; émincer les premiers, couper les secondes en rondelles. Mettre le cœur et les oignons à revenir dans une cocotte ; attendre que le tout soit bien doré pour ajouter l'eau et les carottes ; saler, poivrer, et laisser cuire à couvert une grande heure. En fin de cuisson, ôter la viande, dégraisser et faire réduire la sauce sur feu vif.

• On peut aussi couper le cœur de veau en tranches dans le sens de la longueur pour les faire cuire comme des biftecks ; c'est une chair ferme et croquante.

2 cœurs. 50 g d'oignons. 1 verre 1/2 d'eau. 1 cuillerée à café de sel fin.
1 pincée de poivre moulu. 500 g de carottes.

Temps de cuisson, 1 h 30

RÔTI DE VEAU

Temps de cuisson, 1 h 30

• Le rôti de veau peut être prélevé dans divers morceaux : noix, sous-noix, longe, quasi, etc. Mettre le rôti dans un plat allant au four, saler, poivrer, parsemer de noisettes de beurre et enfourner à four moyen. Arroser fréquemment pendant la cuisson.

1 kg de veau. 80 g de beurre. 1 cuillerée à café de sel. 1/2 cuillerée à café de poivre.

BLANQUETTE DE VEAU

Temps de cuisson, 1 h 30

• La blanquette, véritable plat familial, est exquise lorsqu'elle est bien préparée ; on choisira de préférence du tendron et du flanchet, mais le collier, la poitrine et l'épaule conviennent aussi.

• Éplucher les oignons et les carottes et couper ces dernières en rondelles. Couper la viande en morceaux. Faire chauffer le beurre dans une cocotte et y faire dorer les morceaux de viande sur toutes leurs faces. Ajouter les carottes et les oignons, le bouquet garni, le poivre et le sel et couvrir d'eau. Porter le tout à ébullition, puis couvrir et baisser le feu pour que le plat mijote (1 h 15 à 1 h 30, selon la viande choisie : la poitrine est plus longue à cuire que le tendron ou le

Blanquette de veau

112

collier). Pendant ce temps, éplucher, rincer et couper les champignons en lamelles. Les faire dorer à la poêle ; saler, poivrer et tenir au chaud.

• Lorsque la blanquette est cuite, mélanger le jaune d'œuf (ou 2 jaunes d'œufs, la sauce n'en sera que plus veloutée) et la crème dans un bol ; saler et poivrer ; ajouter un peu de bouillon prélevé dans la cocotte en remuant le mélange à l'aide d'un fouet. Retirer le bouquet garni et les morceaux de viande en réservant ceux-ci au chaud, dans le plat de service. Verser le contenu du bol dans la cocotte en fouettant vivement. Remettre la cocotte sur feu doux quelques minutes, en ayant soin de ne pas laisser bouillir la sauce. Verser la sauce sur la viande, ajouter les champignons et servir accompagné de riz.

1 kg de tendron et de flanchet de veau. 60 g d'oignons. 60 g de carottes. 1 bouquet garni. 1/2 cuillerée à soupe de sel. 1/2 cuillerée à café de poivre. 40 g de beurre. 40 g de farine. 1 jaune d'œuf. 80 g de crème. 125 g de champignons.

TÊTE DE VEAU À LA VINAIGRETTE

• Faire désosser la demi-tête de veau par le boucher. Mettre la tête de veau dans un grand fait-tout d'eau froide, puis porter le tout à ébullition ; laisser bouillir 15 mn, en écumant la surface, puis rincer la tête de veau sous le robinet, avant de l'égoutter. Frotter la chair avec un morceau de citron pour la blanchir puis couper la tête en carrés. Remplir le fait-tout d'eau froide, ajouter

Temps de cuisson, 2 h

d'abord la farine, en mélangeant à l'aide d'un fouet, puis les morceaux de tête de veau, le vinaigre, le sel, le poivre en grains, les oignons et la carotte ; laisser cuire doucement en couvrant la casserole d'un linge (ne pas mettre de couvercle car ce type de court-bouillon fariné «monte» comme du lait et déborde facilement). Il faut compter de 1 h 30 à 2 h de cuisson ; on vérifie le degré de cuisson en piquant les dents d'une fourchette : elles doivent pénétrer sans rencontrer de résistance (trop cuite, la chair devient gélatineuse et moins agréable au goût). La tête de veau se conserve bien dans le court-bouillon de cuisson, au réfrigérateur.

• Servir la tête de veau chaude ou tiède, accompagnée d'une vinaigrette additionnée d'oignon, de persil et d'un œuf dur haché. Si on achète la langue du veau en même temps, on peut la faire cuire avec la tête. La cervelle sera cuite à part, 15 mn à l'eau salée et vinaigrée.

1/2 tête de veau. 2 litres d'eau. 1 citron. 1 cuillerée à soupe de farine. 1/2 verre de vinaigre. 1 cuillerée à soupe de sel gris. 1/2 cuillerée à café de poivre en grains. 100 g d'oignons. 1 carotte. Vinaigrette. 1 cuillerée à soupe de persil haché. 1 œuf.

FRAISE DE VEAU

• Procéder comme pour la tête de veau et servir accompagné de vinaigrette.

FRICASSÉE DE VEAU

Temps de cuisson, 1 h 30

• Découper la viande en gros cubes. Faire fondre le beurre dans une cocotte, puis faire revenir doucement les morceaux de viande, sans les laisser dorer. Saupoudrer de farine en remuant à l'aide d'une cuillère en bois, mouiller avec de l'eau, ajouter le bouquet garni, le sel, le poivre, les oignons et les carottes coupées en rondelles et laisser mijoter. Pendant ce temps, éplucher, rincer et couper les champignons en lamelles. Les faire dorer à la poêle ; saler, poivrer et tenir au chaud.

• En fin de cuisson, retirer les morceaux de viande et le bouquet garni. Hors du feu, incorporer le jaune d'œuf à la sauce en fouettant vivement. Remettre les morceaux de viande dans la sauce, ajouter les champignons, réchauffer quelques minutes à feu très doux, en veillant à ne pas faire bouillir la sauce qui tournerait. Servir accompagné de tranches de pain rapidement frites à la poêle.

1 kg de flanchet ou d'épaule de veau. 75 g de beurre. 2 cuillerées à soupe de farine. 1 bouquet garni. 1/2 cuillerée à soupe de sel. 1/4 de cuillerée à café de poivre moulu. 100 g d'oignons. 50 g de carottes. 1 jaune d'œuf. 100 g de champignons. 6 tranches de pain.

LE MOUTON - L'AGNEAU

RAGOÛT DE MOUTON

*Temps
de cuisson,
2 h 15*

- Différents morceaux se prêtent à la confection du ragoût de mouton : la poitrine, assez grasse, le collier, plus maigre, ou l'épaule, plus fine. Outre le choix de la viande, il faut s'astreindre à respecter la recette dans ses moindres détails pour être sûr de réussir ce plat traditionnel, aussi simple que succulent.
- Couper la viande en gros cubes. Mettre le saindoux (ou de l'huile) à fondre sur feu vif dans une cocotte en fonte. Faire revenir les morceaux de viande sur toutes leurs faces, saupoudrer de farine.
- Laisser roussir la farine quelques minutes, en remuant à l'aide d'une cuillère en bois ; ajouter la gousse d'ail écrasée, puis l'eau, en quantité suffisante pour recouvrir la viande.
- Ajouter la purée de tomates, le sel, le poivre et le bouquet garni. Couvrir et laisser cuire doucement 45 mn.
- Pendant ce temps, éplucher les petits oignons, les carottes et les navets. Émincer les oignons, couper les carottes en rondelles épaisses et les navets en quartiers. Faire revenir tous ces légumes dans une poêle contenant du beurre brûlant, saupoudrer de sucre pour les faire caraméliser – ce qui leur donne, ainsi qu'au ragoût, un fumet exquis.
- Ajouter les légumes bien dorés dans la cocotte. Prolonger la cuisson du ragoût de 45 mn avant d'ajouter les pommes de terre (nouvelles pendant la saison, ou une variété ne se défaisant pas à la cuisson). Il ne reste plus qu'à laisser cuire encore 20 à 30 mn (selon la grosseur des pommes de terre) pour que le tout soit prêt à être dégusté.
- Dégraisser soigneusement la surface de la sauce, rectifier l'assaisonnement si nécessaire, parsemer de persil haché et servir sans attendre.

*1 kg de mouton. 50 g de saindoux. 2 cuillerées à soupe de farine. 1 gousse d'ail.
1/2 litre d'eau. 2 cuillerées à soupe de purée de tomates. 125 g d'oignons.
100 g de navets. 150 g de carottes. 750 g de pommes de terre. 1/2 cuillerée à soupe
de sel fin. 2 pincées de poivre moulu. 1 cuillerée à soupe de persil haché.
30 g de beurre. 1 bouquet garni. 1 cuillerée à soupe de sucre en poudre.*

HARICOT DE MOUTON

*Temps
de cuisson,
2 h 30*

- Procéder comme pour le ragoût de mouton, en remplaçant les pommes de terre par des haricots blancs qui auront été cuits à part, à l'eau bouillante salée s'il s'agit de haricots frais, à l'eau froide non salée s'il s'agit de haricots secs (voir page 166).

1 litre de haricots blancs. 2 litres d'eau. 1/2 cuillerée à soupe de sel.

Sauté
de mouto

SAUTÉ DE MOUTON AU RIZ

*Temps
de cuisson,
2 h 15
à 2 h 30*

• Procéder comme pour un ragoût, sans mettre de farine. Vingt minutes avant la fin de la cuisson de la viande, faire revenir le riz dans du beurre jusqu'à ce que les grains deviennent translucides avant de l'ajouter dans la cocotte où cuit le ragoût : il absorbera une partie de la sauce en cuisant et constituera une exquise garniture.

250 g de riz. 25 g de beurre.

ÉPAULE D'AGNEAU FARCIE

*Temps
de cuisson,
1 h 30*

• Saler et poivrer l'intérieur de l'épaule. Éplucher et hacher l'ail et les épinards. Émietter la mie de pain et détailler le jambon en lamelles. Mélanger le tout puis incorporer le persil et le paprika. Étaler cette farce sur la face interne de l'épaule. Rouler et ficeler l'épaule pour bien emprisonner la farce. Mettre le saindoux à fondre dans une cocotte pour y faire revenir l'épaule. Ajouter l'eau ou

116

le bouillon, couvrir hermétiquement et laisser braiser doucement, au four de préférence (pour une épaule de mouton, il faut compter 2 h 30 de cuisson). Dégraisser le jus de cuisson avant de servir (voir photo p. 4).

Une épaule d'agneau désossée de 1 kg. 1 cuillerée à café de sel. 2 pincées de poivre moulu. 3 pincées de paprika. 250 g de jambon maigre. 1 cuillerée à soupe de persil haché. 2 gousses d'ail. 50 g d'oignons. 50 g de saindoux. 300 g d'épinards. 1 verre d'eau ou de bouillon.

GIGOT RÔTI

• On fait rôtir le gigot d'agneau à four chaud, simplement salé ; si la viande est de bonne qualité, elle doit pouvoir cuire dans sa propre graisse, sans ajout de beurre ; si le gigot paraît maigre et sec, on peut, bien entendu, ajouter un peu de beurre dessus ; il faut l'arroser souvent pendant la cuisson et le servir accompagné de son jus de cuisson bien dégraissé. L'épaule de mouton, roulée et ficelée, peut être cuite de la même manière (15 mn par livre).

Temps de cuisson, 15 mn par livre

Un gigot de 2 kg. 1 cuillerée 1/2 à café de sel. 25 g de beurre.

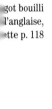

...got bouilli
...l'anglaise,
...tte p. 118

GIGOT D'AGNEAU À LA BOULANGÈRE

Temps de cuisson, 1 h

- Déposer le gigot dans un plat assez grand. Enfourner à four chaud. À mi-cuisson, ajouter les oignons émincés et les pommes de terre coupées en rondelles ou en quartiers. Arroser régulièrement la viande et les légumes en cours de cuisson. Les pommes de terre absorbant le jus de cuisson au fur et à mesure, on peut en préparer un peu, à part, avec les os et les parures du gigot.

Un gigot de 2 kg. 100 g d'oignons. 750 g de pommes de terre.

GIGOT BOUILLI À L'ANGLAISE

Temps de cuisson, 1 h

- Éplucher les légumes. Dégraisser partiellement le gigot. Mettre les légumes et le thym dans une grande marmite d'eau salée et porter le tout à ébullition. Poivrer puis jeter le gigot dans l'eau bouillante. Maintenir sur feu vif jusqu'à la reprise de l'ébullition puis réduire le feu et laisser cuire à petits bouillons. En fin de cuisson, ce gigot bouilli doit être aussi saignant qu'un gigot rôti.
- Quelques minutes avant la fin de la cuisson de la viande, préparer la sauce en faisant fondre le beurre, sans le laisser cuire, dans une petite casserole. Ajouter les câpres, verser en saucière et tenir au chaud. Servir le gigot bien égoutté, entouré des petits légumes du bouillon et accompagné de sauce aux câpres.

Un gigot de 2 kg. 3 litres d'eau. 1 cuillerée à soupe de sel gris. Poivre en grains. 100 g de carottes. 100 g de navets. 300 g de poireaux. 200 g de pommes de terre. 150 g de beurre. 100 g de câpres. 1 branche de thym. 1 gousse d'ail.

RAGOÛT DE MOUTON À L'ANGLAISE

Temps de cuisson, 2 h 30

- Ce ragoût, différent du plat français traditionnel, se prépare cependant avec les mêmes morceaux ; il est aussi savoureux que léger et digeste.
- Couper la viande en gros cubes. Mettre les morceaux à blanchir 5 mn à l'eau bouillante, en écumant la surface ; égoutter et rincer.
- Mettre la viande dans une cocotte, avec les oignons émincés et 250 g de pommes de terre coupées en morceaux. Saler et poivrer copieusement, la viande bouillie étant plus fade. Couvrir largement d'eau, ajouter un bouquet garni et laisser cuire 1 h 30.
- Retirer la viande, dégraisser le jus de cuisson et passer les oignons et les pommes de terre au tamis ; ajouter la purée obtenue dans la cocotte pour lier la sauce. Ajouter le reste de pommes de terre, petites et entières de préférence, et prolonger la cuisson de 30 mn.
- Servir saupoudré de persil haché ; le surplus de bouillon fait une excellente soupe.

1 kg de mouton. 250 g d'oignons. 750 g de pommes de terre. 1 cuillerée à café de sel. 1/2 cuillerée à café de poivre moulu. 1 bouquet garni. 1 cuillerée à soupe de persil haché. 1/2 litre d'eau.

FRESSURE DE MOUTON

- C'est ainsi que l'on appelle certains viscères du mouton – le foie, le cœur et les poumons – dont on peut faire un ragoût.
- Couper les poumons en gros dés et le cœur en tranches. Faire revenir le tout dans le saindoux, puis saupoudrer de farine et laisser roussir.
- Mouiller avec l'eau et le vin rouge. Ajouter l'ail, les oignons émincés et le bouquet garni ; saler et poivrer. Laisser mijoter.
- Pendant ce temps, éplucher les pommes de terre et fariner les tranches de foie. Faire sauter celles-ci au beurre dans une poêle.
- Ajouter les pommes de terre 30 mn avant la fin de la cuisson, puis les tranches de foie sautées au dernier moment (le foie ne doit pas bouillir sous peine de durcir).

600 g d'abats. 50 g de saindoux. 1 cuillerée à soupe de farine. 1 gousse d'ail. 1 verre d'eau. 1 verre de vin rouge. 50 g d'oignons. 1 bouquet garni. 1 cuillerée à café de sel. 1/2 cuillerée à café de poivre. 50 g de beurre. 500 g de pommes de terre.

Temps de cuisson, 2 h

SAUTÉ D'AGNEAU AUX PETITS POIS

- Découper l'épaule d'agneau en gros cubes ; faire revenir les morceaux à feu vif, sur toutes leurs faces, dans le saindoux (ou dans de la graisse de rôti).
- Saupoudrer de farine et remuer sans arrêt jusqu'à ce que la farine roussisse. Ajouter le bouillon (ou de l'eau). Saler, poivrer, ajouter le bouquet garni, la purée de tomates et les petits oignons rissolés.
- Réduire le feu et laisser cuire.
- Pendant ce temps, faire cuire les petits pois à l'eau bouillante salée. En fin de cuisson, dégraisser la sauce du sauté, ajouter les petits pois dans la cocotte et servir. On peut aussi faire cuire les petits pois avec la viande, mais ils sont moins verts.

1 kg d'épaule d'agneau. 50 g de saindoux. 1 cuillerée à soupe de farine. 1/2 litre de bouillon. 1 cuillerée à soupe de purée de tomates. 1 cuillerée à café de sel. 2 pincées de poivre moulu. 1 kg de petits pois. 100 g d'oignons.

Temps de cuisson, 1 h

DAUBE DE MOUTON À LA PROVENÇALE

- Couper la viande en gros cubes. Éplucher et émincer les carottes et les oignons.
- Dans un plat creux, mélanger les légumes, les aromates et le vin rouge ; déposer les morceaux de viande dans cette marinade puis arroser d'huile pour empêcher le vin de s'éventer ; laisser mariner une nuit.
- Le lendemain, égoutter les morceaux de viande et les légumes ; couper le lard et les couennes de porc en petits dés et désosser les pieds de mouton. Déposer la viande, les gousses d'ail, les lardons, la couenne et les pieds de mouton

Temps de cuisson, 4 h

dans une terrine allant au four. Saler, poivrer, ajouter les légumes de la marinade. Couvrir hermétiquement et enfourner à four moyen. Servir dans la terrine
après avoir dégraissé la sauce.

1 kg d'épaule de mouton désossée. 3 verres de vin rouge. 100 g d'oignons.
50 g de carottes. 3 branches de persil. 1 brin de thym. 1 feuille de laurier.
1 verre d'huile. 3 gousses d'ail. 100 g de lard maigre. 2 pieds de mouton.
125 g de couenne de porc. Sel. Poivre.

ÉPIGRAMMES DE MOUTON OU D'AGNEAU

Temps
de cuisson,
15 mn

• Il arrive souvent que l'on fasse cuire un morceau de poitrine de mouton pour
donner bon goût à une soupe au chou ; or, la poitrine de mouton, très grasse,
n'est guère appétissante quand elle n'est que bouillie. On la présentera donc
ainsi, sous forme d'épigrammes.

• Désosser la poitrine de mouton ; détailler la chair en morceaux de la taille
d'un gros doigt. Tremper chaque morceau dans le blanc d'œuf mélangé avec
l'huile, puis dans la chapelure blanche.

• On peut ensuite les faire frire à la poêle ou les faire griller à four très chaud.
Servir les épigrammes bien croustillantes, arrosées de jus de citron ou accompagnées de sauce tartare.

600 g de poitrine de mouton bouillie. 2 cuillerées à soupe de farine. 1 blanc d'œuf.
1/4 de verre d'huile. 75 g de chapelure blanche. 60 g de beurre. 1 jus de citron.

PIEDS DE MOUTON À LA POULETTE

Temps
de cuisson,
15 mn

• Il est désormais facile de se procurer des pieds de mouton tout préparés et
cuits. Si on les achète crus, il faut les flamber, les couper en deux, retirer la petite touffe de poils ainsi que l'os qui se trouve au milieu, avant de les faire cuire
pendant au moins 3 h, comme la tête de veau (voir page 113), dans de l'eau farinée, salée et vinaigrée.

• Faire fondre le beurre dans une petite casserole, ajouter la farine tout en
mélangeant vivement avec une cuillère en bois.

• Ajouter aussitôt le lait et le bouillon, en mélangeant constamment à l'aide
d'un fouet. Saler, poivrer, et incorporer la crème et les jaunes d'œufs hors du feu.

• Remettre la sauce à cuire sur le feu, en continuant à remuer vigoureusement
avec le fouet. Retirer du feu dès le premier bouillon.

• Ajouter le jus de citron et tenir au chaud. Pendant ce temps, faire cuire les
champignons émincés à la poêle. Napper de sauce les pieds bien égouttés,
entourer de champignons et servir.

12 pieds de mouton. 50 g de beurre. 30 g de farine. 1/4 de litre de bouillon.
1 verre de lait. 2 jaunes d'œufs. 80 g de crème. 1 jus de citron.
100 g de champignons. 1/2 cuillerée à café de sel. 2 pincées de poivre.

CÔTELETTES D'AGNEAU GRILLÉES

• Faire chauffer le gril quelques minutes à l'avance pour éviter que la viande n'adhère aux barreaux de la grille, puis badigeonner la viande d'huile avant de la poser sur le gril. Retourner les côtelettes à mi-cuisson. Saler en fin de cuisson.

6 côtelettes d'agneau. 1 cuillerée à soupe d'huile. 1/2 cuillerée à café de sel fin.

Temps de cuisson, 10 mn

CARRÉ D'AGNEAU AUX HERBES

• Éplucher et hacher les gousses d'ail. Tremper la mie de pain dans le lait. Essorer celle-ci, ajouter l'ail et le persil, saler et poivrer. Entailler le carré d'agneau entre chaque côtelettes (environ 8). Badigeonner d'huile le fond d'un plat allant au four avant d'y déposer la viande. Enduire le carré d'agneau du mélange de mie de pain et d'herbes, en appuyant fermement avec les mains pour le faire adhérer. Déposer la branche de romarin dans le plat et cuire à four moyen. En fin de cuisson, découper les côtelettes ; servir accompagné de légumes verts cuits à la vapeur tels que haricots, petits pois, céleris, etc.

Temps de cuisson, 1 h 30

1 carré d'agneau de 1 kg. 200 g de mie de pain. 1 verre de lait. 3 gousses d'ail. 3 cuillerées à soupe de persil haché. 1 branche de romarin. Sel. Poivre. Huile.

Carré d'agneau ux herbes

CERVELLES À L'ANGLAISE

Temps de cuisson, 10 mn

- Laver et nettoyer les cervelles en les débarrassant de tous les filaments sanguins. Déposer les cervelles sur du papier absorbant pour bien les égoutter avant de les couper en deux. Saler et fariner les demi-cervelles, passer chaque morceau dans l'œuf battu, puis dans la chapelure.
- Mettre le beurre à fondre dans une poêle et faire sauter les cervelles.
- Servir accompagné de quartiers de citron.

3 cervelles. 1/2 cuillerée à café de sel fin. 2 cuillerées à soupe de farine. 1 œuf. 50 g de chapelure. 60 g de beurre. 1 citron.

CERVELLES DE MOUTON AU BEURRE NOIR

Temps de cuisson, 10 mn

- Nettoyer soigneusement les cervelles, en enlevant au mieux les petits filaments sanguins. Faire cuire les cervelles à l'eau bouillante salée et vinaigrée.
- Pendant ce temps, mettre le beurre à fondre dans une poêle ; arrêter le feu dès qu'il commence à brunir ; saler, ajouter quelques gouttes de vinaigre. Retirer les cervelles de l'eau à l'aide d'une écumoire. Déposer les cervelles bien égouttées sur le plat de service, arroser de beurre noir et servir sans attendre.
- La cervelle est un mets sain et nourrissant. Cependant, comme tous les abats, elle est très riche en cholestérol.

3 cervelles. 1 litre d'eau. 1 cuillerée à café de sel gris. 1/2 verre de vinaigre. 1/2 cuillerée à café de sel fin. 1 pincée de poivre moulu. 100 g de beurre.

ROGNONS SAUTÉS MADÈRE

Temps de cuisson, 6 mn

- Nettoyer soigneusement les rognons en ôtant la graisse et les filaments nerveux ainsi que la pellicule qui les recouvre ; couper chaque rognon en tranches fines.
- Faire sauter celles-ci à la poêle, dans du beurre, sur feu vif. Saupoudrer de farine, ajouter le madère (ou du vin blanc), le bouillon, le sel, le poivre et le persil haché ; donner un seul bouillon et servir de suite.
- Servir accompagné des champignons, nettoyés, émincés et sautés au beurre dans une autre poêle.

6 rognons. 100 g de beurre. 1 cuillerée à soupe de farine. 3 cuillerées à soupe de madère. 2 cuillerées à soupe de bouillon. 1 cuillerée à café de sel. 2 pincées de poivre moulu. 2 cuillerées à soupe de persil haché. 125 g de champignons.

ROGNONS EN BROCHETTES

Temps de cuisson, 8 mn

- Ôter la pellicule qui recouvre les rognons. Fendre chaque rognon en deux dans le sens de l'épaisseur, sans séparer complètement les deux moitiés. Enlever la graisse et les filaments nerveux. Enduire les rognons de beurre, saler. Enfiler les rognons ouverts sur des brochettes de bois ou de métal. Faire griller à feu assez vif, en retournant les brochettes à mi-cuisson. Servir sur un plat garni de cresson, accompagné de beurre maître d'hôtel.

6 rognons. 1 cuillerée à café de sel. 100 g de beurre. 1/4 de botte de cresson.

Petits conseils du chef

PRÉPARER UN BON JUS DE RÔTI

Tous les rôtis se font cuire selon le même principe : ils cuisent avec du beurre ou avec un autre corps gras, mais sans liquide (ni eau, ni bouillon). Pour obtenir une bonne quantité de sauce, il suffit de retirer le rôti cuit du plat de cuisson, d'enlever une partie de la graisse en conservant le jus de viande et de remettre le plat sur le feu jusqu'à ce que le jus de cuisson soit évaporé et subsiste sous forme d'un «gratin» attaché au fond du plat. On ajoute alors quelques cuillerées d'eau ou de bouillon pour «déglacer», c'est-à-dire pour dissoudre les sucs ; on obtient alors une sauce aussi délicieuse que légère.

Une bonne précaution consiste à poser la viande sur une petite grille pour l'isoler du fond du plat et empêcher qu'elle y attache. À défaut de grille, on peut glisser quelques tranches de pommes de terre épaisses sous la viande : elles seront savoureuses.

LE PORC

Temps de cuisson, 20 mn par livre

• Pour faire cuire un jambon entier, il faut tout d'abord le laisser tremper 24 h dans l'eau froide pour le dessaler. On le met ensuite tel quel dans une grande marmite d'eau froide non salée, où il doit être immergé, et on porte le tout à ébullition. Dès le premier bouillon, il faut retirer la marmite sur le côté du feu pour maintenir un léger frémissement. On compte 20 mn de cuisson par livre. Si l'on souhaite servir le jambon froid, il faut le laisser refroidir dans le bouillon de cuisson. On peut aussi le servir chaud, accompagné d'un légume et d'une sauce madère (voir page 51).

1 jambon. 4 à 8 litres d'eau, selon la grosseur du jambon.

124

Pâtés
en croûte,
ette p. 126

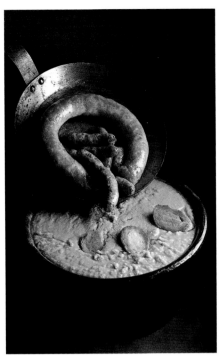

Saucisses
d'Auvergne

BOUDIN GRILLÉ

• Piquer le boudin de part en part avec les dents d'une fourchette pour éviter qu'il n'éclate à la cuisson et permettre à la graisse de s'écouler. Mettre le saindoux à fondre dans une grande poêle, sur feu vif, et poser le boudin dans le beurre très chaud. Laisser cuire en retournant plusieurs fois le boudin en cours de cuisson. On peut aussi le faire cuire au gril, en le faisant chauffer assez longtemps à l'avance pour bien le saisir. Accompagner le boudin de purée de pommes de terre ou de pois cassés, de lentilles, ou encore de marmelade non sucrée de pommes de reinette bien sures ; outre ses qualités gustatives, cette association a l'avantage de faciliter la digestion du boudin. Noter que l'andouillette se fait cuire comme le boudin.

20 cm de boudin par personne. 50 g de saindoux.

*Temps
de cuisson,
15 mn*

SAUCISSES D'AUVERGNE

• Comme les saucisses de Toulouse et les chipolatas, on les fait cuire à la poêle, en augmentant légèrement le temps de cuisson. D'ailleurs, c'est ainsi que l'on fait cuire toutes les saucisses, à l'exception des saucisses rouges, qui doivent bouillir 5 mn, et des saucisses de Strasbourg ou de Francfort qui cuisent soit directement avec la choucroute, soit dans l'eau bouillante pendant 15 mn.

6 saucisses. 20 g de beurre.

*Temps
de cuisson,
15 mn*

125

SAUCISSES, CRÉPINETTES, CHIPOLATAS

Temps de cuisson, 10 mn

- Tremper les saucisses longues et les chipolatas dans de l'eau froide pour empêcher la peau de se fendre pendant la cuisson, puis piquer la peau avec les dents d'une fourchette.
- Mettre le beurre à fondre dans une poêle et laisser rissoler les saucisses doucement (on peut aussi les faire cuire à four bien chaud). On les accompagne traditionnellement de chou ou de lentilles, mais on peut aussi les servir avec une sauce tomate et un légume au choix.

6 grosses saucisses ou 18 chipolatas. 20 g de beurre.

FROMAGE DE TÊTE DE PORC

Temps de cuisson, 2 h au moins

- Ce plat ne peut guère être préparé en petite quantité, mais il ne se conserve pas très longtemps ; une demi-tête de porc est la quantité idéale.
- Mettre la tête de porc crue telle quelle dans une grande marmite d'eau. Ajouter les oignons, les carottes et les poireaux, préalablement épluchés, puis le bouquet garni, le sel et quelques grains de poivre enfermés dans un petit sachet pour pouvoir les retirer facilement.
- Porter le tout à ébullition, puis réduire le feu et laisser cuire longtemps, à petits bouillons ; la viande doit être très cuite.
- Retirer et égoutter la tête avant de la désosser, puis hacher grossièrement la viande.
- Pendant que la viande tiédit, préparer un fin hachis d'oignons, d'échalotes, d'ail et de fines herbes dans un saladier.
- Ajouter la viande hachée et quelques louches du bouillon de cuisson de la viande ; mélanger, rectifier l'assaisonnement si nécessaire, puis laisser refroidir ainsi dans le saladier, avant de mettre le tout au réfrigérateur pour faire prendre la gelée.
- Il ne reste plus qu'à démouler le pâté le lendemain. Le reste de bouillon de cuisson, additionné de chou et de pommes de terre, fait un délicieux potage.

1/2 tête de porc. 3 litres d'eau. 2 oignons. 2 carottes. 1 poireau. 1 bouquet garni.
1 cuillerée à soupe de sel. Poivre en grains. Hachis : 2 oignons. 2 échalotes.
1 gousse d'ail. 1 cuillerée à soupe de fines herbes.

PÂTÉS EN CROÛTE

Temps de cuisson, 1 h par kilo

- Ce type de pâté se compose généralement de farce de porc et, au choix, de viande de veau, de lapin, de volaille ou de gibier, cette dernière donnant son nom au pâté.
- Foncer un moule à bord haut avec de la pâte à pâté (voir page 217).
- Hacher ou détailler en filets la viande choisie après l'avoir désossée.
- Les viandes de gibier doivent mariner 24 h dans du cognac ou du madère ; les

autres viandes sont simplement salées, poivrées et aromatisées de quelques cuillerées de cognac ou de madère. Garnir la terrine en alternant une couche de farce de porc et une couche de viande hachée.

• Humecter le bord de la pâte qui garnit le moule, recouvrir d'une seconde abaisse de pâte et pincer les bords pour souder les deux épaisseurs, décorer la surface de petits motifs en pâte.

• Dorer à l'œuf, ménager une ouverture dans le couvercle de pâte et cuire à four chaud. La cuisson est parfaite quand le jus commence à sortir de l'orifice.

PÂTÉ DE PORC EN TERRINE

Temps de cuisson, 1 h 15

• Saler et poivrer la chair à saucisses et le morceau de porc frais. Garnir le fond d'une terrine de grandeur moyenne d'une couche de chair à saucisses (environ la moitié), couvrir avec une tranche de jambon, ajouter le morceau de porc, la seconde tranche de jambon, puis finir de remplir la terrine avec le reste de chair à saucisses.

• Couvrir la terrine ; préparer un petit cordon de pâte molle en mélangeant un peu de farine avec de l'eau pour boucher hermétiquement la jointure du couvercle.

• Poser la terrine dans un grand plat allant au four ; ajouter un peu d'eau dans le plat, porter celle-ci à ébullition sur le feu, puis enfourner à four assez chaud. Laisser refroidir à température ambiante.

• Cette délicieuse terrine se conserve une huitaine de jours, au frais et munie de son couvercle.

375 g de chair à saucisses. 375 g de porc frais. 2 tranches de jambon cuit.
1/2 cuillerée à café de sel. 1/2 cuillerée à café de poivre.

PÂTÉ DE FOIE DE CHARCUTIER

Temps de cuisson, 1 h 30

• Couper le foie de porc, le lard et la panne de porc en dés. Hacher le tout puis passer le hachis obtenu dans un gros tamis pour éliminer les parties nerveuses. Saler et poivrer copieusement.

• Éplucher et hacher les oignons et les échalotes avant de les faire revenir au beurre et de les incorporer au hachis de viande.

• Ajouter alors le thym, le persil, le laurier, la farine et les œufs entiers et mélanger vigoureusement le tout.

• Tapisser les parois de la terrine avec la crépine (ou avec des bardes de lard), verser le mélange, puis rabattre la crépine par-dessus. Cuire au bain-marie, à four modéré. Laisser refroidir et conserver au frais.

750 g de foie de porc. 500 g de lard maigre non salé. 500 g de panne de porc.
100 g d'oignons. 2 échalotes. 30 g de beurre. 1 branche de thym. 1 feuille de laurier
1 cuillerée à café de persil haché. 3 cuillerées à soupe de farine. 3 œufs.
1 crépine de porc.

Rillettes
de porc

RILLETTES DE PORC

*Temps
de cuisson,
5 h*

• Toutes les ménagères devraient savoir faire des rillettes, qui peuvent être préparées avec de la viande de porc seule, ou avec du porc et une autre viande (oie, lapin, canard, etc.) à parts égales. Les rillettes se conservant bien au frais, il est plus intéressant d'en préparer une bonne quantité ; on pourra donc doubler les quantités indiquées ci-dessous. On utilise du porc frais, non salé, en général des bas morceaux qui comportent à peu près autant de gras que de maigre.

• Couper la viande en morceaux pas trop gros, en conservant les os. Mettre le tout dans une marmite, en terre de préférence, avec le sel, le poivre, le laurier, le thym, les quatre-épices. Recouvrir entièrement d'eau et poser la casserole sur feu moyen. La viande doit cuire doucement ; en fin de cuisson, l'eau doit être presque totalement évaporée et la viande réduite en purée. Verser le tout dans une grande terrine et laisser tiédir, puis trier la viande, de façon à en ôter soigneusement tous les os. Écraser le tout à l'aide d'une fourchette de manière à obtenir une purée lisse. Répartir les rillettes dans des petits pots et laisser refroidir. Conserver au frais, à l'abri de l'humidité.

*1 kg de porc frais. 1 cuillerée à café de sel fin. 1/2 cuillerée à café de poivre moulu.
1 feuille de laurier. 1 brin de thym. 1/2 cuillerée à café de quatre-épices.
2 litres d'eau.*

128

RÔTI DE PORC

• Le rôti de porc peut être préparé avec divers morceaux : filet, pointe de culotte, échine ou carré (morceaux à faire désosser parer et ficeler par le boucher). On compte en général 35 mn de cuisson par livre de viande. Il suffit d'enfourner la viande à four bien chaud, simplement saupoudrée d'un peu de sel fin. La viande étant naturellement grasse, on ne rajoute pas de matière grasse. La viande de porc ne doit jamais être consommée saignante ; il importe donc de s'assurer du bon degré de cuisson avant de découper la viande. Le rôti de porc est délicieux accompagné de purée de pommes de terre, de pois, d'épinards, ou de tout autre légume, sec ou vert.

750 g de porc. 1 cuillerée à café de sel fin.

Temps de cuisson, 50 mn

CÔTES DE PORC À LA CHARCUTIÈRE

• Mettre le beurre à fondre dans une poêle et faire revenir les côtes en les retournant à mi-cuisson. Déposer les côtes bien cuites sur le plat de service et tenir au chaud. Retirer une partie de la graisse de cuisson de la viande avant de faire revenir l'oignon et l'échalote finement hachés dans la même poêle. Laisser le tout roussir légèrement, puis mouiller avec le vinaigre et laisser réduire sur feu vif jusqu'à ce qu'il n'y ait presque plus de vinaigre ; ajouter alors la sauce piquante (voir page 51) en remuant à l'aide d'une cuillère en bois. Laisser bouillonner une minute et verser sur les côtes.

6 côtes de porc. 10 g de beurre. 1 oignon. 1 échalote. 1/2 verre de vinaigre.
1/4 de litre de sauce piquante. 1 cuillerée à café de sel fin.

Temps de cuisson, 20 mn

VOLAILLES ET GIBIER

On désigne sous le nom collectif de volaille les volatiles de basse-cour : poules, poulets, pigeons et pigeonneaux, dindes, oies, pintades, canards, etc. Les volailles sont généralement vendues plumées et vidées, prêtes à l'emploi.

Le poulet est la volaille la plus utilisée dans la cuisine familiale en raison de son prix raisonnable. La tendreté d'un poulet se reconnaît à plusieurs détails : la pointe de l'os de la poitrine – le bréchet – doit ployer sans effort en montrant un léger mouvement de repli ; la peau doit être blanche, avec un grain fin, la chair un peu grasse, sans excès. Les poules et les coqs, moins tendres et plus gras que le poulet, exigent une cuisson plus longue.

Chez le canard et l'oie, la tendreté se reconnaît au bec dont on doit pouvoir plier aisément la membrane supérieure. Le canard doit être dodu sans être gras. Les pattes de l'oie doivent être blanches et lisses, la chair rosée et la graisse blanche ou jaune clair.

Les dindes doivent être assez grasses, avec un cou court et des pattes lisses et noires. Les pintades doivent avoir la peau souple, des pattes lisses et un bec flexible.

La peau des pigeons et pigeonneaux de qualité peut être rosée ou bleutée ; la poitrine doit être plutôt plate que bombée, le bec et le bréchet flexibles et le croupion dodu.

LES VOLAILLES

POULET SAUTÉ BORDELAISE

Temps de cuisson, 1 h 15

• Découper le poulet cru en morceaux. Mettre le beurre et l'huile dans une cocotte pour y faire dorer les morceaux sur toutes leurs faces. Laisser le poulet cuire doucement. Pendant ce temps, faire sauter les fonds d'artichauts coupés en lamelles et, dans une autre poêle, les cèpes et les oignons. Dresser le poulet dans le plat de service, disposer les légumes autour et arroser le poulet d'un peu de sauce brune légère.

*1 poulet de 1 kg. 50 g de beurre. 2 cuillerées d'huile. 3 fonds d'artichauts.
400 à 500 g de cèpes. 60 g d'oignons.*

POULET SAUTÉ À LA PROVENÇALE

Temps de cuisson, 1 h 15

• Découper le poulet et faire sauter les morceaux à l'huile bien chaude. Baisser le feu, couvrir la casserole et laisser cuire doucement. Pendant ce temps, couper les aubergines en tranches ; fariner les tranches avant de les faire frire à l'huile, puis faire sauter les tomates. En fin de cuisson du poulet, déposer les morceaux sur le plat de service, ajouter l'ail dans la cocotte, déglacer le fond de cuisson avec le vin blanc et la sauce tomate. Verser la sauce sur le poulet, dresser les légumes autour de la viande et parsemer la surface de persil haché.

1 poulet de 1 kg. 1 verre d'huile. 3 aubergines. 3 tomates. 1/4 de verre de vin blanc. 1 gousse d'ail. 1 verre de sauce tomate. 1 cuillerée à café de persil haché.

POULET SAUTÉ PARMENTIER

- Découper le poulet cru et fariner les morceaux. Mettre le beurre à fondre dans une sauteuse ou une cocotte, ajouter les morceaux de poulet dans le beurre très chaud, couvrir la casserole et enfourner, sans ajouter de liquide. Pendant ce temps, peler et couper les pommes de terre en petits dés très réguliers ; les faire blanchir à l'eau une minute, avant de les faire rissoler dans du beurre brûlant à la poêle. Dresser le poulet sur le plat de service, disposer les pommes de terre autour. Verser le vin blanc dans la sauteuse du poulet ; ajouter une noisette de beurre, le persil haché, donner quelques bouillons et verser sur le poulet.

Temps de cuisson, 45 mn

1 poulet de 1 kg. 40 g de farine. 70 g de beurre. 500 g de pommes de terre. 1 verre de vin blanc. 2 cuillerées à café de persil haché. 1 cuillerée à café de sel.

POULET SAUTÉ CHASSEUR

- Découper le poulet cru en morceaux, saler et fariner les morceaux. Mettre le beurre à chauffer dans une cocotte pour y faire revenir les morceaux sur toutes leurs faces. Couvrir la cocotte et laisser mijoter tout doucement. Pendant ce temps, nettoyer et émincer les champignons pour les faire rissoler avec un peu de beurre dans une sauteuse ; ajouter le vin blanc, puis la sauce brune. Dresser le poulet cuit dans le plat de service et napper de sauce aux champignons. Garnir de croûtons de pain frits et parsemer la surface de persil haché.

Temps de cuisson, 1 h

1 poulet de 1,200 kg. 250 g de champignons. 1/4 de litre de sauce brune. 1/2 verre de vin blanc. 12 croûtons de pain. Persil. 60 g de beurre. 1 cuillerée à café de sel.

POULET AU BLANC

- Le poulet peut être cuit entier ou coupé en morceaux ; on le prépare exactement comme une blanquette de veau dans le second cas.
- Pour le faire cuire entier, mettre le poulet dans la cocotte avec l'eau, le vin blanc, un oignon, la carotte, le bouquet garni et quelques grains de poivre. Faire pocher, sans toutefois le laisser bouillir. Pendant ce temps, éplucher, rincer et couper les champignons en lamelles. Les faire dorer à la poêle ; saler, poivrer et tenir au chaud. Faire de même avec le reste d'oignons.
- Lorsque le poulet est cuit, mélanger les jaunes d'œufs et la crème dans un bol, saler et poivrer ; ajouter un peu de bouillon prélevé dans la cocotte en remuant le mélange à l'aide d'un fouet. Retirer le bouquet garni et les morceaux

Temps de cuisson, 1 h 15

de poulet. Verser le contenu du bol dans la cocotte en fouettant vivement.

• Remettre la cocotte sur feu doux quelques minutes, en ayant soin de ne pas laisser bouillir la sauce.

• Verser la sauce sur le poulet, ajouter les champignons et les oignons et servir sans attendre.

1 poulet de 1,200 kg. 1 litre 1/2 d'eau. 1 verre de vin blanc. 60 g de d'oignons.
1 carotte. 1 bouquet garni. 1 pincée de poivre en grains. 2 jaunes d'œufs.
80 g de crème. 200 g de champignons. 1 cuillerée à café de sel.

POULE AU RIZ

• Mettre la poule entière, les oignons et les carottes coupés en rondelles dans une cocotte ; saler, poivrer et recouvrir d'eau.

• Porter à ébullition, écumer et laisser mijoter doucement.

• En fin de cuisson, filtrer et dégraisser partiellement le bouillon de cuisson.

• Dans une sauteuse, faire revenir le riz dans du beurre jusqu'à ce que les grains deviennent transparents, mouiller avec trois fois son volume de bouillon de poulet, laisser cuire tout doucement, à couvert, 20 mn au maximum.

• Pendant ce temps, préparer la sauce blanche (voir page 55) avec le reste de bouillon de volaille.

• Ôter la peau de la poule avant de la dresser sur le riz, napper de sauce et servir.

1 poule de 1,500 kg. 1 litre 1/2 d'eau. 60 g d'oignons. 60 g de carottes. 250 g de riz.
50 g de beurre. 1/2 litre de sauce blanche. 1/2 cuillerée à soupe de sel. 2 pincées
de poivre moulu.

Temps
de cuisson,
2 h

ulet rôti,
tte p. 136

gauche :
ıle au riz

POULET RÔTI

Temps de cuisson, 40 mn

• Insérer le sel gris à l'intérieur du poulet et enduire le corps de beurre. Poser le poulet dans la lèchefrite du four ou dans un grand plat (on peut aussi le faire rôtir à la broche). Saupoudrer de sel fin et enfourner à four assez chaud. Retourner et arroser plusieurs fois en cours de cuisson, en salant encore légèrement une fois vers la fin de la cuisson ; vérifier le degré de cuisson en enfonçant la lame d'un couteau dans une cuisse : le jus doit être transparent. Servir le poulet accompagné du jus de cuisson légèrement dégraissé.

1 poulet de 1,500 kg à 2 kg. Quelques grains de sel gris. 30 g de beurre.
1/2 cuillerée à café de sel fin.

POULET À L'ESTRAGON À BLANC

Temps de cuisson, 1 h 15

• Procéder comme pour le poulet au blanc entier, en ajoutant un bouquet d'estragon dans le bouillon de cuisson et de l'estragon frais haché dans la sauce.
• Découper la volaille, dresser les morceaux dans le plat de service, napper de sauce et parsemer la surface de feuilles d'estragon rapidement blanchies à l'eau bouillante.

POULET À L'ESTRAGON À BRUN

Temps de cuisson, 1 h 15

• Faire revenir le poulet au beurre dans une cocotte, ajouter 1/2 litre de bonne sauce brune tomatée, plutôt liquide, et un bouquet d'estragon. Faire cuire sans couvrir la casserole. Dégraisser et passer la sauce avant d'y ajouter quelques feuilles d'estragon hachées. Napper le poulet de sauce et décorer la surface de feuilles d'estragon blanchies (la seule différence avec la recette précédente réside dans la couleur de la sauce).

POULET MARENGO

Temps de cuisson, 1 h 15

• Découper le poulet cru en morceaux, saler et fariner les morceaux. Mettre le beurre et l'huile à chauffer dans une cocotte pour y faire revenir les morceaux sur toutes leurs faces, puis ajouter l'oignon et l'ail hachés et laisser rissoler l'oignon avant d'ajouter le vin blanc et de le faire réduire sur feu assez vif. Ajouter alors la purée de tomates et le bouillon pour constituer la sauce. Couvrir et laisser cuire doucement. Ajouter les champignons nettoyés et lavés 10 mn avant la fin de la cuisson. Dégraisser la sauce avant de servir. Servir le poulet entouré de croûtons de pain frits à l'huile.

1,500 kg de poulet. 40 g de farine. 30 g de beurre. 2 cuillerées à soupe d'huile.
1 oignon. 1 verre de vin blanc. 50 g de purée de tomates. 1 verre de bouillon.
250 g de champignons. 1 gousse d'ail. 12 croûtons de pain. 1 cuillerée à café de sel.

POULET EN GELÉE

- Faire revenir le poulet à la cocotte dans le beurre bien chaud. Saler et poivrer légèrement et laisser cuire doucement, à couvert, en retournant et en arrosant le poulet plusieurs fois en cours de cuisson. Pendant ce temps, préparer la gelée, qui peut être aromatisée au porto ou à l'estragon (voir ci-dessous ; on trouve aussi des gelées prêtes à l'emploi en sachet). Laisser tiédir le poulet avant de le débarrasser de sa peau, de le découper et de le désosser. Disposer les filets de viande dans une terrine (ou tout autre récipient creux) et verser la gelée. Faire prendre au réfrigérateur.

Temps de cuisson, 1 h 15

GELÉE D'ASPIC

- Mettre les différentes pièces de viande et les os de veau dans une grande marmite d'eau froide (les quantités indiquées donnent environ 1 litre 1/2 de gelée). Ajouter les légumes coupés en morceaux, le bouquet garni, saler et poivrer. Porter le tout à ébullition et laisser cuire doucement, sans couvrir la casserole. Enlever le bouquet garni, les légumes et la viande (qui feront un repas délicieux), puis dégraisser et filtrer le bouillon de cuisson.
- Remettre celui-ci sur le feu en y incorporant les blancs d'œufs et le porto (ou de l'estragon) et en fouettant sans arrêt. Retirer du feu à la reprise de l'ébullition et laisser refroidir.

Temps de cuisson, 3 h

500 g de gîte de bœuf. 250 g de couennes de porc. 1/2 pied de veau. 500 g d'os de veau. 2 litres 1/2 d'eau. 1 cuillerée à soupe de sel. 1/2 cuillerée à café de poivre moulu. 3 carottes. 2 oignons. 1 bouquet garni. 3 œufs. 1/2 verre de porto.

POULET EN COCOTTE

- Nettoyer les champignons. Éplucher les carottes, les pommes de terre et les oignons. Couper les carottes en rondelles, les pommes de terre en dés et les oignons en lamelles. Détailler le lard en petits dés.
- Mettre le beurre à fondre dans une cocotte ou dans une casserole fermant bien ; faire revenir les oignons et les lardons quelques minutes, puis déposer le poulet entier pour le faire rissoler sur toutes ses faces jusqu'à ce qu'il soit bien doré. Saler, couvrir la cocotte et laisser cuire à feu doux (ou à four doux) en retournant le poulet de temps à autre. Ajouter les pommes de terre et les carottes à mi-cuisson, et les champignons environ un quart d'heure avant la fin. Servir dans la cocotte.
- Le poulet en cocotte peut être accompagné de garnitures très variées. Les légumes peuvent cuire directement avec le poulet, entiers ou coupés en morceaux, ou être cuits à l'eau avant d'être ajoutés dans la cocotte.

Temps de cuisson, 1 h

1 poulet de 1,300 kg. 60 g de beurre. 1 cuillerée à café de sel fin. 60 g de lard de poitrine. 6 ou 8 petits oignons. 125 g de champignons. 600 g de pommes de terre.

Pigeons
aux petits p

POULET EN FRICASSÉE

*Temps
de cuisson,
1 h*

• Découper le poulet cru en morceaux. Saler, poivrer et fariner les morceaux, puis procéder comme pour la fricassée de veau (voir page 114).

PIGEONS AUX PETITS POIS

*Temps
de cuisson,
45 mn*

• Faire revenir les pigeons, les petits oignons et les lardons dans le beurre. Saupoudrer de farine, laisser roussir et mouiller avec le bouillon (ou avec de l'eau). Saler, poivrer, ajouter la purée de tomates et les petits pois (hors saison, on peut utiliser des petits pois en conserve de bonne qualité, que l'on ajoute dans la cocotte 5 mn avant la fin de la cuisson) ; laisser cuire à couvert et dégraisser la sauce avant de servir.

*3 pigeons. 50 g d'oignons. 100 g de bardes de lard. 1 cuillerée de farine.
1 kg de petits pois. 1 verre de bouillon. 1 cuillerée à soupe de purée de tomates.
50 g de beurre. 1/2 cuillerée à café de sel. 1 pincée de poivre.*

PIGEONNEAUX EN COMPOTE

*Temps
de cuisson,
40 mn*

• Détailler le lard en lardons et éplucher les oignons. Mettre le beurre à fondre dans une cocotte pour y faire revenir les pigeonneaux, les petits oignons et les lardons. Retirer les pigeonneaux bien dorés et enlever la graisse. Remettre un morceau de beurre et la farine, laisser roussir en remuant avant d'ajouter l'eau, la purée de tomates et le bouquet garni. Saler, poivrer, remettre les pigeonneaux puis couvrir la cocotte et laisser à feu moyen (augmenter le temps de cuisson s'il s'agit de pigeons adultes). Ajouter les champignons bien nettoyés 10 mn avant la fin de la cuisson. Dégraisser la sauce avant de servir.

6 pigeonneaux. 160 g de petits oignons. 100 g de lard de poitrine. 50 g de beurre. 1 cuillerée à soupe de farine. 1/4 de litre d'eau. 1 cuillerée à soupe de purée de tomates. 1/2 cuillerée à café de sel. 1 pincée de poivre. 1 bouquet garni. 375 g de champignons.

DINDE RÔTIE

• Déposer la dinde dans un grand plat à rôtir et enfourner à four bien chaud (compter 45 mn de cuisson pour un dindonneau et de 1 h 45 à 2 h pour une grosse dinde). Arroser de beurre à plusieurs reprises au cours de la cuisson et saler légèrement après chaque arrosage. Augmenter la chaleur du four à mi-cuisson pour que la peau soit bien dorée et croustillante.

Temps de cuisson, 1 h à 2 h

1 dinde de 3 kg. 2 cuillerées à café de sel. 50 g de beurre.

nfit d'oie,
tte p. 141

ABATTIS DE DINDE AU RIZ

Temps de cuisson, 1 h 20 environ

• Couper les abattis – cou, tête, ailerons, gésier et foie – en morceaux. Faire revenir les morceaux au beurre, dans une sauteuse. Laisser dorer, ajouter un gros oignon haché, puis l'ail haché, le bouquet garni et l'eau. Saler, poivrer, et laisser cuire une petite heure.

• Peu avant la fin de la cuisson, faire revenir le riz au beurre jusqu'à ce que les grains deviennent translucides ; ajouter le riz dans la sauteuse, prolonger la cuisson de 20 mn : le riz doit absorber le jus de cuisson tout en restant moelleux ; ajouter un peu de bouillon si nécessaire.

75 g de beurre. 100 g d'oignons. 1/2 gousse d'ail. 1/2 litre d'eau. 1 pincée de poivre.
1 cuillerée à café de sel. 1 bouquet garni. 250 g de riz.

CANARD AUX NAVETS

Temps de cuisson, 40 à 60 mn

• Éplucher et couper les navets en quartiers. Dans une cocotte, faire revenir le canard sur toutes ses faces, puis retirer et réserver la graisse. Utiliser celle-ci pour faire rissoler les navets à la poêle.

• Verser la sauce brune (voir page 51) dans la cocotte, ajouter les navets bien dorés, saler et poivrer. Couvrir et laisser mijoter ; le temps de cuisson varie selon la qualité du volatile.

1 canard de 1,500 kg. 750 g de navets. 1/4 de litre de sauce brune.
1 cuillerée à café de sel. 2 pincées de poivre. 40 g de beurre.

CANARD AUX PETITS POIS

• Opérer de la même manière que pour le pigeon aux petits pois (voir recette page 138) avec un temps de cuisson allant de 40 à 60 mn selon le poids du canard.

CANARD À L'ORANGE

Temps de cuisson, 1 h

• Faire revenir le canard au beurre dans une cocotte. Enlever la graisse, ajouter la sauce brune et le zeste de 2 oranges, saler légèrement, couvrir et laisser mijoter doucement pendant 45 mn si le canard est tendre.

• Pendant ce temps, prélever le zeste des 3 oranges restantes ; tailler les zestes en lanières avant de les faire blanchir 3 mn à l'eau bouillante. Peler à vif les 5 oranges, sans laisser de peau ni de pépins.

• En fin de cuisson du canard, dégraisser et passer la sauce, ajouter les zestes blanchis, le jus d'une orange, le sucre et le curaçao. Découper le canard, dresser les morceaux au milieu du plat de service, napper de sauce et garnir de quartiers d'orange.

1 canard de 1,500 kg. 40 g de beurre. 1/4 de litre de sauce brune. 5 oranges.
1/2 cuillerée à café de sucre. 1 verre à liqueur de curaçao.

CONFIT D'OIE

• Cette recette de la région toulousaine est généralement confectionnée pour utiliser et conserver la chair des oies élevées pour la production de foie gras. Elle peut être appliquée aux canards.

• Découper les oies en quatre. Détailler les parties grasses en dés et réserver. Saler légèrement les quatre morceaux d'oie et laisser ainsi pendant 24 h. Le lendemain, essuyer les morceaux ; mettre les morceaux de graisse à fondre dans une casserole, ajouter les morceaux d'oie et laisser cuire très doucement, à petits frémissements, pendant environ 2 h. Vérifier le degré de cuisson en piquant la chair avec une aiguille : il ne doit plus sortir de sang. Sortir les morceaux de viande à l'aide d'une écumoire, en réservant la graisse de cuisson, et laisser refroidir.

• Ranger les morceaux d'oie dans des pots de grès. Verser par-dessus la graisse de cuisson préalablement filtrée, de façon à les recouvrir entièrement ; ajouter du saindoux fondu s'il n'y a pas suffisamment de graisse. Couvrir les pots de papier sulfurisé. Ce type de confit se conserve assez longtemps.

Temps de cuisson, 2 h

OIE FARCIE AUX MARRONS

• Pratiquer une incision circulaire sur les marrons, assez profonde pour entailler les deux peaux. Les faire blanchir 2 mn à l'eau bouillante pour finir de les éplucher facilement. Porter l'eau à ébullition dans une casserole avant d'y mettre les marrons ; laisser cuire 30 mn. En fin de cuisson, hacher grossièrement la moitié des marrons avant de les mélanger à la farce de porc ; saler le mélange. Introduire le tout dans l'oie vidée, puis faire rôtir celle-ci à four chaud, environ 1 h 30, en arrosant de temps à autre ; augmenter la chaleur du four à mi-cuisson pour que la peau soit bien dorée et croustillante en fin de cuisson. Dresser l'oie sur le plat de service, entourée du reste de marrons simplement réchauffés.

1 oie de 3 kg. 750 g de marrons. 200 g de farce de porc. 1 cuillerée à café de sel fin. 1/2 litre d'eau.

Temps de cuisson, 1 h 30

CASSOULET

• Le cassoulet, plat traditionnel de Castelnaudary et de Toulouse, comporte de la poitrine de mouton, du lard maigre, du saucisson à l'ail et du confit d'oie. Ce dernier n'est toutefois pas indispensable ; à défaut, on le remplacera par du carré de porc.

• Écosser et laver les haricots (les faire tremper au moins 2 h s'il s'agit de haricots secs). Éplucher les oignons et les carottes, couper les carottes en rondelles. Couper les couennes, le lard de poitrine et la poitrine de mouton en morceaux.

• Mettre les haricots bien égouttés dans un grand fait-tout avec les

Temps de cuisson, 2 h

Cassoule
recette p

carottes et les oignons, le bouquet garni et une gousse d'ail. Couvrir d'eau, sans ajouter de sel. Porter le tout à ébullition en écumant la surface, couvrir et laisser cuire 1 h ; saler, ajouter le saucisson à l'ail et laisser cuire encore 1 h au moins. Pendant ce temps, faire dorer les morceaux de confit à la poêle, sans rajouter de matière grasse, et mettre le carré de porc à rôtir au four.

• En fin de cuisson du cassoulet, faire blondir deux oignons hachés dans le saindoux, ajouter une grosse gousse d'ail écrasée, puis la purée de tomates et quelques louches de jus de cuisson des haricots. Découper les viandes. Verser les haricots dans la sauce tomatée, rectifier l'assaisonnement. Disposer une couche de haricots dans de petits plats à gratin individuels en terre, répartir les différentes viandes par-dessus et recouvrir du reste de haricots. Parsemer la surface de chapelure et gratiner doucement à four doux.

1 kg de poitrine de mouton. 125 g de lard maigre. 250 g de couennes de porc.
10 morceaux de confit d'oie. 1 saucisson à l'ail. 1 litre de haricots blancs frais.
125 g d'oignons. 50 g de carottes. 2 gousses d'ail. 1 bouquet garni. Très peu de sel.
50 g de saindoux. 2 cuillerées à soupe de purée de tomates. 2 cuillerées à soupe
de chapelure.

Petits conseils du chef

DÉCOUPER UN POULET CUIT

Commencer par détacher les deux cuisses à l'aide d'un couteau. Inciser la poitrine jusqu'à la jointure des ailes. Détacher les deux ailes. Pratiquer une incision de part et d'autre du bréchet pour détacher les blancs. Découper le cou et le croupion, partager la carcasse en deux ou quatre morceaux.

LE GIBIER

Le gibier à plumes (faisans, perdreaux, canards sauvages, sarcelles, pluviers, vanneaux, bécasses, bécassines) ainsi que les petits oiseaux (cailles, grives, merles, mauviettes, etc.) sont généralement bardés de lard puis rôtis ; on entoure parfois d'une feuille de vigne les grives et les perdreaux avant de les barder.

Le gros gibier est aussi apprêté en salmis ; nous ne parlerons pas des coûteuses préparations de la grande cuisine et resterons, dans ce manuel, dans les limites de la cuisine simple.

FAISANS ET PERDREAUX RÔTIS

• Barder le gibier avant de le déposer dans le plat à rôtir. Déposer quelques noisettes de beurre dessus, saler et cuire à four bien chaud en arrosant fréquemment en cours de cuisson. Ôter la barde de lard quelques minutes avant la fin de la cuisson pour faire dorer la poitrine. Compter 35 à 40 mn de cuisson pour un faisan et 15 à 20 mn pour un perdreau.

• On accompagne traditionnellement ce type de gibier de tranches de pain de mie, frites dans la graisse de cuisson du gibier.

FAISAN EN COCOTTE

• Mettre le beurre à fondre dans une cocotte en terre allant au feu. Déposer le faisan bardé dans la cocotte pour le faire rissoler sur toutes ses faces. Saler, couvrir la cocotte et laisser mijoter doucement pendant 15 mn. Pendant ce temps,

Temps de cuisson, 40 mn

Faisan
n cocotte

143

éplucher les carottes et l'oignon, et découper le lard en petits dés ; faire revenir le lard à la poêle. Ajouter les lardons, les carottes et l'oignon dans la cocotte, et terminer la cuisson à couvert. Servir accompagné de lentilles.

1 faisan. 50 g de beurre. 1/2 cuillerée à café de sel. 100 g de carottes. 1 oignon. 100 g de lard maigre. 125 g de barde de lard.

FAISAN À LA VALLÉE D'AUGE

Temps de cuisson, 40 mn

• Éplucher et émincer les pommes de reinette. Mettre le beurre à fondre dans une cocotte. Déposer le faisan bardé dans la cocotte pour le faire rissoler sur toutes ses faces. Saler, couvrir la cocotte et laisser mijoter doucement pendant 15 mn. Ajouter les pommes, la crème épaisse et l'eau-de-vie de cidre ; saler, poivrer, couvrir à nouveau et laisser la cuisson s'achever. Servir tel quel.

1 faisan. 50 g de beurre. 1/2 cuillerée à café de sel. 1 livre de pommes de reinette. 125 g de barde de lard. 150 g de crème. 2 pincées de poivre. 1/2 verre d'eau-de-vie de cidre.

GRIVES À LA BONNE FEMME

Temps de cuisson, 25 mn

• Découper le lard en petits dés. Mettre le beurre à fondre dans une cocotte allant au four. Déposer les grives et les lardons dans le beurre et laisser rissoler de tous côtés. Saler, couvrir et enfourner 10 mn. Pendant ce temps, faire frire les tranches de pain de mie dans du beurre. Ajouter le vin blanc et le pain dans la cocotte. Laisser mijoter doucement et servir.

6 grives. 75 g de beurre. 60 g de lard maigre. 1/2 cuillerée à café de sel. 1 pincée de poivre. 6 tranches de pain de mie. 1 verre de vin blanc.

GRIVES AU GENIÈVRE

Temps de cuisson, 25 mn

• Procéder comme dans la recette précédente, en supprimant le lard et les croûtons, et en ajoutant une pincée de baies de genièvre écrasées dans la cocotte. Déglacer le fond de cuisson au cognac. Servir dans la cocotte.

6 grives. 75 g de beurre. 1/2 cuillerée à café de sel. 1 pincée de poivre. 1 verre de vin blanc. 1/2 verre de cognac. 1 pincée de genièvre.

CAILLES À LA TURQUE

Temps de cuisson, 35 mn

• Faire dorer les cailles sur toutes leurs faces dans une sauteuse. Enlever les cailles et faire revenir les oignons hachés ; ajouter le riz, remuer jusqu'à ce que les grains deviennent translucides, puis mouiller avec le bouillon. Saler et poivrer avant de remettre les cailles dans la sauteuse. Couvrir et laisser cuire 16 à

18 mn : le riz doit absorber le jus de cuisson tout en restant moelleux ; ajouter un peu de bouillon si nécessaire. Dresser le riz en monticule au milieu du plat de service et répartir les cailles autour.

6 cailles. 100 g de beurre. 1/2 cuillerée à café de sel. 2 pincées de poivre.
250 g de riz. 2 fois 1/2 le volume du riz de bouillon. 75 g d'oignons.

MAUVIETTES À LA NORMANDE

• Préparer une marmelade épaisse en faisant cuire les pommes, pelées et coupées en morceaux, dans une casserole, à couvert ; ajouter un peu d'eau si nécessaire. Pendant ce temps, mettre le beurre à fondre dans une cocotte. Déposer les mauviettes dans le beurre et laisser rissoler de tous côtés. Saler, couvrir et laisser cuire sur feu moyen. Verser la marmelade dans un plat creux, égaliser la surface, puis disposer les oiseaux. Arroser chaque mauviette de 2 cuillerées de crème épaisse et servir sans attendre.

Temps de cuisson, 15 mn

12 mauviettes. 75 g de beurre. 1 livre de pommes sures. 250 g de crème.
1/2 cuillerée à café de sel.

SALMIS DE PERDREAUX

• Préparer la sauce brune à l'avance (voir page 51). Faire rôtir les perdreaux de manière à ce qu'ils restent très saignants. Pendant ce temps, faire revenir à l'huile l'oignon, l'échalote et la pointe d'ail hachés, ajouter le brin de persil, un petit peu de thym et de laurier. Attendre 1 ou 2 mn avant de verser le vin blanc et le vin rouge ; laisser réduire jusqu'au quart du volume initial. Ajouter alors la sauce brune, et laisser cuire 1/4 d'heure. Nettoyer et faire sauter les champignons à la poêle.

Temps de cuisson, 1 h

• En fin de cuisson, découper les perdreaux, puis broyer les carcasses à l'aide d'un pilon. Ajouter la «purée» obtenue à la sauce, donner deux ou trois bouillons. Passer la sauce, ajouter les champignons et rectifier l'assaisonnement si nécessaire. Verser la sauce sur les perdreaux et tenir au chaud (sans laisser bouillir, car la viande durcirait). Couper la croûte du pain avant de faire frire les tranches à l'huile ; disposer les toasts autour des perdreaux avant de servir.

2 ou 3 perdreaux. 2 cuillerées à soupe d'huile. 1 oignon. 1 échalote. 1 gousse d'ail.
1 brin de persil. Thym et laurier. 1/2 verre de vin blanc. 1/2 verre de vin rouge.
1/4 de litre de sauce brune. 125 g de champignons. 12 tranches de pain de mie.

PERDRIX AU CHOU

• Éplucher, laver et couper en quatre le chou vert ; porter à ébullition une grande casserole d'eau salée pour ébouillanter le chou une dizaine de minutes . Entourer les perdrix – correctement plumées, vidées et flambées – de barde de

Temps de cuisson, 1 h 30

lard, avant de les faire revenir au beurre sur toutes leurs faces dans une cocotte assez grande. Ajouter le chou, l'oignon, la carotte, le bouquet garni, le lard de poitrine et le cervelas. Assaisonner, puis mouiller avec le bouillon gras et laisser cuire en couvrant hermétiquement.

• Égoutter le chou, découper les perdrix, couper le lard et le cervelas en morceaux. Disposer le chou au fond du plat de service, dresser les perdrix sur le chou et entourer de morceaux de lard et de cervelas.

• La même recette peut être appliquée aux faisans.

2 perdrix. 50 g de beurre. 125 g de barde de lard. 1 chou vert. 1 oignon. 1 carotte. 1 bouquet garni. 200 g de lard de poitrine salé. 1 cervelas. 1 verre de bouillon.

CHEVREUIL

Temps de cuisson, 12 mn par livre de viande

• Le chevreuil n'est certes pas une viande de consommation courante dans la cuisine familiale mais il peut arriver que l'on soit gratifié d'un cadeau offert par un chasseur et il est agréable de pouvoir en tirer parti. Commencer par dénerver le cuissot, couper le lard en petits dés et piquer les lardons dans le cuissot. Mélanger le vin blanc, le vinaigre, les oignons, les échalotes et les carottes coupés en rondelles, le bouquet garni et le poivre en grains dans un plat creux. Déposer le cuissot dans le mélange et laisser mariner trois à quatre jours.

• Le moment venu, égoutter le cuissot et enfourner à four bien chaud pour le faire rôtir en comptant 12 mn de cuisson par livre. Servir accompagné de sauce poivrade ou de sauce venaison et d'une garniture de légumes : purée de marrons ou de céleri-rave ou marmelade de pommes sures.

• On peut appliquer la même recette à l'épaule de chevreuil, mais elle est meilleure accommodée en civet, comme un civet de lièvre. Quant aux côtelettes,

Chevreuil

Terrine de lièvre

146

on les laisse mariner 24 h avant de les faire sauter à l'huile, 5 mn, dans une sauteuse ; on les sert saignantes, généralement deux par personne, avec les mêmes sauces et garnitures que le cuissot.

1 cuissot de chevreuil de 1 kg. 125 g de lard gras. 2 verres de vin blanc.
2 cuillerées à soupe de vinaigre. 100 g d'oignons. 50 g d'échalotes. 2 carottes.
1 bouquet garni. Poivre en grains.

SAUTÉ DE CHEVREUIL À LA LA FORESTIÈRE

- Ce plat constitue une excellente entrée, que l'on prépare avec l'épaule ou les bas morceaux, préalablement marinés, comme dans la recette précédente.
- Égoutter la viande avant de la faire rissoler dans l'huile brûlante, saupoudrer de farine ; laisser roussir celle-ci, puis ajouter le vin blanc, la marinade, l'eau, la tomate et les baies de genièvre. Saler, poivrer. Pendant la cuisson du chevreuil, faire sauter les cèpes à l'huile. On ne les ajoute dans la cocotte que quelques minutes avant la fin de la cuisson. Dégraisser la sauce et servir accompagné de croûtons frits.

Temps de cuisson, 1 h 30 à 2 h

1 kg de chevreuil. 50 g d'huile. 20 g de farine. 1 verre de vin blanc sec. 1 verre
de marinade. 1/2 verre d'eau. 1 cuillerée à café de sel. 1/4 de cuillerée à café
de poivre. 1 cuillerée à soupe de genièvre. 750 g de cèpes. 1 tomate.

TERRINE DE LIÈVRE

- Les cuisses de lièvre, désossées et dénervées, peuvent constituer la base d'un pâté en croûte, ou d'une terrine, plus facile à préparer et se conservant mieux.
- La veille, détailler la chair en filets pas trop gros. Saler et poivrer les mor-

Temps de cuisson, 2 h

Gibelotte
de lapin,
ette p. 149

ceaux et les faire mariner dans un fond de madère ou de cognac. Hacher menu le foie du lièvre ; à défaut, réserver quelques cuillerées du sang. Mélanger le foie haché (ou le sang) et la farce de porc, saler, poivrer et ajouter la marinade du lièvre. Mélanger intimement le tout puis garnir la terrine en alternant une couche de farce et une couche de filets de lièvre ; les terrines à pâté n° 5 ou 6 conviennent pour 1 kg de viande.

• Couvrir la terrine et entourer la jointure du couvercle d'un cordon de pâte (mélange de farine et d'eau). Déposer la terrine dans un plat creux allant au four, verser de l'eau bouillante autour (4 à 5 cm) et enfourner ; on compte environ 1 h 30 de cuisson pour 1 kg de pâté. Laisser refroidir avant de servir. La terrine se conserve 10 à 15 jours au réfrigérateur.

500 g de chair et le foie d'un lièvre. 1 cuillerée à café de sel. 1 verre de madère ou de cognac. 1/2 litre d'eau. 2 pincées de poivre moulu. 500 g de farce de porc.

LIÈVRE EN CIVET

Temps de cuisson, 1 h 30

• Le civet se distingue de la gibelotte en ce que la sauce comporte moins de farine mais davantage de sang du lièvre. Pour servir un véritable civet, il faut donc un lièvre entier et n'ayant pas perdu trop de sang.

• Écorcher, dépouiller et vider le lièvre en réservant le sang dans un bol. Nettoyer le foie, couper le lièvre en morceaux, tout au moins le devant ; le râble (les reins) servira à préparer un rôti et les cuisses postérieures un pâté ou une terrine.

• La veille, mélanger le vin rouge et les aromates dans un plat creux pour y faire mariner les morceaux de lièvre.

• Éponger les morceaux et réserver la marinade. Éplucher les oignons et détailler le lard en petits dés. Mettre le beurre et l'huile à chauffer dans une cocotte ; faire rissoler les morceaux de lièvre à feu vif pour bien saisir la viande – ce point est essentiel.

• Saupoudrer de farine et ajouter la gousse d'ail hachée. Remuer à l'aide d'une cuillère en bois jusqu'à ce que la farine roussisse, ajouter la marinade et l'eau, saler et poivrer, puis ajouter les oignons et les lardons préalablement rissolés dans une poêle. Laisser cuire à couvert environ 1 h. En fin de cuisson, ajouter les champignons crus bien nettoyés et laisser cuire encore 10 mn.

• Lier la sauce au moment de servir : verser quelques cuillerées de sauce dans le sang pour le réchauffer un peu, puis verser le tout dans le civet. Mettre la cocotte sur le côté du feu et remuer pour bien mélanger le sang et la sauce ; donner un bouillon : la sauce doit devenir épaisse, crémeuse et bien brune.

• Servir le civet entouré de croûtons de pain frits ; noter que la viande de civet réchauffé ne perd pas en qualité, mais que la sauce «tourne» lorsque le sang cuit, et devient moins présentable.

1 lièvre. 1 bouteille de vin rouge. 50 g de beurre. 1/2 verre d'huile. 1 verre d'eau. 20 à 30 g de farine. 1 gousse d'ail. 1 cuillerée à café de sel. 125 g d'oignons. 125 g de lard. 375 g de champignons. 12 croûtons de pain.

GIBELOTTE DE LAPIN

- Découper le lapin, couper le lard en petits dés, éplucher les champignons et les oignons. Mettre le beurre à fondre dans une cocotte pour y faire revenir les morceaux de lapin, les lardons et les petits oignons entiers ; laisser dorer le tout avant de saupoudrer de farine. Remuer à l'aide d'une spatule jusqu'à ce que la farine roussisse, ajouter la gousse d'ail hachée et le vin rouge. Saler, poivrer et couvrir la cocotte.
- Ajouter les champignons coupés en lamelles 20 mn avant la fin de la cuisson. Servir dans la cocotte.

1 lapin de 1,500 kg. 50 g de beurre. 125 g de lard de poitrine. 75 g d'oignons.
40 g de farine. 1 gousse d'ail. 2 verres de vin rouge. 1/2 cuillerée à café de sel.
2 pincées de poivre moulu. 500 g de champignons de Paris.

Temps
de cuisson,
45 mn à 1 h

LAPIN CHASSEUR

- Découper le lapin. Mettre le beurre et l'huile à chauffer dans une cocotte pour y faire revenir les morceaux de lapin ; laisser dorer le tout avant de saupoudrer de farine et d'ajouter les échalotes hachées. Mouiller avec le vin blanc et l'eau. Saler, poivrer, ajouter le bouquet garni et la purée de tomates et couvrir la cocotte. Nettoyer et émincer les champignons (on peut aussi les laisser entiers). Ajouter les champignons, légèrement rissolés à la poêle, 1/4 d'heure avant la fin de la cuisson. Servir dans la cocotte.

1 lapin de 1,500 kg. 50 g de beurre. 2 cuillerées à soupe d'huile. 50 g de farine.
1 cuillerée à café d'échalotes hachées. 1 verre de vin blanc. 1 verre d'eau.
1 cuillerée à café de sel. 2 pincées de poivre moulu. 1 bouquet garni.
2 cuillerées à soupe de purée de tomates. 250 g de champignons.

Temps
de cuisson,
45 mn à 1 h

LAPIN FARCI

- Vider le lapin sans abîmer la peau du ventre et en réservant le sang. Préparer la farce en mélangeant la chair à saucisses, le foie, le cœur et les poumons du lapin hachés, un oignon haché et cuit au beurre, l'échalote, l'ail, les fines herbes et la mie de pain rassis trempée dans du bouillon et essorée. Saler et poivrer. Introduire la farce dans le lapin et recoudre la peau du ventre. Faire revenir le lapin sur toutes ses faces dans une cocotte. Ajouter le reste des oignons et la carotte coupée en rondelles, le vin – blanc ou rouge selon le goût. Couvrir hermétiquement la cocotte et cuire au four, doucement. En fin de cuisson, contrôler le degré de cuisson – il peut varier en fonction de la tendreté du lapin – puis lier la sauce avec le sang.

1 lapin de 1,500 kg. 500 g de chair à saucisses. 50 g d'oignons. 1 échalote. 1 gousse
d'ail. 1 cuillerée à soupe de fines herbes. 1/2 cuillerée à café de sel. 1 pincée de
poivre moulu. 50 g de mie de pain. 1 carotte. 1/2 bouteille de vin, rouge ou blanc.

Temps
de cuisson,
1 h 30

LÉGUMES ET PÂTES ALIMENTAIRES

LES LÉGUMES

Qu'ils accompagnent un plat de viande ou qu'ils soient servis seuls, les légumes, riches en vitamines et en sels minéraux, jouent un rôle important dans l'hygiène alimentaire. Les légumes possèdent des vertus différentes ; les légumes verts sont rafraîchissants sans être trop nourrissants ; les légumes farineux sont plus nourrissants ; mais tous sont nécessaires à l'organisme. Si nombre de légumes sont aujourd'hui disponibles toute l'année, rien ne remplace la saveur délicieuse des légumes frais de saison, cueillis à point. Quant aux légumes secs, ils enrichissent les menus d'hiver et peuvent parfois remplacer la viande.

ARTICHAUTS À LA BARIGOULE

Temps de cuisson, 1 h 30

- Choisir des petits artichauts bien tendres ; couper le bout des feuilles et les blanchir 6 à 8 mn à l'eau bouillante salée.
- Rincer et égoutter les feuilles avant de les faire cuire en cocotte, avec l'eau, le vin blanc, la purée de tomates pour constituer un coulis léger, et l'huile d'olive ; saler, poivrer et laisser cuire sur feu assez vif de manière à obtenir une sauce bien réduite. Servir froid.
- Il existe une variante de cette recette, plus compliquée, qui consiste à farcir les artichauts d'un hachis de lard et de champignons avant de les faire cuire en cocotte.
- Certains petits artichauts, très tendres, vendus sous le nom de poivrade, peuvent être dégustés crus, accompagnés d'une vinaigrette bien poivrée.

6 artichauts. 1 verre d'eau. 1 verre de vin blanc. 2 cuillerées à soupe de purée de tomates. 3 cuillerées à soupe d'huile d'olive. 1 cuillerée à café de sel. 2 pincées de poivre moulu.

ARTICHAUTS SAUCE BLANCHE

Temps de cuisson, 45 mn

- Laver les artichauts et les couper en deux s'ils sont très gros ; il est cependant préférable de les faire cuire entiers. Porter l'eau salée à ébullition avant d'y jeter les artichauts, couvrir et baisser le feu.
- Le temps de cuisson varie suivant la grosseur et la tendreté des artichauts : vérifier la cuisson en tirant sur une feuille, elle doit venir sans effort.
- Égoutter les artichauts en les mettant la pointe en bas, et les servir chauds accompagnés de sauce blanche (voir page 55).
- On peut aussi les servir tièdes ou froids avec une sauce vinaigrette.

6 artichauts moyens. 4 litres d'eau. 2 cuillerées à soupe de sel gris. 1/2 litre de sauce blanche.

ASPERGES

- Gratter les asperges sans les casser, couper le bout terreux et laver les asperges, puis les ficeler en bottes.
- Porter l'eau salée à ébullition dans un grand fait-tout. Plonger les asperges debout dans l'eau bouillante, en veillant à ce que le niveau d'eau atteigne juste la base des pointes.
- Servir les asperges bien égouttées, accompagnées de sauce blanche ou de sauce vinaigrette. (voir page 59).

2 kg d'asperges. 3 litres d'eau. 1 cuillerée à soupe de sel gris.
1/2 litre de sauce blanche ou vinaigrette.

Temps de cuisson, 30 mn

AUBERGINES À LA MEUNIÈRE

- Peler et couper les aubergines en tranches de un centimètre d'épaisseur dans le sens de la longueur. Saler copieusement et laisser dégorger 30 mn. Éponger et fariner les tranches.
- Mettre le beurre à fondre dans une poêle, ajouter les aubergines et laisser cuire sur feu moyen, en retournant les tranches à mi-cuisson. Servir accompagné de persil haché.

3 aubergines. 100 g de beurre. 2 cuillerées à soupe de farine.
2 cuillerées à café de persil haché.

Temps de cuisson, 45 mn

AUBERGINES À LA PROVENÇALE

- Peler et couper les aubergines en rondelles de un centimètre d'épaisseur. Saupoudrer de sel fin et laisser dégorger 30 mn. Éponger les rondelles avant de les fariner et de les faire sauter à la poêle à l'huile brûlante.
- Pendant ce temps, couper les tomates en quartiers et ôter les pépins. Les faire sauter dans le reste d'huile, dans une autre poêle.
- En fin de cuisson, verser les tomates sur les aubergines, saler, poivrer, ajouter la gousse d'ail écrasée et le persil haché. Laisser mijoter le tout 4 à 5 mn avant de servir.

3 aubergines. 1 cuillerée à café de sel fin. 2 cuillerées à soupe de farine. 2 verres d'huile. 750 g de tomates. 1 gousse d'ail. 2 cuillerées à café de persil haché.

Temps de cuisson, 45 mn

AUBERGINES FARCIES

- Couper les aubergines en deux dans le sens de la longueur, sans les peler. Saupoudrer de sel fin et laisser dégorger 30 mn avant de les fariner et de les faire frire à l'huile brûlante. Pendant la cuisson des aubergines, hacher menu les restes de viande avant de les faire revenir à part, dans une poêle. En fin de cuisson, égoutter et évider les aubergines en conservant les peaux. Hacher la chair,

Temps de cuisson, 1 h

Aubergine
farcies,
recette p.

ajouter la viande hachée, la purée de tomates, le sel, le poivre et le persil. Répartir la farce dans les peaux, parsemer la surface de chapelure, arroser d'huile et gratiner à four très chaud. Servir sans attendre.

3 aubergines. 2 cuillerées à soupe de farine. 300 g de restes de viande.
2 cuillerées à soupe de purée de tomates. 1/2 cuillerée à café de sel.
2 pincées de poivre moulu. 2 cuillerées à café de persil haché.
50 g de chapelure. Bain de friture d'huile ou de saindoux.

AUBERGINES FRITES

Temps
de cuisson,
4 mn
par fournée

• Peler et couper les aubergines en rondelles de un centimètre d'épaisseur. Saupoudrer de sel fin et laisser dégorger 30 mn. Éponger les rondelles avant de les fariner et de les passer dans l'œuf entier battu. Plonger les rondelles dans le bain de friture très chaud au fur et à mesure ; servir aussitôt.

3 aubergines. 2 cuillerées à soupe de farine. 1 œuf. Bain de friture d'huile.

CARDONS

Temps
de cuisson,
1 h 30

• Supprimer les feuilles, les piquants latéraux, et le duvet. Couper les cardons en tronçons et citronner les morceaux pour éviter qu'ils ne noircissent. Délayer la farine dans l'eau et porter le tout à ébullition. Jeter les cardons dans l'eau dès le début de l'ébullition. Saler, poivrer, ajouter la chair des citrons et laisser cuire doucement.

1 gros pied de cardons. 2 citrons. 1 cuillerée à soupe de farine. 2 litres d'eau. Sel.
Poivre en grains.

CAROTTES À LA CHANTILLY

- Procéder comme pour les carottes à la crème.
- Pendant la cuisson des carottes, faire cuire les petits pois à l'eau bouillante salée. En fin de cuisson, égoutter les petits pois, puis les remettre dans la casserole avec une noix de beurre, un morceau de sucre et une pincée de sel. Bien agiter la casserole pour mélanger le tout et retirer du feu.
- Verser les petits pois au centre du légumier, dresser les carottes à la crème en couronne autour des petits pois.

600 g de carottes. 1/2 litre d'eau. 1 cuillerée à café de sel. 80 g de beurre. 1/4 de litre de sauce béchamel. 80 g de crème. 500 g de petits pois. 1 morceau de sucre.

Temps de cuisson, 35 mn

CAROTTES À LA VICHY

- Choisir de belles carottes, rouge vermillon, bien lisses et sucrées.
- Gratter et laver les carottes. Les couper en rondelles ou les laisser entières si ce sont de petites carottes nouvelles. Mettre les carottes dans une casserole assez large, couvrir tout juste d'eau, ajouter le beurre, le sucre et le sel, couvrir la casserole et laisser cuire à grands bouillons. Laisser cuire à couvert jusqu'à absorption complète de l'eau ; en fin de cuisson, on doit entendre les carottes grésiller dans le beurre qui, lui, ne s'évapore pas.
- Parsemer de persil haché et servir sans attendre.

1 kg de carottes. 1 litre d'eau. 70 g de beurre. 3 morceaux de sucre.
1/2 cuillerée à café de sel. 2 cuillerées à café de persil haché.

Temps de cuisson, 35 mn

Carottes
à la Vichy

155

CAROTTES À LA CRÈME

*Temps
de cuisson,
35 mn*

- Faire cuire les carottes à l'eau bouillante salée, entières si ce sont de petites carottes nouvelles, ou coupées en rondelles. En fin de cuisson, égoutter les carottes.
- Mettre le beurre à fondre dans une casserole, ajouter les carottes et laisser sauter un instant avant d'ajouter la béchamel légère additionnée de crème.
- Laisser mijoter 10 mn dans la sauce, saler et sucrer légèrement.
- Servir aussitôt.

*750 g de carottes. 1/2 litre d'eau. 1/2 cuillerée à café de sel. 40 g de beurre.
1/4 de litre de sauce béchamel. 60 g de crème épaisse.*

CÉLERIS AU JUS

*Temps
de cuisson,
1 h*

- Il faut distinguer le céleri-rave du céleri en branches. Tous deux sont des légumes sains et légers, qui peuvent être dégustés crus ou cuits. Ils entrent en outre dans la composition de nombreux plats mijotés.
- Supprimer les côtes vertes et les filaments durs et couper le bout des feuilles. Partager les pieds en deux dans le sens de la longueur pour pouvoir les laver soigneusement, en écartant un peu les feuilles pour s'assurer de leur parfaite propreté.
- Plonger le céleri dans une casserole d'eau bouillante salée pendant un bon quart d'heure. Pendant ce temps, éplucher les oignons et la carotte ; émincer les oignons et couper la carotte en rondelles. Rincer et égoutter le céleri.
- Déposer tous les légumes dans une cocotte, saler, poivrer, ajouter le bouquet garni et le bouillon. Laisser cuire une bonne heure, sur feu moyen.
- En fin de cuisson, égoutter et arroser de sauce brune au madère ou de bon jus de veau rôti.

*3 pieds de céleri en branches. 3 litres d'eau. 1 cuillerée à soupe de sel gris.
50 g d'oignons. 1 carotte. 1 bouquet garni. 2 pincées de poivre. 1/4 de litre de sauce
brune au madère.*

CÉLERIS À LA MORNAY

*Temps
de cuisson,
1 h*

- Éplucher et nettoyer soigneusement les pieds de céleris ; couper les tiges en tronçons. Plonger les morceaux dans une casserole d'eau bouillante salée pendant un bon quart d'heure.
- Napper le fond d'un plat à gratin de sauce Mornay bien fromagée (voir page 52), déposer le céleri bien égoutté par-dessus, parsemer de fromage râpé et recouvrir du reste de sauce. Parsemer de chapelure, arroser de beurre et faire gratiner à four chaud.

*3 pieds de céleri en branches. 3 litres d'eau. 1 cuillerée à soupe de sel gris.
1/2 litre de sauce Mornay. 100 g de gruyère râpé. 50 g de chapelure. 40 g de beurre.*

CÉLERIS À LA PORTUGAISE

- Éplucher et nettoyer soigneusement les pieds de céleris ; couper les tiges en tronçons de 8 à 10 cm de long.
- Plonger les morceaux dans une casserole d'eau bouillante salée pendant un bon quart d'heure.
- Pendant ce temps, éplucher et émincer la carotte et les oignons avant de les faire blondir au beurre.
- Ajouter les tomates fraîches, vidées et coupées en quartiers ; laisser fondre les tomates, saupoudrer de farine, puis ajouter le bouillon et les céleris bien égouttés.
- Saler, poivrer, et laisser braiser jusqu'à ce que les céleris soient bien tendres (le temps de cuisson dépend de la qualité du céleri).

3 pieds de céleri en branches. 3 litres d'eau. 1 cuillerée à soupe de sel gris.
50 g de beurre. 100 g d'oignons. 1 carotte. 4 tomates. 1 cuillerée à soupe de farine.
1 verre d'eau.

Temps de cuisson, 1 h

CÉLERI-RAVE AU JUS

- Un bon céleri-rave doit être lourd ; au moment de l'achat, veiller à ce qu'il ne soit pas creux.
- Peler et couper le pied de céleri en quartiers réguliers ; enlever le cœur, souvent ligneux et trop dur.
- Plonger les morceaux dans une casserole d'eau froide salée. Porter le tout à ébullition et laisser cuire une bonne vingtaine de minutes à partir de la reprise de l'ébullition.
- Faire chauffer le beurre dans une casserole et y ranger les morceaux de céleri bien égouttés, saler, poivrer, couvrir et terminer la cuisson à four moyen ou sur le côté du feu. Servir arrosé d'un bon jus de viande tomaté.

750 g de céleri-rave. 3 litres d'eau. 1 cuillerée à soupe de sel gris. 50 g de beurre.
1/2 cuillerée à café de sel fin. 2 pincées de poivre.

Temps de cuisson, 45 mn

CÉLERI-RAVE À L'ITALIENNE

- Préparer et faire cuire le céleri comme indiqué dans la recette précédente. Pendant ce temps, préparer une sauce brune bien tomatée en y incorporant les champignons hachés.
- Terminer la cuisson du céleri en faisant doucement revenir les morceaux bien égouttés dans du beurre. Arroser de sauce et parsemer de persil haché avant de servir.

750 g de céleri-rave. 3 litres d'eau. 1 cuillerée à soupe de sel gris. 50 g de beurre.
1/2 litre de sauce brune. 200 g de champignons. 2 cuillerées à café de persil haché.

Temps de cuisson, 40 mn

CÉLERI-RAVE À LA MORNAY

Temps de cuisson, 40 mn

• Préparer et faire cuire le céleri comme indiqué dans la recette du céleri-rave au jus. Napper le fond d'un plat à gratin de sauce Mornay, répartir les morceaux de céleri par-dessus, ajouter un peu de fromage râpé, le reste de sauce, parsemer la surface de chapelure et de noisettes de beurre. Faire gratiner au four.

750 g de céleri-rave. 3 litres d'eau. 1 cuillerée à soupe de sel gris. 50 g de beurre. 1/2 litre de sauce Mornay. 100 g de gruyère râpé. 50 g de chapelure. 50 g de beurre.

CHOUX

• On distingue de nombreuses espèces et variétés de choux. Les plus communs sont les choux verts de différentes provenances : chou de Milan frisé (c'est le chou vert type), chou quintal, chou cœur-de-bœuf, chou cabus, chou de Hollande, etc. Mais il ne faut pas oublier le chou rouge, les brocolis, les choux de Bruxelles et le chou-fleur. Voyons à tirer parti de chacun.

CHOU VERT À L'ANGLAISE

Temps de cuisson, 25 mn

• Les jeunes choux de printemps sont particulièrement délicieux ainsi préparés. Couper le trognon et supprimer les grosses côtes. Laver le chou sous le robinet avant de le plonger dans une grande casserole d'eau salée bouillante. Laisser cuire une vingtaine de minutes, à petits bouillons pour ne pas qu'il se défasse à la cuisson. Égoutter soigneusement, puis mettre le chou dans une casserole avec le beurre, le sel et le poivre ; laisser chauffer en remuant pour faire fondre le beurre et servir tel quel.

1,500 kg de chou. 3 litres d'eau. 1 cuillerée à soupe de sel gris. 100 g de beurre. 1 pincée de poivre.

Les diffé[...] variétés [...]

Chou
farci

CHOU AU GRAS

- Ce plat d'hiver, copieux et nutritif, se prépare avec les gros choux cabus ou de Milan.
- Éplucher et laver le chou avant de le faire blanchir 7 ou 8 mn dans de l'eau bouillante salée. Pendant ce temps, éplucher et couper en rondelles les pommes de terre, les oignons et les carottes. Égoutter le chou. Déposer le lard et tous les légumes dans une cocotte, ajouter une petite quantité de bouillon gras, le bouquet garni, saler, poivrer, couvrir hermétiquement et laisser braiser doucement, sur le côté du feu ou à four doux.

1,500 kg de chou. 125 g de lard maigre. 500 g de pommes de terre. 1/2 cuillerée à café de sel. 1 pincée de poivre. 100 g de carottes. 50 g d'oignons. 1 bouquet garni.

Temps de cuisson, 1 h

CHOU FARCI

- Le chou farci peut être fait avec un chou entier reconstitué, contenant une petite couche de farce entre chaque feuille, mais c'est assez difficile et long à préparer. Il est plus facile de préparer un petit chou farci par convive.
- Détacher les grandes feuilles externe du chou et les faire blanchir quelques minutes à l'eau bouillante de manière à les attendrir sans les faire cuire. Égoutter et étaler les feuilles côte à côte sur le plan de travail. Saler et poivrer chaque feuille.
- Hacher un reste de bœuf ou de mouton cuit ; tremper la mie de pain dans le bouillon, puis presser entre les mains pour bien l'essorer ; hacher les fines herbes et les oignons ; mélanger tous les ingrédients, ajouter un œuf entier pour

Temps de cuisson, 45 mn

159

250 g de viande. On peut aussi préparer la farce à partir d'un mélange à parts égales de viande et de farce de porc ou de chair à saucisses ; on peut alors supprimer l'œuf qui ne sert qu'à lier la farce. Déposer une petite quantité de farce au milieu de chaque feuille. Rabattre les feuilles de chou pour bien envelopper la farce.

• Garnir le fond d'une cocotte d'un lit de lard gras, de carottes et d'oignons coupés en rondelles. Déposer les choux farcis par-dessus, faire revenir le tout à feu vif quelques minutes. Mouiller avec du bouillon non dégraissé jusqu'à mi-hauteur des choux, ajouter la purée de tomates, saler et poivrer. Enfourner en protégeant les choux avec un rond de papier huilé, mais sans couvercle ; laisser braiser doucement. Dresser sur un plat chaud, arroser les choux de jus de citron et de leur jus de cuisson bien dégraissé et passé.

• Pour préparer un chou entier, il faut le reconstituer feuille à feuille, puis le ficeler pour maintenir le tout. On le fait cuire de la même manière que les petits choux individuels, en comptant 2 h de cuisson.

1 gros chou. 1 cuillerée à café de sel. 2 pincées de poivre. 200 g de farce. 50 g de mie de pain. 2 cuillerées à café de fines herbes. 150 g d'oignons. 1 œuf. 125 g de lard. 50 g de carottes. 1 cuillerée à soupe de purée de tomates. 1 jus de citron.

CHOU VERT AU GRATIN

Temps de cuisson, 45 mn

• Ce plat peu connu est pourtant délicieux. Éplucher, laver et couper en quartiers le chou. Porter l'eau salée à ébullition avant d'y plonger les morceaux, et laisser cuire jusqu'à ce que les feuilles soient bien tendres. Égoutter très soigneusement en pressant les feuilles entre les mains, puis hacher ces dernières, comme des épinards. Remettre le chou sur le feu, lier avec la béchamel pas trop épaisse, assaisonner en sel, poivre et muscade râpée ; laisser chauffer en remuant jusqu'à obtention d'un mélange crémeux. Incorporer le fromage râpé hors du feu ; verser le tout dans un plat à gratin, parsemer la surface de chapelure, arroser de beurre fondu et faire gratiner à four très chaud.

1,500 kg de chou. 3 litres d'eau. 1 cuillerée à soupe de sel gris. 1/4 de litre de sauce béchamel. 1 pincée de poivre. 1 pincée de muscade râpée. 60 g de gruyère râpé. 50 g de chapelure. 50 g de beurre.

CHOU-FLEUR SAUCE BLANCHE

Temps de cuisson, 10 mn

• Le chou-fleur doit être cuit doucement si l'on ne veut pas servir des tiges dépourvues de fleurs.

• Éplucher le chou-fleur en détachant les petits bouquets ; peler la base de la queue de chaque petit bouquet, puis les laver en les laissant tremper 15 mn dans de l'eau vinaigrée. Plonger les bouquets dans l'eau bouillante salée ; baisser le feu à la reprise de l'ébullition et laisser cuire 10 mn à petits bouillons. Retirer la casserole du feu et laisser le chou-fleur dans l'eau de cuisson, à couvert, pour qu'il finisse de cuire. Retirer les bouquets de chou-fleur à l'aide d'une écumoire, laisser égoutter dans une passoire (ne pas les y verser brutalement pour ne pas détacher les fleurs). Servir accompagné de sauce blanche (voir page 55), de sauce hollandaise, de sauce mousseline, etc.

1 kg de chou-fleur. 1/2 litre de sauce blanche. 3 litres d'eau. 1 cuillerée à soupe de sel gris.

CHOU-FLEUR À LA POLONAISE

• Procéder à la cuisson du chou-fleur comme indiqué dans la recette précédente. Égoutter les bouquets avant de les faire sauter au beurre dans une poêle, tout doucement pour ne pas les écraser. Dresser le chou dans un plat rond et tenir au chaud. Remettre un bon morceau de beurre à fondre dans la poêle, ajouter la chapelure et laisser brunir. Verser la chapelure frite sur le chou-fleur, parsemer la surface d'œuf dur haché et de persil haché.

Temps de cuisson, 20 mn

1 kg de chou-fleur. 3 litres d'eau. 1 cuillerée à soupe de sel gris. 95 g de beurre. 2 cuillerées à soupe de chapelure. 1 œuf dur. 2 cuillerées à café de persil haché.

CHOU-FLEUR AU GRATIN

• Placer les bouquets de chou-fleur cuits et bien égouttés dans un plat à gratin, napper très copieusement d'une sauce Mornay (voir page 52), parsemer la surface de chapelure et de fromage râpé, arroser de beurre et faire gratiner au four.

Temps de cuisson, 30 mn

CHOUX DE BRUXELLES SAUTÉS

• Couper la base des tiges, enlever les feuilles abîmées et laver soigneusement les choux de Bruxelles. Les faire cuire à l'eau bouillante salée, à bouillons modérés, jusqu'à ce qu'ils soient bien tendre. Mettre le beurre à fondre dans une sauteuse, faire sauter les choux bien égouttés en les laissant dorer un peu.

Temps de cuisson, 20 mn

1 kg de choux de Bruxelles. 3 litres d'eau. 1 cuillerée à soupe de sel gris. 80 g de beurre.

CHOUCROUTE

• Mettre le morceau de lard salé à tremper pendant 2 h. Laver à grande eau tiède et presser la choucroute entre les mains. Garnir le fond d'une cocotte de couennes de lard, déposer la moitié de la choucroute par-dessus puis les oignons, dont un doit être piqué des 2 clous de girofle, les carottes entières, le bouquet garni, le sel et quelques grains de poivre. Ajouter le saindoux (ou de la graisse d'oie ou de porc rôti), puis le morceau de lard salé bien égoutté. Recouvrir le tout avec le reste de choucroute ; mouiller à mi-hauteur avec de l'eau ou

Temps de cuisson, 3 h 30 au moins

Choucrou
recette p

du bouillon, compléter avec le vin blanc. Couvrir hermétiquement la cocotte. Porter le tout à ébullition sur le feu puis enfourner la cocotte. Laisser mijoter 3 à 4 h, en ajoutant un peu de bouillon si nécessaire. Pendant ce temps, faire cuire les pommes de terre à la vapeur. En fin de cuisson, enlever les carottes, les oignons et le bouquet garni. Servir la choucroute entourée d'une couronne de pommes de terre, et accompagnée de jambon, de saucisses, de lard, etc.

• Il est toujours préférable de préparer la choucroute en assez grande quantité parce qu'on la réussit mieux ; en outre, elle est encore meilleure réchauffée, même plusieurs fois.

1 kg de choucroute. 250 g de lard salé. 2 oignons. 2 clous de girofle. 2 carottes. 1 bouquet garni. 1/2 cuillerée à café de sel. Poivre en grains. 150 g de saindoux. 1/2 litre de vin blanc. 1/2 litre d'eau. 500 g de pommes de terre. 6 tranches de jambon. 250 g de saucisses.

CROSNES

- Peu utilisés, les crosnes sont exquis : leur goût rappelle celui du fond d'artichaut. Il est pour ainsi dire impossible de les éplucher : on se contente de les laver en les brossant légèrement sous l'eau.
- Faire blanchir les crosnes à l'eau bouillante salée, sans toutefois les faire cuire ; terminer la cuisson en les faisant sauter au beurre à la poêle sans les laisser colorer. Servir tel quel, en les saupoudrant simplement de persil et de fines herbes hachées. On peut aussi les accompagner d'une sauce blanche ou en faire de délicieux beignets.

1 kg de crosnes. 75 g de beurre ou 1/4 de litre de sauce blanche.

Blanchiment, 5 mn
Temps de cuisson, 20 mn

COURGETTES FARCIES

- Couper les courgettes en deux dans le sens de la longueur. Évider l'intérieur à l'aide d'une cuillère à café et hacher la pulpe. Peler et hacher les oignons ; nettoyer et hacher les champignons. Faire revenir les oignons dans l'huile chaude, ajouter la pulpe de courgette et laisser 5 mn. Faire cuire les champignons à part. Mélanger la viande hachée (restes de bœuf ou de veau, ou farce de porc), les champignons, les oignons et la chair de courgette. Répartir la farce dans les peaux de courgettes, disposer celles-ci dans un plat à gratin. Verser le bouillon autour, laisser braiser à four moyen. Servir accompagné de sauce tomate.

1 kg de courgettes. 500 g de restes de viande. 2 oignons. 250 g de champignons.
2 cuillerées d'huile. 1 verre de bouillon. 1 verre de sauce tomate.

Temps de cuisson, 50 mn

Crosnes

CONCOMBRES FARCIS

Temps de cuisson, 35 mn

- Bien que rarement consommé cuit, le concombre peut être accommodé comme les courgettes.
- Il est particulièrement savoureux farci (voir page précédente). On choisit alors des concombres de petite taille (8 au kg).

1 kg de concombres. 500 g de restes de viande. 2 oignons. 250 g de champignons. 2 cuillerées d'huile. 1 verre de bouillon. 1 verre de sauce tomate.

ENDIVES À LA FLAMANDE

Temps de cuisson, 1 h

- Il y a deux écoles pour la cuisson des endives ; la première recommande de blanchir longuement les endives à l'eau, avant de les faire cuire au beurre ; la seconde, et c'est la mienne, consiste à les faire braiser au beurre directement.
- Laver et bien égoutter les endives entières ; faire chauffer un bon morceau de beurre dans un plat creux allant au four ; ranger les endives côte à côte dans le plat, saler, poivrer et arroser de jus de citron – ce dernier contribue à diminuer l'amertume des endives.
- Couvrir d'un papier enduit de beurre et enfourner ; laisser cuire ainsi jusqu'à ce qu'il n'y ait plus de liquide dans le plat et que les endives commencent à dorer en dessous.
- Dresser les endives dans le plat de service, arroser de bon jus de viande ou de sauce tomate.
- On peut aussi faire blanchir les endives 7 ou 8 mn dans l'eau bouillante salée, avant de terminer la cuisson comme indiqué ci-dessus.

1 kg d'endives. 60 g de beurre. 1 cuillerée à café de sel. 2 pincées de poivre moulu. 2 citrons.

ÉPINARDS

Temps de cuisson, 15 mn

- Ce légume, riche en fer, constitue un mets léger, très digeste et peu calorique. On consomme les épinards en branches ou hachés.
- La première méthode est particulièrement agréable au printemps, saison où l'on trouve des épinards bien frais, aux feuilles fermes et luisantes.
- Éplucher et laver soigneusement les feuilles une à une en ôtant les queues. Plonger les épinards dans l'eau salée bouillante ; il faut un grand volume d'eau et les épinards doivent cuire vite (10 mn suffisent), à découvert pour qu'ils restent bien verts.
- Égoutter et rafraîchir les épinards sous un filet l'eau froide ; presser les feuilles entre les mains pour bien les essorer avant de les faire sauter rapidement dans du beurre bien chaud. Saler modérément et servir sans plus attendre.

1,500 kg d'épinards. 90 g de beurre. 1 cuillerée à soupe de sel. 5 litres d'eau.

ÉPINARDS À LA CRÈME

- Faire cuire les épinards à l'eau bouillante salée comme indiqué dans la recette précédente.
- Égoutter, rafraîchir et presser les feuilles entre les mains avant de les hacher et de les faire sauter à la poêle dans du beurre brûlant ; incorporer la sauce béchamel, saler et sucrer, ajouter une pointe de muscade râpée, arroser de crème double et servir aussitôt (ne jamais laisser attendre les épinards sur le coin du feu quand ils sont prêts car ils perdent leur belle couleur verte et leur bon goût de légumes frais).

1,500 kg d'épinards. 40 g de beurre. 1/4 de litre de sauce béchamel. 1 cuillerée à café de sel. 1 morceau de sucre. 1 pincée de muscade râpée. 80 g de crème.

Temps de cuisson, 20 mn

PAIN D'ÉPINARDS MORNAY

- Préparer et assaisonner les épinards comme dans la recette précédente, sans ajouter de crème. Hors du feu, incorporer les œufs entiers battus en omelette, verser la préparation dans un moule à timbale beurré et faire cuire au bain-marie à four chaud, pendant 25 mn.
- Démouler le pain sur un plat rond à gratin, napper les épinards de sauce Mornay (voir page 52), parsemer la surface de fromage râpé et de chapelure et faire gratiner rapidement avant de servir.

1,500 kg d'épinards. 40 g de beurre. 1/4 de litre de sauce béchamel. 1 cuillerée à café de sel. 1 morceau de sucre. 1 pincée de muscade râpée. 2 œufs. 1/4 de litre sauce Mornay. 60 g de gruyère râpé. 2 cuillerées à soupe de chapelure.

Temps de cuisson, 50 mn

HARICOTS VERTS

- Plonger les haricots verts, équeutés et rincés, dans l'eau bouillante ; salez à mi-cuisson. Comme tous les légumes verts, les haricots doivent cuire à gros bouillons, dans un grand volume d'eau et sans couvercle, pour ne pas perdre leurs vertus gustatives et nutritives.
- Verser les haricots bien égouttés dans le légumier, rectifier l'assaisonnement, ajouter une noix de beurre, parsemer de persil haché et servir sans attendre.

1 kg de haricots verts. 3 litres d'eau. 1 cuillerée à soupe de sel gris. 80 g de beurre. 1 cuillerée à soupe de persil haché.

Temps de cuisson, 20 mn

HARICOTS VERTS À LA PORTUGAISE

- Équeuter et laver les haricots verts ; couper le lard en petits dés ; peler, vider et hacher grossièrement les tomates. Déposer les haricots verts, les lardons et les tomates dans une casserole ou une cocotte. Ajouter le bouillon de manière à couvrir tout juste les ingrédients, saler et poivrer, couvrir la casserole

Temps de cuisson, 1 h

et laisser cuire une bonne heure à petits bouillons. Cette préparation demande une cuisson plus longue, à l'étuvée, et les haricots ne restent pas aussi verts, mais c'est un plat délicieux et sortant de l'ordinaire.

1 kg de haricots verts. 150 g de lard gras. 250 g de tomates. 1 litre de bouillon. 1/2 cuillerée à café de sel. 1 pincée de poivre.

HARICOTS ROUGES AU VIN

Temps de cuisson, 1 h 45

• Faire cuire les haricots rouges comme les haricots blancs, en prolongeant le temps de cuisson si nécessaire. En fin de cuisson, égoutter les haricots en réservant une louche de leur eau de cuisson. Faire blondir un gros oignon haché dans le beurre, ajouter la farine ; laisser roussir le mélange quelques minutes avant d'ajouter le vin rouge, les haricots et l'eau de cuisson. Laisser mijoter le tout 30 mn, jusqu'à obtention d'une sauce crémeuse. Bien qu'un peu difficile à digérer, ce plat est un régal.

1 litre de haricots rouges. 80 g de beurre. 100 g d'oignons. 1 cuillerée à soupe de farine. 1/2 bouteille de vin rouge.

HARICOTS BLANCS ET FLAGEOLETS

Temps de cuisson, 1 h 15 pour les haricots frais ; 2 h pour les haricots secs

• On fait cuire les haricots (blancs ou flageolets) frais à l'eau bouillante légèrement salée, tandis que les haricots secs doivent d'abord tremper, avant de cuire à l'eau froide non salée ; on sale en fin de cuisson.

• Il suffit de mordre légèrement un haricot entre les dents pour évaluer son degré de fraîcheur : les dents pénètrent facilement dans les haricots frais ou secs de l'année ; les haricots secs depuis plusieurs années sont inattaquables.

1 litre de haricots. 2 litres d'eau. 1/2 cuillerée à soupe de sel.

Haricots verts, recette p. 165

Haricots rouges au vin

Lentilles,
tte p. 168

HARICOTS BLANCS À LA BRETONNE

• Les mêmes recettes peuvent être appliquées aux haricots blancs et aux flageolets, frais ou secs, après cuisson. Cette préparation peut constituer un plat à part entière, mais elle accompagne très bien le gigot.

• Faire blondir un gros oignon haché dans du beurre ou, mieux, dans de la graisse de gigot ; ajouter la gousse d'ail hachée, puis la purée de tomates ou, en saison, les tomates fraîches, pelées, épépinées et hachées. Laisser mijoter 15 mn avant d'ajouter les haricots égouttés, et une petite louche de leur eau de cuisson si la sauce est trop épaisse. Saler, poivrer, ajouter le persil haché ; laisser mijoter les haricots dans la sauce quelques minutes avant de servir.

1 litre de haricots blancs. 50 g de beurre. 100 g d'oignons. 1 gousse d'ail.
3 cuillerées à soupe de purée de tomates ou 250 g de tomates fraîches. 1 cuillerée
à café de sel. 1 pincée de poivre moulu. 2 cuillerées à café de persil haché.

Temps
de cuisson
de la sauce,
15 mn

HARICOTS BLANCS À LA CRÈME

• Mettre les haricots, cuits à l'eau et bien égouttés, dans une casserole, incorporer une sauce béchamel peu épaisse, saler, poivrer, ajouter une pincée de noix muscade râpée et laisser mijoter 10 mn avant de servir.

LENTILLES

Temps de cuisson, 1 h 30

• On fait cuire les lentilles à l'eau froide, en ne salant que vers la fin de la cuisson. On peut les préparer selon les mêmes recettes que les haricots blancs. On peut aussi faire revenir au beurre 1 ou 2 oignons hachés et quelques lardons de lard maigre. On ajoute les lentilles avec un peu de leur eau de cuisson, on lie le tout avec un peu de beurre manié avec de la farine et on laisse mijoter à couvert.

350 g de lentilles. 2 litres d'eau. 1/2 cuillerée à soupe de sel.

LAITUES BRAISÉES AU JUS

Temps de cuisson, 1 h 15

• Choisir des laitues bien pommées. Gratter le trognon, ôter les feuilles abîmées ou flétries, puis laver les salades entières. Ébouillanter les laitues à l'eau salée bouillante (10 mn). Rincer et essorer les laitues en les pressant entre les mains avant de les couper en deux. Déposer les salades dans une cocotte, saler, poivrer, ajouter le bouillon non dégraissé. Laisser cuire à couvert et à feu doux, jusqu'à absorption complète du liquide. Arroser de jus de rôti de veau, et servir.

8 laitues. 1/2 cuillerée à café de sel. 2 pincées de poivre. 1 verre de bouillon.

LAITUE MIMOSA

Temps de préparation, 20 mn environ

• Préparer la vinaigrette dans le saladier en mélangeant l'huile, le vinaigre, le sel et le poivre. Éplucher les œufs durs ; fendre le blanc sans entamer le jaune. Ajouter les blancs d'œufs hachés dans la vinaigrette, laisser macérer 10 mn. Ajouter les feuilles de laitue, mélanger avec précaution. Écraser les jaunes dans une passoire au-dessus des feuilles de salade pour imiter le mimosa. Remuer délicatement la salade pour répartir le jaune d'œuf ; servir aussitôt.

250 g de feuilles de laitue épluchées. 2 œufs durs. 1 cuillerée 1/2 à soupe de vinaigre. 3 cuillerées 1/2 à soupe d'huile. 1/2 cuillerée à café de sel fin. 1 pincée de poivre moulu.

NAVETS

Temps de cuisson, 30 mn

• Couper les navets en morceaux et les faire cuire à l'eau bouillante, en salant à mi-cuisson. Disposer les navets bien égouttés dans le plat de service, ajouter la crème fraîche, remuer délicatement et rectifier l'assaisonnement avant de servir. On peut aussi les faire rissoler au beurre avant de les arroser de bouillon non dégraissé et de les faire mijoter, sur feu doux et à couvert, en comptant 1 h de cuisson. Accommodés en purée, ils accompagnent parfaitement le gigot à l'anglaise. Les petits navets ronds à col violet sont meilleurs que les navets longs.

1 kg de navets. 2 litres d'eau. 75 g de beurre. 1/2 cuillerée à soupe de sel. 1/2 cuillerée à café de poivre. 1/4 de litre de crème fraîche.

NAVETS FARCIS

• Peler et creuser les navets à l'aide d'un couteau pointu et d'une cuillère. Plonger les navets dans l'eau bouillante 8 à 10 mn. Pendant ce temps, peler et hacher les oignons avant de les faire revenir dans l'huile chaude. Mélanger la viande hachée (restes de bœuf ou de veau, ou chair à saucisses) et les oignons, saler et poivrer. Répartir la farce dans les navets bien égouttés. Disposer les navets dans un plat à gratin. Verser le bouillon autour, jusqu'à mi-hauteur, et laisser braiser à four moyen ; saupoudrer de chapelure quelques minutes avant la fin de la cuisson pour faire gratiner la surface.

1 kg de navets ronds. 2 litres d'eau. 500 g de restes de viande. 2 oignons.
2 cuillerées d'huile. 1/2 cuillerée à soupe de sel. 1/2 cuillerée à café de poivre.
1 verre de bouillon. 2 cuillerées à soupe de chapelure.

Temps de cuisson, 1 h selon qualité

OIGNONS FARCIS

• Couper les oignons aux trois quarts de leur hauteur avant de les blanchir à l'eau salée bouillante. Évider les oignons bien égouttés à l'aide d'une cuillère, en ayant soin de ne pas les percer. Hacher la chair des oignons, les échalotes et les champignons de Paris. Faire revenir la chair des oignons, les échalotes et les champignons dans 50 g de beurre, jusqu'à ce que les champignons aient rendu toute leur eau et que le tout soit bien doré. Saler, poivrer, incorporer la ciboulette et le persil hachés.
• Répartir la farce dans les oignons. Ranger ces derniers dans un plat à gratin beurré, ajouter le bouillon et enfourner à four doux. Parsemer la surface de chapelure quelques minutes avant la fin de la cuisson et laisser gratiner avant de servir. Arroser les navets de leur jus de cuisson additionné d'une bonne cuillerée de fond de veau.
• On peut farcir les oignons avec diverses préparations : restes de viande ou de volaille, risotto additionné de tomates fondues, chair à saucisses, etc. Dans tous les cas, on ajoute la chair des oignons, hachée et blondie au beurre.

12 oignons doux moyens. 3 échalotes. 250 g de champignons de Paris.
100 g de beurre. 1 cuillerée à soupe de ciboulette et de persil hachés.
1/2 cuillerée à soupe de sel. 1/2 cuillerée à café de poivre. 1 verre de bouillon.
2 cuillerées à soupe de chapelure. 1 cuillerée à soupe de fond de veau.

Temps de cuisson, 1 h

OSEILLE

• Bien que souvent négligée par les maîtresses de maison, l'oseille, préparée selon les règles de l'art, peut constituer une garniture délicieuse ; elle accompagne certains poissons cuits au court-bouillon et les œufs durs ou pochés.
• Éplucher et laver soigneusement l'oseille. Mettre les feuilles à blanchir 5 mn

Temps de cuisson, 45 mn

dans un petit fond d'eau salée bouillante. Égoutter soigneusement l'oseille avant de la passer au moulin à légumes (grille fine). Faire fondre la graisse de rôti (ou le beurre), puis ajouter la farine et remuer à l'aide d'une cuillère en bois jusqu'à ce qu'elle roussisse ; ajouter la purée d'oseille, saler et poivrer. Rassembler le mélange au fond de la casserole, couvrir hermétiquement et faire braiser à four doux pendant 45 mn environ.

• En fin de cuisson, mélanger l'oseille et la sauce béchamel et rectifier l'assaisonnement. Verser les œufs entiers battus avec le lait froid dans l'oseille bouillante, en remuant constamment ; laisser cuire quelques minutes avant de servir.

1 kg d'oseille. 50 g de beurre ou de graisse de rôti. 2 cuillerées à soupe de farine. 1 cuillerée à café de sel. 2 pincées de poivre. 1/4 de litre de sauce béchamel. 2 œufs. 1/2 verre de lait.

PETITS POIS AU BEURRE

Temps de cuisson, 30 mn

• Les petits pois frais, lisses, sucrés et non farineux, sont le régal de la fin du printemps et de l'été ; cependant, grâce aux progrès réalisés dans l'art des conserves, on peut aujourd'hui les consommer toute l'année.

• Écosser les pois. Porter l'eau salée à ébullition. Jeter les petits pois dans l'eau bouillante et laisser cuire à feu vif, sans couvrir la casserole ; on compte environ 20 mn de cuisson, mais ce temps peu varier selon la grosseur et la qualité des petits pois. On peut ajouter des feuilles de laitues coupées en lanière.

• Verser les pois bien égouttés dans une casserole, ajouter une pincée de sel fin, le sucre et le beurre frais, agiter vigoureusement la casserole hors du feu pour mélanger les pois et le beurre et servir aussitôt.

2 kg de pois (non écossés). 2 litres d'eau. 1 cuillerée à soupe de sel gris. 2 morceaux de sucre. 650 g de beurre.

Pommes de terre
à l'anglaise,
recette p. 172

Petits pois
à la françai[se]
recette p. [

PETITS POIS AU LARD

• Couper le lard en petits dés, et éplucher les oignons. Mettre le beurre à fondre dans une sauteuse, ajouter les lardons et les oignons et laisser revenir le tout. Saupoudrer de farine, laisser roussir à nouveau quelques minutes en remuant, puis mouiller avec l'eau. Porter le liquide à ébullition, ajouter les pois et laisser cuire 40 mn. Poivrer et saler en tenant compte du degré de salaison du lard.

2 kg de petits pois (non écossés). 125 g de lard de poitrine. 125 g de petits oignons. 1 cuillerée à soupe de farine. 3 verres d'eau. Sel. Poivre

Temps de cuisson, 40 mn

PETITS POIS À LA FRANÇAISE

• Mettre les pois, la farine et le beurre dans la casserole. Mélanger avec une spatule en bois, ajouter les oignons épluchés et la laitue coupées en lanières. Saler, ajouter le sucre, mouiller juste à hauteur avec de l'eau et cuire à feu vif.

2 kg de petits pois (non écossés). 1 cuillerée à soupe de farine. 50 g de beurre. 125 g de petits oignons. 1/2 laitue. 4 morceaux de sucre. 1/2 cuillerée à café de sel.

Temps de cuisson, 20 à 30 mn

POMMES DE TERRE SAUTÉES

• Couper les pommes de terre en lamelles de 5 mm d'épaisseur. Faire fondre 50 g de beurre dans une poêle, à feu modéré. Déposer les pommes de terre dans le beurre fondu ; laisser cuire en faisant sauter les tranches toutes les 4 ou 5 mn et en ajoutant 10 g de beurre à chaque fois. En fin de cuisson, saler et parsemer de persil haché.

1 kg de pommes de terre cuites à l'eau et épluchées. 150 g de beurre. 1 cuillerée à café de sel fin. 2 cuillerées à café de persil haché.

Temps de cuisson, 45 mn

s de terre sautées

POMMES DE TERRE À LA LYONNAISE

Temps
de cuisson,
45 mn

• Éplucher les pommes de terre et les oignons ; couper les premières en lamelles de 5 mm d'épaisseur et émincer les seconds. Faire sauter les pommes de terre comme indiqué dans la recette précédente. Pendant ce temps, faire revenir les oignons au beurre dans une autre poêle. Attendre que les oignons soient bien dorés pour les mélanger avec les pommes de terre. Laisser sauter le tout une dizaine de minutes ; servir parsemé de persil haché.

1 kg de pommes de terre. 125 g de beurre. 1 cuillerée à café de sel fin.
125 g d'oignons. 2 cuillerées à café de persil haché.

POMMES DE TERRE À L'ANGLAISE

• Éplucher et laver les pommes de terre. Les faire cuire à la vapeur dans une cocotte-minute (à défaut, on peut les faire cuire à l'eau froide salée, en comptant 20 mn de cuisson à partir de l'ébullition, sur feu moyen). Mettre le beurre à fondre au bain-marie. Disposer les pommes de terre bien égouttées dans le légumier, arroser de beurre fondu, parsemer de persil haché. Servir sans attendre.

1 kg à 1,200 kg de pommes de terre. 100 g de beurre. 1 cuillerée à café de sel.
2 cuillerées à café de persil haché.

POMMES DE TERRE À LA NORMANDE

Temps
de cuisson,
40 mn

• Éplucher les légumes ; émincer l'oignon et le poireau, couper les pommes de terre en rondelles fines ; détailler le lard en petits dés. Faire blondir l'oignon et le poireau au beurre dans une cocotte, puis ajouter les lardons. Laisser rissoler légèrement le tout avant d'ajouter les pommes de terre, puis le bouillon (ou l'eau) et le lait ; saler et poivrer. Laisser cuire à petits bouillons sur feu moyen jusqu'à ce que le liquide réduise et que la sauce épaississe. Servir tel quel ce plat exquis.

1 kg de pommes de terre. 150 g de lard de poitrine. 1 oignon. 1 blanc de poireau.
1/4 de litre de bouillon. 1/4 de litre de lait. 1/2 cuillerée à café de sel.
2 pincées de poivre.

POMMES DE TERRE FONDANTES

Temps
de cuisson,
20 mn

• Éplucher les pommes de terre, de préférence une variété ferme (belle-de-Fontenay, roseval, etc.). Les déposer dans une casserole d'eau froide salée, porter le liquide à ébullition et laisser blanchir les pommes de terre 5 mn avant de les égoutter. Mettre le beurre à fondre dans une sauteuse, déposer les pommes de terres dans le beurre bien chaud, couvrir la sauteuse et terminer la cuisson à four moyen.

1,500 kg de petites pommes de terre. 175 g de beurre.

CROQUETTES DE POMMES DE TERRE

• Préparer une purée en procédant comme pour les pommes de terre duchesse, mais en y incorporant moitié moins de beurre. Laisser refroidir. Diviser la purée en portions puis façonner de petites boules en les roulant sur la table farinée. Passer les boulettes dans le blanc d'œuf battu mélangé avec l'huile, puis dans la chapelure. Faire frire à la poêle au dernier moment, en comptant 10 mn sur feu très vif pour que les croquettes soient bien saisies.

1,200 kg de pommes de terre. 30 g de beurre. 100 g de farine. 2 blancs d'œufs.
1 cuillerée à soupe d'huile. 50 g de chapelure.

Temps de cuisson, 40 mn

POMMES DE TERRE FARCIES À LA VIENNOISE

• Choisir de belles pommes de terre, grosses et régulières. Les laver sans les éplucher, puis envelopper chaque pomme de terre dans une feuille d'aluminium avant de les faire cuire au four. En fin de cuisson, couper les pommes de terre en deux, prélever la pulpe à l'aide d'une cuillère, en ayant soin de ne pas abîmer les peaux ; passer la pulpe au moulin à légumes. Dans une terrine, mélanger intimement la pulpe, le sel, le poivre, un bon morceau de beurre, la crème, l'œuf entier et le fromage râpé (ou les fines herbes hachées). Répartir la farce dans les peaux évidées, parsemer la surface de chapelure, arroser de beurre fondu et faire gratiner à four chaud ; servir aussitôt.

6 pommes de terre de Hollande. 1 cuillerée à café de sel. 2 pincées de poivre. 1 œuf.
75 g de beurre. 80 g de crème. 40 g de gruyère râpé ou 1 cuillerée à café de fines
herbes. 50 g de chapelure.

Temps de cuisson, 45 mn

POMMES DE TERRE ANNA

• Peler et couper les pommes de terre crues en fines rondelles. Saler et poivrer les tranches ; faire chauffer le beurre dans une poêle ; jeter les pommes de terre dans le beurre très chaud et laisser sauter en les retournant de temps en temps. Attendre qu'elles commencent à dorer pour ajouter le fromage râpé (facultatif) ; mélanger, puis couvrir la sauteuse et laisser cuire sur feu doux 8 à 10 mn, sans remuer, pour que les pommes de terre et le fromage fondent et que le dessous dore. À mi-cuisson, retourner le «gâteau» d'un seul coup, en le faisant sauter comme une crêpe ; pour plus de sûreté, on peut aussi poser un plat rond sur la poêle ; retourner le tout, remettre la poêle sur le feu et faire glisser la galette dans la poêle pour faire cuire l'autre côté.

1 kg de pommes de terre. 1 cuillerée à café de sel. 2 pincées de poivre.
150 g de beurre. 60 g de gruyère râpé.

Temps de cuisson, 1 h

POMMES DE TERRE NOUVELLES AU BEURRE

• Éplucher les pommes de terre. Les déposer dans une casserole d'eau froide salée, porter le liquide à ébullition et laisser blanchir les pommes de terre 5 mn avant de les égoutter. Mettre le beurre à fondre dans une sauteuse, déposer les pommes de terre dans le beurre bien chaud, couvrir la sauteuse et terminer la cuisson à four moyen.

1,500 kg de pommes de terre nouvelles. 175 g de beurre.

POMMES DE TERRE SAVOYARDES

Temps de cuisson, 45 mn

• Éplucher l'oignon et les pommes de terre ; émincer le premier, couper les secondes en tranches fines. Mettre le beurre à fondre dans une poêle, ajouter l'oignon et les pommes de terre et laisser cuire jusqu'à ce que le tout blondisse et devienne tendre. Transvaser le contenu de la poêle dans un plat à gratin, ajouter le gruyère, recouvrir de bouillon. Terminer la cuisson à four très chaud. Servir bien gratiné dans le plat de cuisson.

750 g de pommes de terre. 1/2 litre de bouillon ou d'eau. 1 cuillerée à café de sel.
100 g de beurre. 1 oignon. 100 g de gruyère râpé.

POMMES DE TERRE DUCHESSE

Temps de cuisson, 35 mn

• Peler et laver les pommes de terre avant de les faire cuire à l'eau salée, puis de les passer au presse-purée. Remettre la purée obtenue sur le feu pour la dessécher. Ajouter le beurre et retirer la casserole du feu. Incorporer les jaunes d'œufs, le sel, le poivre, et une pincée de noix muscade râpée. La purée doit alors avoir la consistance d'une pâte assez épaisse. Façonner de petites galettes

Pommes
de terre
duchesse

Pommes
de terre
savoyarde

174

Pommes
de terre
en purée

rondes et les saupoudrer de farine. Faire cuire les galettes à la poêle dans du beurre bien chaud, en les retournant à mi-cuisson ; on peut aussi les faire cuire à four très chaud sur une tôle, après les avoir dorées à l'œuf comme des gâteaux.

1 kg de pommes de terre. 1 litre d'eau. 1 cuillerée à café de sel. 60 g de beurre.
4 jaunes d'œufs. 2 pincée de poivre. Muscade.

POMMES DE TERRE EN PURÉE

• Peler, laver et couper en quatre les pommes de terre, en ayant soin de choisir une variété qui ne se défait pas à la cuisson. Les faire cuire à l'eau salée, jusqu'à ce que la lame d'un couteau y pénètre sans difficulté. Égoutter soigneusement les pommes de terre avant de les écraser à la fourchette ou au presse-purée. Remettre la purée obtenue dans la casserole pour la dessécher quelques minutes sur le feu. Ajouter le beurre, remuer puis incorporer le lait bouillant, par petites quantités, en remuant vigoureusement à l'aide d'une spatule, jusqu'à ce que la purée devienne blanche, légère et onctueuse. Rectifier l'assaisonnement en sel, ajouter un morceau de beurre et porter à table.

Temps
de cuisson,
30 mn

1,200 kg de pommes de terre. 1 litre d'eau. 1 cuillerée à café de sel. 50 g de beurre.
1/4 de litre de lait.

POMMES DE TERRE AU LARD

Temps de cuisson, 40 mn

• Découper le lard en petits dés, éplucher les oignons et les pommes de terre. Couper les oignons en quatre, et les pommes de terre en morceaux si elles sont grosses. Mettre les lardons et les oignons à rissoler dans une cocotte, saupoudrer de farine ; laisser celle-ci roussir avant d'ajouter l'eau et la purée de tomates, puis laisser mijoter une quinzaine de minutes. Ajouter les pommes de terre, le sel, le poivre et le bouquet garni. Terminer la cuisson à feu assez vif, environ 20 mn. Dégraisser la sauce, ôter le bouquet garni avant de servir. Ce plat constitue en somme un ragoût sans viande !

750 g de pommes de terre. 125 g de lard maigre. 100 g d'oignons. 40 g de farine. 1 litre d'eau. 1 cuillerée à soupe de purée de tomates. 1 cuillerée à café de sel. 2 pincées de poivre. 1 bouquet garni.

POMMES DE TERRE PERSILLÉES

Temps de cuisson, 45 mn

• Peler et tailler les pommes de terre pour leur donner la forme et la grosseur de pommes de terre nouvelles. Déposer celles-ci dans un plat à rôtir, mouiller avec le bouillon (ou l'eau), saler, poivrer, ajouter le persil haché et le beurre. Porter le tout à ébullition sur le feu, puis couvrir le plat d'un papier enduit de beurre et enfourner à four chaud. En fin de cuisson, les pommes de terre doivent avoir absorbé environ la moitié du bouillon ; servir avec le jus de cuisson et parsemer la surface de persil frais.

750 g de pommes de terre. 1/2 litre d'eau ou de bouillon. 1 cuillerée à café de sel. 125 g de beurre. 2 pincées de poivre. 3 cuillerées à café de persil haché.

SOUFFLÉ DE POMMES DE TERRE

Temps de cuisson, 20 mn

• Séparer le blanc des jaunes d'œufs et monter les blancs en neige. Faire chauffer le reste de purée. Retirer la casserole du feu, incorporer les jaunes d'œufs, puis les blancs, en remuant délicatement avec une cuillère en bois ; ajouter le gruyère râpé. Verser la préparation dans un plat à soufflé beurré. Cuire à four doux, et servir sans attendre.

Un reste de purée de pommes de terre (500 g environ). 2 œufs. 25 g de beurre. 60 g de gruyère râpé.

POMMES DE TERRE À LA CRÈME

Temps de cuisson, 45 mn

• Éplucher et émincer les pommes de terre après les avoir fait cuire à l'eau avec leur peau (ou «en robe de chambre»). Mettre le beurre à fondre dans une casserole, ajouter les lamelles de pommes de terre, le sel et le poivre, couvrir tout juste de lait bouillant et porter le tout à ébullition. Laisser cuire à feu vif jusqu'à ce que le lait, ayant pénétré dans les pommes de terre, ait réduit de moitié. Lier la sauce en y incorporant un morceau de beurre pétri avec un peu de farine (très peu) ; redonner quelques bouillons et servir.

1 kg de pommes de terre. 100 g de beurre. 1/2 cuillerée à café de sel.
2 pincées de poivre moulu. 1/2 litre de lait. 1/2 cuillerée à soupe de farine.

POMMES DE TERRE PONT-NEUF

• Choisir une variété de pommes de terre à chair ferme (hollande ou rosa). Éplucher et couper les pommes de terre dans le sens de la longueur, en tranches de 1,5 cm d'épaisseur ; détailler chaque tranche en bâtonnets avant de les laver et de les éponger. Faire chauffer le bain de friture et déposer les pommes de terre dans le panier métallique. Plonger le panier dans la friture bien chaude, mais non brûlante. Laisser cuire jusqu'à ce que les frites blondissent et ramollissent. Égoutter et réserver. Procéder en deux fournées. Dix minutes avant de servir, faire chauffer à nouveau le bain de friture. Verser les frites en une seule fois dans l'huile brûlante, laisser cuire 5 mn jusqu'à ce qu'elles deviennent croustillantes et dorées. Égoutter, verser les pommes Pont-Neuf dans le plat de service, saler et servir bien chaud.

Temps de cuisson, 10 mn

1 kg de pommes de terre. Bain de friture d'huile ou de saindoux.
1 cuillerée à café de sel fin.

POMMES DE TERRE PAILLE

• Tailler les pommes de terre en bâtonnets très fins. Plonger les bâtonnets dans la friture brûlante, en les faisant cuire en deux fois, comme les pommes Pont-Neuf, pour qu'elles soient bien croquantes et sèches.

Temps de cuisson, 5 à 7 mn

SALADES

• Il existe de nombreuses variétés de salades, vertes ou rouges : laitue, romaine, feuille de chêne, cresson, mâche, chicorée frisée, trévise, batavia, pissenlit, etc., auxquelles on peut adjoindre les endives et le céleri en branches. Rafraîchissantes, les salades sont aussi riches en vitamines et en cellulose, et jouent un rôle important dans l'alimentation. Il importe de savoir les éplucher, les nettoyer et les assaisonner correctement pour bénéficier au mieux de leurs propriétés gustatives et nutritives.

• La salade doit être consommée très fraîche et ne devrait pas être conservée plus de 24 h au réfrigérateur après l'achat. Les feuilles doivent être bien vertes, luisantes et plus ou moins craquantes selon la nature de la salade choisie. Couper le trognon, supprimer les feuilles jaunies, flétries ou abîmées. Laver les feuilles à grande eau, en la renouvelant plusieurs fois si nécessaire. Essorer soi-

gneusement la salade, puis enlever les côtes dures et couper les grandes feuilles en morceaux.

• Selon un vieil adage : «Pour assaisonner une salade, il faut quatre personnes : un prodigue pour mettre l'huile, un avare pour le vinaigre, un sage pour le sel et le poivre, et un fou pour opérer le mélange», mais une seule et même personne doit pouvoir adopter successivement les qualités et les défauts requis pour confectionner la traditionnelle vinaigrette…

• Commencer par mettre le sel et le poivre dans le fond du saladier, ajouter la moutarde, puis verser le vinaigre et mélanger pour émulsionner le tout ; ajouter l'huile en dernier. Les salades tendres – par exemple le cresson, la mâche, la laitue – doivent être mélangées avec l'assaisonnement au dernier moment, sous peine de «confire» ; en revanche, les salades croquantes – comme la chicorée frisée et le pissenlit – gagnent à être mélangées à l'avance.

• On renouvellera le plaisir en employant tour à tour de l'huile d'olive, d'arachide, de noix ou de maïs ; du vinaigre de cidre, de vin ou de xérès, ou encore un vinaigre aromatisé à l'estragon ou à l'échalote. On enrichira l'assaisonnement avec de l'oignon, de l'échalote ou des fines herbes (ciboulette, coriandre fraîche, estragon, basilic, cerfeuil, persil, etc.). On obtiendra de délicieuses salades composées en ajoutant des œufs durs ou des champignons coupés en lamelles, des lardons grillés (avec la frisée et le pissenlit), des dés de betterave, de jambon ou de gruyère, des noix, etc.

1/2 cuillerée à café de sel fin. Une pincée de poivre. 1 cuillerée à café de moutarde.
1 cuillerée à soupe à peine de vinaigre. 3 cuillerées à soupe d'huile.

SALSIFIS

Temps de cuisson, 40 mn

• La préparation et la cuisson de ce légume tendent à le faire négliger par beaucoup de cuisinières qui manquent du temps nécessaire ou qui rechignent à se salir les doigts. En effet, autrefois il fallait gratter les salsifis, opération longue qui colorait les mains de façon très tenace. Un couteau dit «économe» facilite le travail et réduit ce dernier inconvénient.

• Couper les salsifis épluchés en tronçons de 10 cm de long ; les mettre au fur et à mesure dans une bassine d'eau additionnée de vinaigre pour qu'ils restent bien blancs (conserver les fanes vertes, exquises en salade). Délayer la farine dans un peu d'eau froide à l'aide d'un fouet. Faire chauffer 2 litres d'eau, ajouter la farine délayée quand elle commence à frissonner et remuer jusqu'à l'ébullition, puis saler et ajouter le vinaigre. Laisser cuire à petits bouillons 35 à 40 mn, sans couvrir complètement la casserole. Lorsqu'on fait cuire les salsifis à l'avance, il faut les laisser dans leur eau de cuisson pour les empêcher de noircir.

1 kg de salsifis. 4 litres d'eau. 2 cuillerées à soupe de farine.
1 cuillerée à soupe de sel. 1/2 verre de vinaigre.

SALSIFIS SAUTÉS

Temps de cuisson, 15 mn

• Faire cuire les salsifis comme indiqué dans la recette précédente, en arrêtant la cuisson dès que la lame d'un couteau y pénètre facilement ; égoutter et rafraîchir les salsifis à l'eau froide. Mettre le beurre à fondre dans une poêle, puis faire dorer les salsifis en les remuant fréquemment. Rectifier l'assaisonnement, verser les salsifis dans le légumier et parsemer la surface de persil haché.

1 kg de salsifis. 90 g de beurre. Sel. Poivre. 3 cuillerées à café de persil haché.

SALSIFIS AU VELOUTÉ

Temps de cuisson, 15 mn

• Faire cuire les salsifis comme indiqué dans la recette de base. Préparer la sauce veloutée (voir page 50) avec du bouillon ordinaire, mais sans y incorporer de jaunes d'œufs. Verser les salsifis dans la sauce et laisser mijoter quelques minutes. Saler, poivrer, ajouter le jus de citron et le persil haché avant de servir.

1 kg de salsifis. 1/3 de litre de sauce veloutée. 1 cuillerée à café de sel.
2 pincées de poivre. 1 jus de citron. 3 cuillerées à café de persil haché.

SALSIFIS FRITS

Temps de cuisson, 5 mn par fournée

• Préparer une pâte à frire un peu épaisse avec 125 g de farine (voir page 218) et faire cuire les salsifis comme indiqué dans la recette de base. Déposer les salsifis bien égouttés dans une terrine avec le sel, le poivre, le persil haché et le jus de citron ; laisser macérer 30 mn. Tremper les salsifis un par un dans la pâte à frire avant de les plonger au fur et à mesure dans un bain de friture d'huile brûlant. Laisser les beignets dorer avant de les égoutter. Servir les beignets bien croustillants et très chauds.

1 kg de salsifis. Pâte à frire. 1 cuillerée à café de sel. 2 pincées de poivre. 1 jus de citron. 3 cuillerées à café de persil haché.

TOMATES SAUTÉES

Temps de cuisson, 15 mn

• Choisir de belles tomates, à la fois mûres et fermes. Couper les tomates en deux dans le sens de la largeur et enlever les pépins. Disposer les tomates dans un plat à gratin, saupoudrer de sel, arroser d'huile et de persil haché. Cuire à four chaud jusqu'à ce que les tomates soient bien grillées (on peut aussi les faire sauter à la poêle dans l'huile bien chaude).

6 tomates. 3 cuillerées à soupe d'huile. 2 cuillerées à soupe de persil haché. 1 cuillerée à café de sel fin.

TOMATES FARCIES

Temps de cuisson, 20 mn

• Couper les tomates en deux dans le sens de la largeur, saupoudrer la cavité de sel et laisser dégorger les tomates retournées pendant 30 mn. Mélanger le reste de viande, préalablement haché, avec la chair à saucisses et le persil haché. Saler et poivrer, puis répartir la farce dans les tomates. Parsemer la surace de chapelure, arroser d'un filet d'huile, enfourner à four bien chaud. Servir tel quel ou avec un coulis de tomates.

6 grosses tomates. 100 g de restes de viande blanche. 100 g de chair à saucisses. 1 cuillerée à café de sel. 2 pincées de poivre. 2 cuillerées à café de persil haché. 2 cuillerées à soupe de chapelure. 2 cuillerées à soupe d'huile.

Petits conseils du chef

PELER LES TOMATES

Cette opération apparemment délicate est en fait fort simple : il suffit de plonger les tomates dans de l'eau bouillante pendant quinze secondes, puis de les tremper aussitôt dans l'eau froide pour empêcher la chair de ramollir. La peau s'enlève alors très facilement. Attention : une immersion prolongée dans l'eau bouillante rendrait les tomates molles et insipides.

TOPINAMBOURS

- Ce légume peu utilisé de nos jours, que l'on appelle aussi artichaut de Jérusalem, peut être accommodé de différentes façons : en salade après une demi-cuisson à l'eau, sauté à la poêle ou en purée. Mais c'est probablement sous forme de beignet qu'il est le meilleur.
- Peler et couper les topinambours en tranches un peu épaisses. Saupoudrer les rondelles de sel fin et laisser dégorger 5 à 10 mn. Passer les topinambours dans la farine, puis dans l'œuf entier battu avant de les plonger dans le bain de friture d'huile bien chaud. Servir les beignets bien chauds et croustillants.

1 kg de topinambours. 75 g de farine. 1 cuillerée à café de sel. 1 œuf.
Bain de friture d'huile.

Temps de cuisson, 10 mn

CHAMPIGNONS DE PARIS

- Les champignons de Paris, parfois appelés «champignons de couche», peuvent être consommés crus, en salade, ou poêlés. Ils entrent aussi dans la composition de nombre de sauces et ragoûts ; on les fait cuire directement dans la sauce ou à part, selon la recette ; voilà comment il faut procéder dans le second cas.
- Couper la partie terreuse du pied, puis laver les champignons sans les laisser séjourner dans l'eau. Mettre l'eau (un verre pour une livre de champignons), le beurre, le jus de citron et le sel gris à chauffer. Plonger les champignons dans le mélange bouillant, couvrir la casserole et compter 3 mn de cuisson.

500 g de champignons. 1 verre d'eau. 20 g de beurre. 1 jus de citron.
1 pincée de sel gris.

Temps de cuisson, 3 mn

CHANTERELLES OU GIROLLES

- Nettoyer soigneusement les champignons. Mettre le beurre à fondre dans une poêle. Verser les champignons dans le beurre bien chaud, baisser le feu et laisser cuire à feu moyen une dizaine de minutes pour leur faire rendre leur eau. Égoutter, puis remettre les champignons dans la poêle et laisser sauter à feu vif 5 mn, saler, poivrer, baisser le feu et terminer la cuisson à couvert. Saupoudrer de persil haché avant de servir. La même préparation sert à confectionner de délicieuses omelettes : on peut alors diminuer la quantité de champignons.

750 g de chanterelles ou de girolles. 150 g de beurre. 1/2 cuillerée à café de sel.
1 pincée de poivre. 2 cuillerées à soupe de persil haché.

Temps de cuisson, 30 mn

MORILLES

- Nettoyer soigneusement les morilles ou les faire tremper 3 ou 4 h dans l'eau tiède citronnée s'il s'agit de morilles séchées. Mettre le beurre à fondre dans une

Temps de cuisson, 25 mn

Morilles,
recette p.

poêle. Déposer les morilles dans le beurre bien chaud, saler, poivrer, ajouter l'échalote hachée et laisser cuire à feu assez vif, sans couvrir. Verser la crème fraîche dans la poêle 2 à 3 mn avant la fin de la cuisson. Parsemer de persil haché et servir. La morille accompagne très bien le veau, la volaille et le gibier.

À droite :
girolles,
recette p

750 g de morilles. 150 g de beurre. 1/2 cuillerée à café de sel. 1 pincée de poivre.
1 échalote. 80 g de crème fraîche. 2 cuillerées à soupe de persil haché.

CÈPES À LA BORDELAISE

Temps
de cuisson,
15 mn

• Nettoyer soigneusement les cèpes. Couper les têtes en escalopes, hacher les pieds. Mettre un volume égal de beurre et d'huile à chauffer dans une poêle. Jeter les chapeaux dans le mélange brûlant et faire sauter 6 à 8 mn à feu modéré. Ajouter les échalotes hachées, le sel et le poivre ; attendre 1 à 2 mn, puis saupoudrer de persil. Sortir les cèpes à l'aide d'une écumoire, les déposer dans le légumier et tenir au chaud. Jeter le hachis de queues de cèpes et l'échalote hachée dans le reste de beurre, laisser rissoler à feu vif puis verser le tout sur les cèpes. On procède de la même manière avec les cèpes en conserve ; les cèpes séchés doivent d'abord gonfler dans l'eau tiède.

6 cèpes. 60 g de beurre. 2 cuillerées à soupe d'huile. 1 cuillerée à café d'échalotes.
1/2 cuillerée à café de sel. 2 pincées de poivre. 2 cuillerées à café de persil haché.

CÈPES À LA PROVENÇALE

• Procéder comme dans la recette précédente, en faisant revenir les champignons à l'huile, et en remplaçant l'échalote par de l'ail. Servir sans attendre.

LES PÂTES ALIMENTAIRES - LE RIZ

PÂTES SAUTÉES AU BEURRE

• Toutes les pâtes se font cuire selon le même principe et peuvent être accommodées de cette manière. Jeter les pâtes dans un grand volume d'eau bouillante salée, ne pas couvrir la casserole et laisser cuire jusqu'à ce qu'elles soient tendres mais fermes. Égoutter soigneusement avant de faire sauter les pâtes à la poêle quelques minutes dans du beurre frais, puis ajouter le fromage râpé.

400 g de macaroni. 75 g de beurre. 100 g de gruyère râpé.

PÂTES FRAÎCHES

Temps de cuisson, 10 mn

• Moins longues à cuire que les pâtes sèches que l'on trouve dans le commerce, les pâtes fraîches sont infiniment meilleures. Elles doivent être consommées le jour même ou le lendemain au plus tard.

• Mélanger la farine et le sel sur le plan de travail ou dans une terrine. Ménager un puits au centre. Déposer les œufs entiers et le jaune d'œuf dans le creux et ajouter l'eau tiède. Pétrir le tout à la main énergiquement jusqu'à obtention d'une pâte lisse et ferme. Fariner le plan de travail, puis étendre la pâte au rouleau en une ou deux abaisses aussi minces que possible. Laisser reposer 20 mn.

• Fariner la pâte assez copieusement avant de la replier plusieurs fois sur elle-même, puis découper des bandelettes à l'aide d'un couteau fin bien aiguisé. La largeur des bandes de pâtes détermine leur type : très fines (2 mm), ce sont des spaghetti, un peu plus large (4 mm), ce sont des nouilles, encore un peu plus (6 mm) et ce sont des tagliatelle. Secouer délicatement les bandelettes en les soulevant avec les deux mains pour les dérouler et faire tomber l'excédent de farine. Étaler les pâtes sur le plan de travail fariné ; laisser sécher 2 à 3 h.

• Vingt minutes avant de passer à table, porter un grand volume d'eau salée à ébullition. Jeter les pâtes dans l'eau bouillante et laisser cuire 8 à 10 mn. Les pâtes fraîches peuvent être accommodées de la même manière que les pâtes sèches. En outre, la même préparation permet de fabriquer des lasagne et des ravioli : seule la forme est différente.

500 g de farine. 1 cuillerée à café de sel fin. 4 œufs entiers et 1 jaune.
4 cuillerées à soupe d'eau tiède.

MACARONI À L'ITALIENNE

Temps de cuisson, 20 mn

• Jeter les macaroni dans l'eau bouillante salée, et laisser cuire sans couvrir la casserole, jusqu'à ce qu'ils soient tendres mais encore fermes. Verser la sauce béchamel bien crémeuse sur les macaroni égouttés et refaire chauffer le tout quelques minutes. Saler et poivrer copieusement, ajouter le gruyère râpé ou le parmesan au dernier moment. Servir rapidement car les pâtes refroidissent vite.

400 g de macaroni. 3 litres d'eau. 1/2 cuillerée à soupe de sel. 1/4 de litre de sauce béchamel. 2 pincées de poivre. 100 g de gruyère râpé ou 60 g de parmesan.

MACARONI AU GRATIN

• Faire cuire les macaroni à l'eau bouillante salée, en veillant à ce qu'ils restent fermes. Verser les pâtes bien égouttées dans un plat à gratin beurré, parsemer la surface de fromage râpé, de chapelure et de noisettes de beurre et faire gratiner à four chaud.

Temps de cuisson, 30 mn

MACARONI À LA NAPOLITAINE

• Faire cuire les macaroni à l'eau bouillante salée. Pendant ce temps, peler, épépiner et couper les tomates en quartiers. Égoutter les macaroni et les remettre dans la casserole. Ajouter la sauce tomate et les tomates fraîches, laisser mijoter un bon quart d'heure ; ajouter le fromage râpé au dernier moment.

Temps de cuisson, 30 mn

*400 g de macaroni. 1/4 de litre de sauce tomate. 2 tomates fraîches.
125 g de gruyère râpé.*

MACARONI MILANAIS EN TIMBALE

• Faire cuire les macaroni à l'eau bouillante salée. Pendant la cuisson des pâtes, peler, épépiner et couper les tomates en quartiers, nettoyer et émincer les champignons, et couper le jambon en petits dés. Égoutter les macaroni et les remettre dans la casserole. Ajouter la sauce tomate, le madère et les tomates fraîches, laisser mijoter 10 mn. Mettre le beurre à fondre dans une poêle pour y faire revenir le jambon et les champignons. Mélanger les pâtes, le jambon et les champignons, verser la préparation dans une timbale beurrée, parsemer la surface de fromage râpé et faire gratiner à four chaud.

Temps de cuisson, 40 mn

*400 g de macaroni. 1/4 de litre de sauce tomate. 2 tomates fraîches.
1 verre à liqueur de madère. 100 g de beurre. 100 g de jambon.
60 g de champignons. 100 g de gruyère râpé.*

RAVIOLI AUX ÉPINARDS

• Préparer la pâte comme indiqué dans la recette des pâtes fraîches, former une boule puis laisser reposer celle-ci 20 mn sous un torchon propre.
• Pendant le temps de repos de la pâte, éplucher et laver soigneusement les épinards avant de les faire cuire 10 mn à l'eau salée bouillante ; égoutter, rafraî-

Temps de cuisson, 15 mn

chir puis essorer et hacher les épinards. Incorporer un jaune d'œuf dur écrasé, un jaune cru et 50 g de fromage râpé à la purée obtenue, saler et poivrer. Cette farce est délicieuse telle quelle, mais on peut aussi l'enrichir d'un reste de viande (poulet, veau, bœuf ou jambon) haché menu.

- Séparer la pâte en deux parties égales et étendre chaque morceau en une grande abaisse carrée de 2 à 3 mm d'épaisseur. Humecter une des abaisses, puis répartir de petits tas de farce à l'aide d'une cuillère à café, en les alignant correctement tous les 5 cm environ. Recouvrir avec la seconde abaisse, appuyer autour des petits tas pour faire adhérer les deux épaisseurs de pâte. Découper les ravioli à l'aide d'une roulette dentée à pâtisserie. Laisser reposer 2 h.

- Jeter les ravioli dans un grand volume d'eau bouillante salée ; laisser cuire 7 à 8 mn, puis retirer les ravioli à l'aide d'une écumoire. Déposer les ravioli dans un plat à gratin, arroser de sauce tomate ou de bon jus de viande, parsemer la surface de fromage râpé et faire gratiner quelques minutes au four avant de servir. On peut aussi les consommer tels quels, simplement arrosés de beurre fondu et parsemés de parmesan.

300 g de pâte fraîche. 500 g d'épinards. 2 œufs. 100 g de gruyère râpé.
1/2 cuillerée à café de sel fin. 2 pincées de poivre.

GNOCCHI À LA PARISIENNE OU AU GRATIN

● Très différents des gnocchi à l'italienne, les gnocchi à la parisienne sont tout aussi succulents.

● Préparer une pâte à choux (voir page 220), en respectant les proportions indiquées mais en supprimant le sucre. Ajouter une pincée de poivre, une pincée de noix muscade râpée et la moitié du fromage râpé. Mélanger la pâte, puis porter à ébullition une grande quantité d'eau salée. À l'aide d'une cuillère à café, façonner de petites boulettes de pâte ; jeter celles-ci dans l'eau bouillante et laisser cuire 7 à 8 mn à petits bouillons, sans couvrir la casserole. Retirer les gnocchi au fur et à mesure à l'aide d'une écumoire. Répéter l'opération jusqu'à épuisement de la pâte.

● Remettre les gnocchi dans la casserole, ajouter la sauce béchamel (voir page 52) et laisser mijoter 10 mn sur feu très doux. Retirer la casserole du feu, puis incorporer le reste de gruyère râpé, en remuant délicatement pour ne pas écraser la pâte. Verser le tout dans un grand plat à gratin, parsemer la surface de fromage râpé et faire gratiner un bon quart d'heure à four doux ; servir aussitôt pour que les gnocchi, bien soufflés, ne retombent pas. On peut préparer le plat à l'avance, mais on ne le fait gratiner qu'au dernier moment.

Pâte à choux non sucrée. 1 pincée de poivre. 1 pincée de noix muscade râpée. 120 g de gruyère râpé. 1/2 litre de sauce béchamel.

Temps de cuisson, 35 mn

187

GNOCCHI À LA ROMAINE

Temps de cuisson, 20 mn

• Mettre le lait, le sel et la moitié du beurre dans une casserole et porter le tout à ébullition. Verser la semoule en pluie dans le lait bouillant, en remuant constamment à l'aide d'une spatule en bois. Laisser cuire 8 mn jusqu'à obtention d'une préparation épaisse. Retirer la casserole du feu, puis incorporer les œufs, le gruyère râpé, le poivre et la muscade en remuant vigoureusement. Verser la pâte sur une tôle beurrée et farinée en couche de 2 cm d'épaisseur, et laisser refroidir.

• Découper la pâte en carrés réguliers. Déposer une couche de gnocchi dans le fond d'un grand plat à gratin beurré, arroser de beurre fondu et saupoudrer de gruyère râpé. Répéter l'opération jusqu'à épuisement des ingrédients. Parsemer la surface de fromage et de chapelure, arroser de beurre fondu et faire gratiner 10 mn à four très chaud.

1/2 litre de lait. 125 g de semoule. 1/2 cuillerée à café de sel. 1 pincée de poivre.
1 pincée de noix muscade râpée. 100 g de gruyère râpé. 2 œufs.
2 cuillerées à soupe de chapelure. 50 g de beurre.

RIZ

Temps de cuisson, 15 mn

• Riz blanc, à grains ronds ou à grains longs, riz complet, riz basmati… Base de l'alimentation de plusieurs centaines de millions d'Orientaux, le riz est un aliment nourrissant, économique et sain, dont on ne saurait assez encourager la consommation, sous toutes ses formes. La grande erreur consiste à croire qu'il faut le faire cuire longtemps, ce qui a pour résultat de rendre les grains collants et de dégoûter irrémédiablement ceux qui ne l'ont consommé que sous cette forme. Divers modes de cuisson permettent d'éviter ce gâchis et d'apprécier la saveur fine du riz.

RIZ À LA VIETNAMIENNE

Temps de cuisson, 20 mn

• Laver le riz abondamment à l'eau froide, en le frottant entre les mains jusqu'à ce que l'eau devienne limpide. Mettre le riz dans une casserole, ajouter l'eau, couvrir la casserole et porter à ébullition. Baisser le feu dès le début de l'ébullition et laisser cuire 10 à 15 mn, à feu très doux, sans ôter le couvercle, jusqu'à absorption complète du liquide. Éteindre le feu et laisser reposer 5 mn, dans la casserole couverte, avant de servir. Le riz est alors bien gonflé et sec, les grains bien séparés.

350 g de riz à grains longs. 1 fois le volume du riz d'eau. 1/2 cuillerée à café de sel.

RIZ À LA CRÉOLE

- Laver le riz à l'eau froide. Porter un grand volume d'eau salée à ébullition. Jeter le riz dans l'eau bien bouillante. Laisser cuire sur feu assez vif, sans couvrir la casserole, 16 à 17 mn. Verser le riz dans une passoire fine et le rincer longuement à l'eau froide. Égoutter le riz aussi soigneusement que possible avant de le disposer en couche mince sur un grand plat. Saupoudrer de sel fin, disposer quelques noisettes de beurre de place en place et enfourner à four très doux : le riz ne doit plus cuire, il s'agit seulement de permettre l'évaporation complète de l'eau ; il faut compter 25 à 30 mn pour obtenir des grains secs et se détachant bien les uns des autres.
- Ce riz est le complément obligatoire de tous les plats dits «à la créole» ou «à l'italienne».

350 g de riz à grains longs. 3 litres d'eau. 1 cuillerée à café de sel. 50 g de beurre.

Temps de cuisson, 45 mn

RIZ PILAF

- Laver le riz à l'eau froide. Faire fondre 30 g de beurre dans une sauteuse ; ajouter le riz et laisser revenir en remuant, jusqu'à ce que les grains deviennent d'abord transparents, puis troubles et blancs. Ajouter le bouillon (ou, à défaut, de l'eau), l'oignon piqué d'un clou de girofle, le sel et le poivre, puis couvrir la sauteuse. Laisser cuire doucement, 17 ou 18 mn. En fin de cuisson, le riz doit être sec, mais gonflé et moelleux. Retirer la casserole du feu, incorporer le reste de beurre en remuant délicatement.
- Le riz pilaf accompagne de nombreux plats de viande, les poissons, les œufs, etc.

350 g de riz. 2 fois le volume du riz de bouillon. 1 oignon. 1 clou de girofle.
1/2 cuillerée à café de sel. 3 pincées de poivre. 80 g de beurre.

Temps de cuisson, 25 mn

RISOTTO

- Éplucher et émincer les oignons. Laver le riz à l'eau froide. Faire fondre le beurre dans une sauteuse ; ajouter le riz et laisser revenir en remuant, jusqu'à ce que les grains deviennent d'abord transparents, puis troubles et blancs. Ajouter le bouillon ; saler et poivrer (on peut aussi ajouter un peu de sauce tomate). Couvrir et laisser cuire 16 à 18 mn. Retirer la sauteuse du feu avant d'incorporer, en remuant délicatement, le gruyère ou le parmesan râpé.
- Ce délicieux plat italien constitue un plat à part entière ou se sert en garniture d'un plat de viande.

350 g de riz. 60 g de beurre. 100 g d'oignons. 2 fois 1/2 le volume du riz de bouillon.
1/2 cuillerée à café de sel. 3 pincées de poivre. 125 g de gruyère ou 70 g de parmesan.

Temps de cuisson, 25 mn

LES ENTREMETS

LES ENTREMETS FROIDS

Nous abordons ici un chapitre particulièrement sympathique de la cuisine. Si le repas a été apprécié, un bon entremets le couronnera dignement ; s'il a été médiocre, faites en sorte de l'améliorer et de le faire excuser par une bonne gourmandise, une sucrerie qui plaira à tous, grands et petits. C'est d'ailleurs un champ des plus étendus, à remettre en valeur.

Les quelque vingt recettes d'entremets qui suivent, simples et exquises, peuvent être réalisées dans tous les foyers avec un matériel réduit (cependant un minimum est indispensable). Un peu d'expérience et d'imagination permettront à chaque maîtresse de maison de les adapter et de compléter ce chapitre à sa manière.

CRÈME RENVERSÉE AU CARAMEL

Temps de cuisson, 35 à 40 mn

- La crème renversée se prépare de la même manière, qu'elle soit parfumée à la vanille, au café, au chocolat, à l'orange, etc. : le principe est identique. Cependant la crème renversée au chocolat exige un œuf supplémentaire à cause du corps gras contenu dans le chocolat, qui rend la crème plus fragile.
- Mettre le lait et la vanille dans une casserole et porter le tout à ébullition ; battre les œufs entiers et 80 g de sucre semoule, à l'aide d'un fouet, jusqu'à obtention d'un mélange mousseux. Verser le lait bouillant sur les œufs, en continuant à remuer avec le fouet ; laisser reposer dans la terrine.
- Pendant ce temps, mettre le reste de sucre dans une casserole, de préférence en cuivre brut, sans ajouter d'eau. Mettre la casserole sur le feu. Remuer à l'aide d'une spatule pendant que le sucre commence à fondre, laisser le sucre blondir, puis virer progressivement au brun. Retirer la casserole du feu dès qu'il a atteint cette belle couleur ambrée de caramel, verser aussitôt le caramel dans le moule (à charlotte ou à timbale), en tenant celui-ci avec un torchon. Pencher le moule en tous sens pour répartir une mince couche de caramel sur toutes les parois.
- Écumer la mousse remontée à la surface du mélange œufs-lait, puis passer la crème à la passoire fine au-dessus du moule caramélisé ; poser le moule dans un bain-marie d'eau très chaude mais non bouillante, enfourner le tout à four moyen, en veillant à maintenir l'eau du bain-marie frémissante pendant toute la cuisson (25 à 30 mn).
- Vérifier le degré de cuisson en enfonçant la lame d'un couteau au centre de la crème : elle doit en ressortir sèche. Laisser refroidir avant de démouler.

1/2 litre de lait. 3 œufs. 155 g de sucre semoule. 1 gousse de vanille.

CRÈME PÂTISSIÈRE

• Mélanger les jaunes d'œufs et le sucre vanillé à l'aide d'un fouet, jusqu'à obtention d'un mélange mousseux et blanc. Ajouter la farine et, éventuellement le parfum choisi (vanille, café, chocolat, liqueur). Verser le lait bouillant sur le mélange œufs-farine, par petites quantités, en remuant constamment au fouet pour ne pas coaguler les œufs. Verser la préparation dans une casserole et poser celle-ci sur feu doux. Continuer à remuer sans arrêt jusqu'au premier bouillon, puis retirer la casserole du feu ; la crème doit être assez épaisse. Verser la crème dans une terrine et laisser refroidir.

• Cette crème constitue un entremets délicieux, accompagnée de biscuits à la cuillère ; elle sert aussi à garnir certains gâteaux.

3 jaunes d'œufs. 1/3 de litre de lait. 125 g de sucre. 50 g de farine.

Temps de cuisson, 10 mn

CRÈME ANGLAISE

• La crème anglaise, assez liquide tout en étant crémeuse peut être dégustée chaude ou froide. Elle accompagne de nombreux entremets. On peut l'aromatiser au café, au chocolat, au rhum, à l'orange, etc.

• Déposer les jaunes d'œufs, le sucre semoule et la vanille dans une casserole. Travailler le mélange à l'aide d'une spatule jusqu'à ce qu'il blanchisse, puis ajouter le lait et la gousse de vanille. Poser la casserole sur le feu ; laisser chauffer en remuant constamment et doucement avec la spatule jusqu'à ce que la crème épaississe ; attention : il ne faut pas laisser bouillir la crème, car elle tournerait. Retirer la casserole du feu et passer la crème à la passoire fine ou au chinois. Si l'on veut une crème plus épaisse, on peut y incorporer, avant d'ajouter le lait, une demi-cuillerée à café de fécule de pomme de terre (ce qui permet aussi de mettre un jaune d'œuf de moins).

75 g de sucre semoule. 4 œufs. 1/2 litre de lait. 1 gousse de vanille.

Temps de cuisson, 10 mn

ŒUFS À LA NEIGE

• Séparer les blancs des jaunes d'œufs. Déposer les jaunes, le sucre semoule et la vanille dans une casserole. Travailler le mélange à l'aide d'une spatule jusqu'à ce qu'il blanchisse, puis ajouter le lait et la gousse de vanille. Poser la casserole sur le feu ; laisser chauffer en remuant constamment avec la spatule jusqu'à ce que la crème épaississe, sans la laisser bouillir. Retirer la casserole du feu, passer la crème anglaise au chinois au-dessus d'un compotier.

• Battre les blancs en neige bien ferme et y mélanger le sucre vanillé. Porter de l'eau à ébullition dans une casserole assez large et peu profonde. Faire tomber

Temps de cuisson, 10 mn

Œufs
à la neige
recette p

de petites quantités de blancs dans l'eau frémissante à l'aide d'une cuillère à soupe ; laisser cuire 1 à 2 mn de chaque côté, puis sortir les œufs à l'aide d'une écumoire. Laisser refroidir avant de les déposer sur la crème anglaise.

• On peut aussi faire cuire les blancs dans le lait qui sert ensuite à préparer la crème anglaise, mais ils sont plus beaux et plus légers cuits à l'eau.

3 œufs. 80 g de sucre vanillé. 1/2 litre de lait. 80 g de sucre semoule.
1 gousse de vanille.

ÎLE FLOTTANTE

Temps
de cuisson,
35 mn

• Séparer les blancs des jaunes d'œufs. Préparer la crème anglaise avec les jaunes et le lait (voir page précédente) ; verser celle-ci dans un plat creux. Battre les blancs d'œufs en neige, ajouter 100 g de sucre et les pralines grossiè-rement écrasées et mélanger délicatement. Préparer un caramel avec le reste de sucre, dans un poêlon de cuivre de préférence ; ajouter un peu d'eau dans le caramel de façon à obtenir un sirop très épais, puis verser celui-ci dans un moule à timbale ; remuer le moule en tous sens pour répartir le sirop sur les parois du moule, puis ajouter les blancs.

• Poser le moule dans un bain-marie d'eau très chaude mais non bouillante, enfourner le tout à four modéré, en veillant à maintenir l'eau du bain-marie fré-missante pendant toute la cuisson. Laisser refroidir avant de démouler l'île flot-tante sur la crème anglaise.

3 œufs. 160 g de sucre semoule. 8 pralines. 1/3 de litre de lait.

CRÈME CHANTILLY

• Tous les éléments servant à préparer la crème Chantilly doivent être froids : tenir la crème fraîche et le lait au réfrigérateur jusqu'au dernier moment (on peut même y mettre, 1 h auparavant, la terrine ronde qui servira à faire le mélange).

• Verser la crème et le lait dans la terrine. Battre le mélange à l'aide d'un fouet assez souple et assez grand ; la crème monte progressivement et devient plus légère.

• Arrêter de fouetter quand la crème forme un «bec» à la pointe du fouet (la battre davantage risquerait de la changer en beurre).

• Tenir la crème au frais ; n'ajouter le sucre et la vanille jusqu'au moment de son utilisation.

• Cette crème accompagne, garnit ou décore de nombreux entremets, glaces, gâteaux et meringues.

250 g de crème épaisse. 1 verre de lait. 100 g de sucre semoule.
1/2 cuillerée à café de vanille en poudre (facultatif).

RIZ AU LAIT

• Laver le riz avant de le faire cuire 2 mn à l'eau bouillante. Égoutter et rincer le riz, puis terminer la cuisson en le jetant dans le lait vanillé bouillant. Laisser cuire à petits bouillons 30 à 35 mn. Ajouter le sucre, laisser mijoter jusqu'à absorption complète du lait. Servir tel quel, froid ou tiède, nappé de caramel.

Temps de cuisson, 40 mn

175 g de riz rond. 3/4 de litre de lait. 1 gousse de vanille. 125 g de sucre. Caramel.

Flameri
e semoule,
ette p. 196

Riz
au lait

RIZ À L'IMPÉRATRICE

• Mettre les fruits confits coupés en petits dés à macérer dans 1/2 verre de kirsch. Préparer le riz au lait comme indiqué dans la recette de base (voir page 195), et préparer la crème anglaise avec les jaunes d'œufs en divisant par deux les proportions indiquées (voir page 193). Dès la fin de la cuisson de la crème anglaise, retirer la casserole du feu, ajouter les feuilles de gélatine préalablement trempées dans l'eau froide. Mélanger jusqu'à complète dissolution de la gélatine, puis passer la crème à la passoire fine au-dessus du riz au lait ; mélanger et laisser refroidir le tout. Incorporer les fruits confits et la crème fouettée lorsque la préparation commence à prendre, en remuant délicatement. Verser le tout dans un moule à pudding et laisser prendre au réfrigérateur. Préparer la sauce en mélangeant quelques cuillerées à soupe de gelée de groseilles et le reste de kirsch. Démouler le gâteau sur le plat de service, arroser de sauce et servir.

175 g de riz rond. 3 œufs. 3 feuilles de gélatine. 125 g de fruits confits.
1 verre de kirsch. 150 g de crème fouettée. 60 g de sucre. Gelée de groseilles.

FLAMERI DE SEMOULE

Temps de cuisson, 10 mn

• Porter le lait à ébullition ; verser la semoule en pluie dans le lait bouillant et laisser cuire 10 mn. Pendant ce temps, mettre les feuilles de gélatine à dissoudre dans un peu d'eau chaude et battre les blancs d'œufs en neige. Mélanger le sucre à la semoule cuite, incorporer la gélatine puis, aussitôt, ajouter les blancs d'œufs en remuant délicatement à l'aide d'une spatule. Humecter les parois d'un moule à pudding avec un peu d'eau (le gâteau se démoulera facilement). Verser la préparation dans le moule ; laisser prendre au réfrigérateur. Préparer la sauce en mélangeant quelques cuillerées à soupe de gelée de groseilles et le kirsch. Démouler le gâteau de semoule sur un plat rond, décorer de quelques cerises et fruits confits et verser la sauce autour.

125 g de semoule. 1/2 litre de lait. 200 g de sucre semoule. 3 feuilles de gélatine.
3 œufs. 50 g de fruits confits. Gelée de groseilles. 1 verre à liqueur de kirsch.

CHARLOTTE RUSSE

• Tapisser le fond et les parois d'un moule à charlotte avec les biscuits à la cuillère, en les retaillant si nécessaire, de manière à laisser le moins d'espace possible entre les biscuits. Préparer l'appareil à bavarois (parfum au choix) en respectant les proportions indiquées dans la recette de base (voir page 200). Attendre que le mélange commence à prendre pour le verser dans le moule. Égaliser la surface et laisser prendre au réfrigérateur ; démouler la charlotte sur le plat de service au dernier moment.

125 g de biscuits à la cuillère. Appareil à bavarois.

GLACES

• On distingue deux types de glaces : les glaces au lait et aux œufs, dont la glace à la vanille est en quelque sorte le «prototype», et les sorbets aux fruits. Les deux recettes de base sont fort différentes l'une de l'autre, mais la manière de les mouler et de les faire prendre est identique dans les deux cas ; toutefois, les sorbets aux fruits sont un peu plus longs à prendre que les crèmes glacées.

• La méthode décrite ci-dessous semblera très désuette aux maîtresses de maison d'aujourd'hui, qui disposent toutes d'un réfrigérateur, et souvent même d'une sorbetière électrique. C'est pourtant ainsi qu'il fallait opérer à l'époque des garde-manger et des sorbetières mécaniques… et la méthode marche toujours aussi bien !

• Préparer la crème glacée comme indiqué dans l'une des deux recettes de base, selon le parfum choisi. Passer la préparation au chinois, laisser refroidir, puis la verser dans la sorbetière et déposer celle-ci dans un grand compotier rempli d'un mélange de glace pilée et de gros sel gris (il faut compter une bonne livre et demie de sel pour 2 kg de glace). Tasser la glace et le sel autour de la sorbetière, puis tourner celle-ci jusqu'au moment où la préparation commence à prendre et entrave un peu la rotation des batteurs ; ce temps de prise est d'environ 25 mn.

• On peut alors verser la préparation dans un moule dont la contenance doit être calculée au plus juste : il doit être rempli à ras bord, sans vide. Couvrir la surface de la crème d'un papier sulfurisé de dimensions légèrement supérieures à celles du moule (il doit dépasser lorsque le couvercle est en place). Couper l'excédent de papier et enduire le joint de margarine. Déposer le moule dans un seau suffisamment grand pour qu'il soit largement entouré et recouvert du mélange de glace et de sel. Laisser le moule dans le seau pendant 2 h au moins, en veillant à ce qu'il reste constamment recouvert de glace.

• Il suffit ensuite de laver rapidement le moule à l'eau froide, puis de le tremper quelques secondes dans l'eau chaude pour démouler la glace. Enlever le couvercle et le papier, retourner le moule sur le plat de service ou répartir la glace dans des coupes.

1 kg de sel gris pour 3 kg de glace.

GLACE À LA VANILLE

• Mélanger les jaunes d'œufs et le sucre semoule à l'aide d'une spatule jusqu'à obtention d'un mélange mousseux et bien blanc. Mettre le lait et la vanille dans une casserole et porter le liquide à ébullition. Verser progressivement le lait bouillant sur le mélange œufs-sucre, en remuant constamment avec la spatule. Remettre le tout à chauffer en continuant à remuer avec la spatule jusqu'à ce que la crème épaississe ; attention : il ne faut pas laisser bouillir la crème, car elle tournerait. Cette préparation de base, identique pour toutes les crèmes gla-

Glace
à la vanille
recette p. ▶

cées, n'est autre qu'une crème anglaise dans des proportions légèrement différentes, qu'il importe de respecter quant au lait et au sucre : une crème trop
sucrée ne prendrait pas ; pas assez sucrée, la glace serait sèche et dure. En
revanche, le nombre de jaunes d'œufs peut être augmenté (de 10 à 15 jaunes par
litre), la glace n'en sera que plus fine et plus moelleuse.

• Pour préparer une glace au café, ajouter un décilitre de café très fort et supprimer un décilitre de lait. Pour une glace au chocolat, faire fondre 250 g de chocolat dans le lait, et supprimer 50 g de sucre pour tenir compte du sucre contenu
dans le chocolat.

9 jaunes d'œufs. 300 g de sucre semoule. 1 litre de lait. 1 gousse de vanille.

SORBET À LA FRAISE

• Préparer un sirop en portant le sucre en morceaux et l'eau à ébullition, puis
laisser refroidir. Pendant ce temps, éplucher et laver les fraises. Passer les fruits
au tamis ; verser la purée obtenue dans le sirop et ajouter le jus d'un demi-

citron. Vérifier la densité du mélange à l'aide d'un pèse-sirop : remplir le tube de sirop de fraises, puis y laisser plonger le pèse-sirop ; l'instrument, gradué comme un thermomètre, doit indiquer 18 ou 19° ; si le pèse-sirop indique plus (22° par exemple), c'est que le sirop est trop sucré : il suffit d'ajouter de l'eau froide et de peser de nouveau ; si, au contraire, il marque moins de 18°, il faut ajouter du sucre en poudre qui fondra plus aisément. Le juste degré étant atteint, il ne reste plus qu'à verser la préparation dans la sorbetière.

• Les sorbets sont un peu plus longs à prendre que les glaces aux œufs et, une fois démoulés, fondent plus vite. Tous se préparent selon le même principe : purée de fruits, eau, sucre et jus de citron.

200 g de sucre en morceaux. 1/4 de litre d'eau. 375 g de fraises. Le jus de 1/2 citron.

MOUSSE GLACÉE AUX FRAISES

• Passer des fraises bien parfumées au tamis. Incorporer le sucre glace et une cuillerée de jus de citron à la purée obtenue, mélanger à l'aide d'une spatule jusqu'à complète dissolution du sucre, puis ajouter la crème fouettée en remuant délicatement. Verser la préparation dans un moule à glace. Tenir au réfrigérateur jusqu'au moment de servir.

250 g de fraises. 125 g de sucre glace. 1 cuillerée à soupe de jus de citron.
250 g de crème fouettée.

FLAN AU LAIT

Temps de cuisson, 35 mn

• Préparer la pâte comme indiqué dans la recette de base (voir page 216). Laisser la pâte reposer au frais avant de l'étendre à l'aide d'un rouleau en une abais-

Flan
au lait

se de 3 mm d'épaisseur. Déposer un cercle à tarte beurré de 16 cm de diamètre sur une tôle propre non beurrée. Appliquer la pâte dans le cercle en appuyant légèrement avec les doigts et en la laissant dépasser de 1 cm. Couper l'excédent de pâte et piquer le fond de tarte de quelques coups de fourchette.

• Dans une terrine, battre les œufs entiers et le sucre vanillé à l'aide d'une fourchette ; ajouter la farine, puis le lait froid en remuant constamment pour éviter la formation de grumeaux. Verser la préparation dans le fond de tarte et cuire à four chaud.

Pâte brisée : 250 g de farine. 125 g de beurre. 5 g de sel. 25 g de sucre. 3/4 de verre d'eau. Garniture : 3 œufs. 125 g de sucre vanillé. 60 g de farine. 1/4 de litre de lait.

MONT-BLANC AUX MARRONS

Temps de cuisson, 40 mn

• Pratiquer une incision circulaire sur les marrons, assez profonde pour entailler les deux peaux. Les faire blanchir 2 mn à l'eau bouillante pour finir de les éplucher facilement. Porter l'eau à ébullition dans une casserole avant d'y mettre les marrons ; laisser cuire 30 mn. En fin de cuisson, égoutter et passer les marrons au moulin à légumes (grille fine) au-dessus d'une terrine. Préparer un sirop en mettant dans une casserole le sucre en morceaux, la vanille et l'eau. Laisser cuire jusqu'à obtention d'un mélange épais et poisseux. Incorporer le sirop à la purée de marrons en mélangeant à l'aide d'une spatule ; laisser refroidir. Passer le mélange bien refroidi au moulin à légumes (grille à gros trous) au-dessus d'un plat rond et froid, de manière à former une espèce de «gros vermicelle». Repousser les marrons en couronne sur le pourtour du plat, dresser la crème Chantilly en pyramide au centre.

500 g de marrons. 150 g de sucre en morceaux. 1/2 verre d'eau. 1 gousse de vanille. 50 g de beurre. Crème Chantilly (préparée avec 125 g de crème fraîche).

TURBAN D'AGEN

• La veille, faire tremper les pruneaux dans le vin rouge. Le jour même, verser les pruneaux et le vin dans une casserole, ajouter un peu d'eau ou de vin si nécessaire, et laisser cuire 20 mn à feu doux, en ajoutant le sucre 5 mn avant la fin de la cuisson. Préparer le riz au lait comme indiqué dans la recette précédente ; laisser le riz refroidir, puis incorporer la crème fouettée en remuant délicatement et verser la préparation dans un moule en couronne. Démouler le riz au lait sur le plat de service et verser la compote de pruneaux au centre.

80 g de crème fouettée. 250 g de pruneaux. 1 verre de vin rouge. 60 g de sucre.

BAVAROIS AU CAFÉ

• Préparer la crème anglaise en divisant par deux les proportions indiquées (voir page 193). Dès la fin de la cuisson de la crème anglaise, retirer la casserole du feu, ajouter quelques gouttes d'essence de café et les feuilles de gélatine préalablement trempées à l'eau froide. Mélanger jusqu'à complète dissolution de la gélatine, puis passer la crème à la passoire fine au-dessus d'une terrine et laisser refroidir avant d'incorporer la crème fouettée en remuant délicatement. Verser la préparation dans un moule humecté d'eau et laisser prendre au réfrigérateur. Démouler et servir tel quel. Cet entremets peut être aromatisé avec différents parfums : chocolat, vanille, praline, pistache, purées de fruits (voir ci-dessous), etc.

1/4 de litre de crème anglaise. 1 cuillerée à café d'essence de café.
3 feuilles de gélatine. 200 g de crème fouettée.

BAVAROIS AUX FRAISES

• Éplucher et laver les fraises et les passer au tamis au-dessus d'une terrine. Ajouter le sucre glace, le jus de citron et la gélatine dissoute dans une demi-tasse d'eau tiède. Laisser prendre légèrement la purée de fraises, puis incorporer la crème fouettée en remuant délicatement. Verser la préparation dans un moule humecté d'eau et laisser prendre au réfrigérateur.

250 g de fraises. 125 g de sucre glace. 1/2 jus de citron. 3 feuilles de gélatine.
200 g de crème fouettée.

PROFITEROLES AU CHOCOLAT

• Préparer la pâte à choux en divisant par deux les proportions indiquées (voir page 220). À l'aide d'une poche munie d'une petite douille à langues de chat, dresser de tout petits choux sur la tôle du four légèrement beurrée ; dorer la surface à l'œuf battu et cuire à four chaud jusqu'à ce que les choux soient dorés et gonflés. Laisser refroidir, puis percer un petit trou sous chaque chou ; avec la poche munie d'une douille très fine, remplir les choux de crème Chantilly bien ferme, ou de crème pâtissière à la vanille ; dresser les choux en buisson sur le plat de service au fur et à mesure, arroser de sauce au chocolat chaude et servir aussitôt.

Temps de cuisson, 15 à 20 mn

Pâte à choux. 1 œuf. 100 g de crème Chantilly ou 1/4 de litre de crème pâtissière.

SAUCE AU CHOCOLAT POUR LES PROFITEROLES

• Casser le chocolat en morceaux dans une casserole ; ajouter l'eau et le sucre et laisser fondre sur feu doux, jusqu'à obtention d'une préparation bien lisse ; délayer la fécule de pomme de terre avec une bonne cuillerée d'eau froide et verser peu à peu dans le chocolat pour épaissir la sauce.

Temps de cuisson, 10 mn

1 verre d'eau. 150 g de chocolat noir. 50 g de sucre. 1 cuillerée à café de fécule
de pomme de terre. 1/2 verre d'eau.

LES ENTREMETS CHAUDS

Temps de cuisson, 20 mn

• Faire cuire les pommes coupées en quartiers puis passer la pulpe au tamis. Ajouter le sucre et la marmelade d'abricots. Laisser réduire le tout sur feu assez vif. Hors du feu, incorporer les jaunes d'œufs et les blancs battus en neige ferme. Verser la préparation dans un moule à soufflé beurré. Cuire à four doux.

1 kg de pommes. 200 g de sucre. 4 cuillerées à soupe de marmelade d'abricots. 3 œufs.

Temps de cuisson, 1 h

• Pratiquer une incision circulaire sur les marrons, assez profonde pour entailler les deux peaux. Les faire blanchir 2 mn à l'eau bouillante pour finir de les éplucher facilement. Porter le lait vanillé à ébullition dans une casserole avant d'y mettre les marrons ; laisser cuire 30 mn. En fin de cuisson, égoutter et passer les marrons au tamis au-dessus d'une terrine. Incorporer le sucre glace (ou, à défaut, du sucre en poudre) et les 4 jaunes d'œufs, puis 3 blancs montés en neige ferme en remuant délicatement à l'aide d'une spatule. Verser la préparation dans un moule à soufflé beurré et chemisé de sucre et cuire à four très doux. Saupoudrer de sucre avant de servir.
• On peut ajouter un peu de chocolat râpé ou un petit verre de rhum à la purée de marrons pour en faire ressortir le goût.

500 g de marrons. 1/4 de litre de lait. 100 g de sucre glace. 4 œufs.

Soufflé aux pommes

Soufflé aux marrons

Soufflé
chocolat,
te p. 204

SOUFFLÉ À LA VANILLE

• Faire fondre le beurre dans une casserole assez grande, ajouter aussitôt la farine, puis le lait vanillé bouillant et le sucre en poudre, en remuant constamment à l'aide d'un fouet ; retirer la casserole du feu dès le premier bouillon et incorporer les jaunes d'œufs, toujours en remuant. Battre les blancs en neige bien ferme ; ajouter environ les deux tiers des blancs à la préparation (il faut toujours un peu plus de jaunes que de blancs dans un soufflé ; pour une quantité double, on mettrait 6 jaunes et 5 blancs). Mélanger le tout assez vigoureusement et assez longtemps : un appareil trop léger retombe avant même la fin de la cuisson. Beurrer et saupoudrer de sucre les parois d'un moule à soufflé. Verser la préparation jusqu'aux trois quarts de la hauteur du moule, laisser cuire 20 à 25 mn à four très doux et servir aussitôt.

50 g de beurre. 50 g de farine. 1/4 de litre de lait. 100 g de sucre semoule. 3 œufs. 1/2 cuillerée à café de vanille en poudre.

Temps de cuisson, 20 à 25 mn

203

SOUFFLÉ AU CAFÉ

• Procéder de la même manière et selon les mêmes proportions que pour le soufflé à la vanille, en remplaçant celle-ci par l'essence de café.

50 g de beurre. 50 g de farine. 1/4 de litre de lait. 100 g de sucre semoule. 3 œufs. 2 cuillerées à café d'essence de café.

SOUFFLÉ AU CHOCOLAT

• Procéder de la même manière que pour le soufflé à la vanille, en faisant cuire le chocolat cassé en morceaux avec le lait, et en ajoutant 4 jaunes d'œuf pour 3 blancs battus en neige.

50 g de beurre. 40 g de farine. 1/4 de litre de lait. 150 g de chocolat à croquer. 80 g de sucre semoule. 4 œufs.

OMELETTE SOUFFLÉE

Temps de cuisson, 18 mn

• Travailler énergiquement les jaunes d'œufs et le sucre (qui peut être additionné d'un peu de vanille ou de tout autre parfum), à l'aide d'un fouet ou d'une spatule, pendant une dizaine de minutes, jusqu'à ce que le mélange blanchisse. Incorporer délicatement les blancs d'œufs battus en neige très ferme. Beurrer un grand plat long allant au four et parsemer le fond de sucre. Verser la préparation en couronne tout autour du fond du plat, en laissant vide le centre. Lisser la surface à l'aide d'une lame de couteau de table pour lui donner une apparence flatteuse, et enfourner à four très doux.
• Beaucoup plus fragile que le soufflé en raison de l'absence de farine, l'omelette retombe plus vite ; il faut donc ne la mettre à cuire qu'au tout dernier moment ; mieux vaut laisser attendre 5 mn les convives que l'omelette soufflée !

3 jaunes et 5 blancs d'œufs. 125 g de sucre.

GÂTEAU DE SEMOULE AU CARAMEL

Temps de cuisson, 40 mn

• Faire tomber la semoule en pluie dans le lait bouillant et laisser cuire 10 mn. Mélanger les œufs entiers et le reste de sucre dans une terrine, puis verser la semoule par petites quantités, en remuant à l'aide d'une spatule. Verser la préparation dans le moule caramélisé, en procédant comme indiqué pour le gâteau de riz au caramel. Déposer le moule dans un bain-marie bouillant, faire cuire à four doux pendant 30 mn. Laisser tiédir dans le moule. Déguster tiède ou froid. Préparé selon le même principe que le gâteau de riz, cet entremets présente l'avantage d'être plus vite fait ; tous deux sont également bons.

150 g de semoule. 3/4 de litre de lait. 3 jaunes d'œufs. 230 g de sucre.

SOUFFLÉ DE SEMOULE

• Mettre les raisins à macérer dans le rhum. Faire cuire la semoule 10 mn en la versant en pluie dans le lait bouillant. Ajouter le sucre vanillé, le beurre, puis, hors du feu, les jaunes d'œufs. Incorporer les blancs battus en neige bien ferme et les raisins de Corinthe égouttés. Verser la préparation dans un moule à soufflé beurré et cuire à four doux. Servir aussitôt.

Temps de cuisson, 25 mn

100 g de semoule. 1/2 litre de lait. 150 g de sucre vanillé. 80 g de beurre. 4 œufs. 50 g de raisins de Corinthe. 1/2 verre de rhum.

GÂTEAU DE RIZ AU CARAMEL

• Laver le riz avant de le faire cuire 2 mn à l'eau bouillante. Mettre le lait et la vanille dans une casserole et porter le liquide à ébullition. Verser le riz, égoutté et rincé, dans le lait bouillant et laisser cuire environ 30 mn, jusqu'à absorption totale du lait.

Temps de cuisson, 1 h 15

• Pendant ce temps, mettre 80 g de sucre dans une casserole, sans ajouter d'eau. Poser la casserole sur le feu, en remuant à l'aide d'une spatule pendant que le sucre commence à fondre. Retirer la casserole du feu dès que le caramel a pris une belle couleur ambrée. Verser aussitôt dans un moule à timbale, en inclinant celui-ci en tous sens pour répartir une mince couche de caramel sur toutes les parois.

• Mélanger les œufs entiers et le reste de sucre dans une terrine, puis verser le riz progressivement, en remuant à l'aide d'une spatule pour ne pas «cuire» les œufs. Verser la préparation dans le moule caramélisé, déposer le moule dans un bain-marie bouillant, enfourner le tout à four doux pendant 35 à 40 mn. Laisser le gâteau de riz tiédir avant de le démouler. Déguster tiède ou froid.

300 g de riz rond. 3/4 de litre de lait. 1 gousse de vanille. 3 œufs. 230 g de sucre.

CROQUETTES DE RIZ AUX FRUITS

• Préparer le riz à la Condé (voir page suivante) en y incorporant les fruits confits hachés ; laisser refroidir. Diviser le riz en morceaux de 50 à 60 g. Passer chaque morceau dans la farine, puis dans l'œuf battu et enfin dans la chapelure (ou dans les amandes hachées) avant de les faire frire dans un bain de friture brûlant. Préparer la sauce en faisant chauffer la confiture et le rhum dans une petite casserole. Servir les croquettes bien chaudes, arrosées de sauce.

Temps de cuisson, 7 à 8 mn par fournée

200 g de riz rond. 1/2 litre de lait. 1 gousse de vanille. 100 g de sucre semoule. 2 jaunes d'œufs. 30 g de beurre. 125 g de fruits confits. 50 g de farine. 2 œufs. 50 g de chapelure ou 50 g d'amandes hachées. Bain de friture. 1/2 pot de confitures d'abricots ou de gelée de groseilles. 2 cuillerées à soupe de rhum.

Pets-de

RIZ À LA CONDÉ

*Temps
de cuisson,
30 mn*

• Laver le riz avant de le faire cuire 2 mn à l'eau bouillante. Égoutter et rincer le riz, puis terminer la cuisson en le jetant dans le lait vanillé bouillant. Laisser cuire à petits bouillons 25 à 30 mn. Ajouter le sucre, puis les jaunes d'œufs et le beurre. Mélanger le tout à l'aide d'une fourchette, et remettre la casserole sur feu doux jusqu'à ce que la préparation épaississe et se tienne bien.

• Le riz à la Condé constitue la base de quantité d'entremets, tels que croquettes de riz, fruits à la Condé, etc.

*200 g de riz rond. 1/2 litre de lait. 1 gousse de vanille. 100 g de sucre semoule.
2 jaunes d'œufs. 30 g de beurre.*

PETS-DE-NONNE

*Temps
de cuisson,
5 mn
par fournée*

• Préparer la pâte à choux en divisant par deux les proportions de beurre et de sucre indiquées dans la recette de base (voir page 220). Travailler le mélange, en ajoutant le dernier œuf en plusieurs fois, de manière à obtenir une pâte pas trop molle. Faire chauffer l'huile de friture dans une poêle, en quantité suffisante pour que les beignets y baignent bien. Prélever de petites boules de pâte aussi rondes que possible à l'aide d'une cuillère à café et faire tomber celles-ci dans l'huile, pas trop chaude pour commencer ; laisser cuire 4 à 5 mn, en augmentant progressivement la chaleur de la friture. Opérer par petites fournées pour que les beignets puissent gonfler et se retourner tout seuls (ils «sautent» dans le bain de friture). Servir les beignets aussitôt, bien égouttés, dorés et croustillants, simplement saupoudrés de sucre glace, ou accompagnés de confiture ou de crème anglaise.

Pâte à choux préparée avec 3 œufs. Bain de friture d'huile. 100 g de sucre glace.

PAIN PERDU.

• Couper le pain en tranches de 2 cm d'épaisseur. Mélanger le lait et le sucre. Imprégner le pain de ce mélange, puis passer les tranches dans l'œuf entier battu. Faire fondre le beurre dans une poêle pour y faire dorer les tranches de pain, en les retournant à mi-cuisson. Servir chaud, accompagné d'un coulis de fruits ou de confiture.

Temps de cuisson, 15 mn

400 g de pain. 1/2 litre de lait. 50 g de sucre. 2 œufs. 100 g de beurre.

BEIGNETS DE POMMES

• Préparer une pâte à frire (voir page 218) et laisser celle-ci lever 1 h ; pendant ce temps, peler et couper les pommes en rondelles épaisses. Saupoudrer les tranches de pommes de sucre, arroser de rhum et laisser macérer. Au dernier moment, incorporer délicatement le blanc monté en neige à la pâte. Éponger les tranches de pommes avant de les tremper dans la pâte, en veillant à ce qu'elles en soient bien enrobées. Plonger les beignets dans le bain de friture brûlant, en les enlevant à l'aide d'une écumoire au fur et à mesure de la cuisson. Déposer les beignets cuits sur un papier absorbant avant de les dresser dans le plat de service, saupoudrer de sucre et déguster bien chaud.

Temps de cuisson, 7 mn par fournée

500 g de pommes de reinette. 50 g de sucre. 1 verre de rhum. Bain de friture.

Pain
perdu

BEIGNETS DE FLEURS D'ACACIA

- Tremper des bouquets de fleurs d'acacia dans une pâte à frire légère, c'est-à-dire un peu plus liquide. Faire frire dans un bain de friture brûlant. Servir les beignets bien croustillants saupoudrés de sucre vanillé.

PUDDING-BISCUITS DIT «DE CABINET»

Temps de cuisson, 25 mn

- Ce dessert très ancien est un des meilleurs entremets chauds.
- Beurrer et chemiser de sucre le fond et les parois d'un moule à pudding à douille centrale. Réduire les biscuits à la cuillère en morceaux. Couper les fruits confits en petits dés. Mélanger les fruits confits et les raisins de Corinthe et mettre le tout à tremper dans du rhum. Tapisser le fond du moule d'une couche de biscuits à la cuillère. Terminer de remplir le moule à ras bord en alternant une couche de fruits confits et de raisins de Corinthe et une couche de biscuits à la cuillère. Battre les œufs entiers et le sucre en poudre dans une terrine jusqu'à obtention d'un mélange mousseux. Ajouter progressivement le lait bouillant, en remuant vigoureusement à l'aide d'une spatule. Verser la crème dans le moule par petites quantités pour permettre aux biscuits de bien s'imbiber (si l'on verse toute la crème à la fois, les biscuits n'ont pas le temps de s'imbiber et flottent dans la crème). Déposer le moule dans un bain-marie bouillant, enfourner le tout à four doux et laisser cuire 25 mn. Laisser reposer le gâteau de riz 10 mn hors du four, dans le bain-marie, avant de le démouler. Servir chaud accompagné de crème anglaise également chaude, ou d'une sauce préparée en faisant tiédir la marmelade d'abricots, l'eau et le rhum.

150 g de biscuits à la cuillère. 125 g de fruits confits. 1 verre de rhum.
125 g de raisins de Corinthe. 3 œufs. 100 g de sucre en poudre. 1/4 de litre de lait.
1/2 litre de crème anglaise ou 150 g de confiture d'abricots délayée avec
2 cuillerées à soupe d'eau et 2 cuillerées à soupe de rhum.

PUDDING AU TAPIOCA

Temps de cuisson, 35 mn

- Porter le lait et la vanille (ou un zeste de citron ou d'orange) à ébullition. Verser le tapioca en pluie dans le lait bouillant, en remuant constamment et laisser cuire 10 bonnes minutes. Pendant ce temps, battre les œufs entiers et le sucre en poudre dans une terrine, puis verser le tapioca par petites quantités, en remuant à l'aide d'une spatule et ajouter les raisins de Corinthe (facultatif). Verser la préparation dans un moule à soufflé en porcelaine. Déposer le moule dans un bain-marie bouillant, enfourner le tout à four moyen et laisser cuire 25 mn. En fin de cuisson, saupoudrer la surface de sucre et servir tel quel, dans le moule.

1/2 litre de lait. 1 gousse de vanille. 125 g de tapioca. 2 œufs. 125 g de sucre en poudre. 60 g de raisins de Corinthe.

PUDDING À LA SEMOULE

• Procéder de la même manière et selon les mêmes proportions que pour le pudding au tapioca en remplaçant celui-ci par la semoule.

TÔT-FAIT AU TAPIOCA

• Porter le lait, la vanille et le sucre à ébullition. Verser le tapioca en pluie dans le lait bouillant, en remuant constamment et laisser cuire 10 mn. Pendant ce temps, battre les œufs entiers dans une terrine ; verser le tapioca par petites quantités, toujours en remuant à l'aide d'une spatule, puis ajouter le beurre fondu. Verser la préparation dans un plat creux, enfourner à four moyen et laisser cuire 10 à 15 mn. La même recette peut être réalisée avec de la semoule.

Temps de cuisson, 25 mn

1/2 litre de lait. 100 g de sucre en poudre. 80 g de tapioca. 2 œufs. 50 g de beurre.

PUDDING AU PAIN

• Ce délicieux entremets permet d'utiliser les restes de pain de la veille. Couper le pain en tranches assez minces et beurrer légèrement chaque tranche. Tapisser le fond d'un moule à pudding d'une couche de pain. Terminer de remplir le moule à ras bord en disposant quelques raisins de Malaga épépinés ou de Smyrne entre chaque couche de pain. Battre les œufs entiers et le sucre en poudre dans une terrine jusqu'à obtention d'un mélange mousseux. Ajouter progressivement le lait bouillant, en remuant vigoureusement à l'aide d'une spatule. Verser la crème dans le moule par petites quantités pour permettre au pain de bien s'imbiber. Déposer le moule dans un bain-marie bouillant, enfourner le tout à four moyen et laisser cuire 25 mn. En fin de cuisson, saupoudrer la surface de sucre et servir tel quel, dans le moule.

Temps de cuisson, 35 mn

500 g de pain. 60 g de beurre. 100 g de raisins secs de Malaga. 1/2 litre de lait. 3 œufs. 150 g de sucre.

CRÈMES FRITES

• Mélanger dans une casserole 2 œufs entiers, le sucre vanillé, 10 g de farine et la crème de riz. Incorporer progressivement le lait bouillant en remuant vivement à l'aide d'une spatule. Faire cuire en continuant à remuer jusqu'à ce que la crème épaississe. Verser la crème dans un plat enduit de beurre en une couche de 3 cm d'épaisseur et laisser refroidir. Couper en losanges, fariner, passer les morceaux dans de l'œuf ou du blanc d'œuf battu, puis dans la chapelure. Faire frire 2 mn dans un bain de friture brûlant et servir chaud.

Temps de cuisson, 2 mn par fournée

3 œufs. 100 g de sucre vanillé. 30 g de farine. 1/2 litre de lait. 40 g de crème de riz. 50 g de chapelure.

CRÊPES

Temps de cuisson, 3 à 4 mn

- Ce dessert traditionnel de la Chandeleur et du Mardi gras ne demande qu'un peu de temps et une pâte parfaitement préparée pour ravir petits et grands.
- Mélanger la farine, les œufs, le sucre vanillé, une pincée de sel et le lait froid dans un saladier, en remuant à l'aide d'un petit fouet. Ajouter un peu de lait si la pâte est trop épaisse : elle doit être assez liquide, nappant juste le doigt. Incorporer le beurre fondu et un filet de cognac ou d'eau de fleur d'oranger. Il est préférable de la préparer quelques heures à l'avance.
- Le moment venu, graisser la poêle en y passant un linge trempé dans du beurre fondu. À l'aide d'une louche, verser la pâte en une couche très mince dans la poêle bien chaude ; laisser cuire 1 à 2 mn, puis faire sauter la crêpe pour la retourner et faire cuire l'autre côté.
- Il arrive que la première crêpe attache un peu, mais cet inconvénient cesse quand la poêle est bien chaude. Garder les crêpes au chaud en les empilant dans une assiette posée sur une casserole d'eau bouillant doucement et en les couvrant d'une feuille d'aluminium.
- La première crêpe vous indiquera si la pâte est à point : si elle semble sèche, ajouter un peu de beurre ou de lait dans la pâte ; si au contraire elle est trop fragile, ajouter un peu de farine tamisée en remuant à l'aide d'un fouet pour éviter les grumeaux. Servir les crêpes bien chaudes, saupoudrées de sucre.

250 g de farine. 4 œufs. 1/2 litre de lait. 1 cuillerée à soupe de sucre vanillé.
1 pincée de sel. 50 g de beurre. 1 cuillerée à soupe de cognac.

CRÊPES SUZETTE

- Prélever et râper le zeste des oranges ; mélanger le zeste, le beurre fin, le sucre et le curaçao ou le rhum en écrasant le tout à l'aide d'une fourchette. Répartir la préparation sur les crêpes et plier celles-ci en deux. Déposer aussitôt les crêpes sur le plat de service, préalablement chauffé dans le four, et servir sans attendre.

12 à 18 crêpes, suivant la taille. 2 oranges. 100 g de beurre. 60 g de sucre.
1 cuillerée à soupe de curaçao ou de rhum.

CRÊPES FOURRÉES

- Les crêpes peuvent être fourrées de diverses manières. La plus simple consiste à y déposer une grosse cuillerée de confiture avant de replier la crêpe sur elle-même. On peut aussi les garnir de chocolat fondu, de miel, de jus de citron, etc. Une préparation un peu plus sophistiquée consiste à les garnir de crème pâtissière puis à les recouvrir de meringue avant de les passer 5 mn à four doux. Ainsi fourrées, et dégustées à la sortie du four, les crêpes prennent le nom de pannequets.

POMMES À LA CONDÉ

- Préparer le riz à la Condé comme indiqué dans la recette de base et préparer les fruits pendant la cuisson de celui-ci.

- Éplucher et vider de petites pommes à l'aide d'un vide-pomme (couper les pommes en deux ou en quatre si elles sont plutôt grosses). Préparer un sirop en mélangeant l'eau, le sucre et une gousse de vanille dans une casserole. Porter le tout à ébullition, déposer les fruits délicatement dans le sirop et laisser pocher à petits bouillons, une quinzaine de minutes. Retirer les fruits à l'aide d'une' écumoire et réserver. Préparer la sauce en faisant tiédir la marmelade d'abricots, quelques cuillerées de sirop de cuisson des pommes et le rhum ou le kirsch.

- Dresser le riz en couronne sur le plat de service, déposer les pommes dessus et arroser le tout de sauce. Tous les fruits à chair ferme – pêches, poires, abricots – peuvent être accommodés de cette manière ; les fruits très aqueux – fraises, framboises, oranges, etc. – ne se prêtent pas à une telle préparation.

Pour le riz : 200 g de riz rond. 1/2 litre de lait. 1 gousse de vanille. 100 g de sucre semoule. 2 jaunes d'œufs. 30 g de beurre. Pour le sirop : 1/4 de litre d'eau. 50 g de sucre. 1 gousse de vanille. 8 pommes. Pour la sauce : 1/2 pot de marmelade d'abricots. 2 cuillerées à soupe de rhum ou de kirsch.

Temps de cuisson, 15 mn

POMMES À LA CHEZ-SOI

Temps de cuisson, 30 mn

• Éplucher et couper les pommes en deux avant de les faire pocher au sirop, en procédant comme indiqué dans la recette précédente. Disposer les pommes dans un plat creux à gratin, côté bombé vers le dessous ; garnir la cavité des pépins d'un mélange de fruits confits hachés, napper copieusement le tout de crème pâtissière pas trop épaisse (voir page 193). Parsemer la surface de biscuits secs écrasés, arroser de beurre et faire gratiner à four bien chaud. Servir aussitôt.

6 pommes. 1/4 de litre d'eau. 50 g de sucre. 1 gousse de vanille. 100 g de fruits confits. 1/2 litre de crème pâtissière. 60 g de biscuits secs. 50 g de beurre.

POMMES À LA BOURDALOUE

Temps de cuisson, 20 mn

• Éplucher et couper les pommes en quartiers ; faire pocher les fruits au sirop, en procédant comme indiqué pour les pommes à la Condé. Préparer la crème pâtissière (voir page 193) en remplaçant la farine par de la crème de riz. En fin de cuisson, incorporer la moitié du kirsch à la crème pâtissière, verser celle-ci dans un plat creux et disposer les pommes par-dessus. Préparer la sauce en faisant tiédir la marmelade d'abricots, quelques cuillerées de sirop de cuisson des pommes et le reste de kirsch ; répartir les cerises confites sur les pommes et arroser de sauce. De nombreux fruits – pêches, abricots, poires, ananas, bananes, etc. – peuvent être accommodés de cette manière.

1/2 litre de crème pâtissière. 4 cuillerées à soupe de kirsch. 6 pommes. 1/4 de litre d'eau. 50 g de sucre. 1 gousse de vanille. 12 cerises confites. 1/2 pot de marmelade d'abricots.

POMMES À LA BONNE FEMME

Temps de cuisson, 30 mn

• Vider les pommes à l'aide d'un vide-pomme, sans les éplucher. Inciser la peau tout autour de chaque pomme, à mi-hauteur, avec la pointe d'un couteau. Disposer les pommes dans un plat à four, déposer une noisette de beurre et une cuillerée à café de sucre dans la cavité ménagée par le vide-pomme, ajouter un doigt d'eau au fond du plat et cuire à four chaud. Servir chaud ou froid.

6 pommes de reinette. 75 g de beurre. 60 g de sucre.

COINGS AU FOUR

Temps de cuisson, 30 mn

• Procéder comme pour les pommes à la bonne femme, sans évider les coings (crus, ils sont trop durs pour y introduire le vide-pomme). Déposer une noisette de beurre et une cuillerée à café de sucre sur chaque fruit, ajouter un peu d'eau au fond du plat. Faire cuire à four chaud et déguster tiède. Cet entremets exquis est à préparer en début d'automne, pleine saison des coings.

6 coings. 75 g de beurre. 75 g de sucre. 1 verre d'eau.

CASSE-MUSEAU OU BOURDIN

Temps de cuisson, 50 mn

- Préparer la pâte brisée en respectant les proportions indiquées (voir page 216) ; laisser celle-ci reposer 1 à 2 h au frais.
- Éplucher et vider les pommes à l'aide d'un vide-pomme, puis déposer une noisette de beurre et une cuillerée à café de sucre dans la cavité ménagée par le vide-pomme. Étendre la pâte en une abaisse assez fine et diviser celle-ci en six carrés. Envelopper chaque pomme de pâte brisée, disposer les fruits dans un plat à four, et cuire à four modéré de 50 mn à 1 h. Servir chaud.

6 pommes. 30 g de beurre. 60 g de sucre. Pâte brisée.

CROÛTES AUX FRUITS

- Couper la brioche légèrement rassise en tranches, puis faire griller celles-ci. Mélanger la compote, la confiture et le rhum dans une petite casserole et laisser tiédir le tout. Disposer les tranches de brioche en couronne sur le plat de service, répartir la compote sur les tranches et servir aussitôt.

1 brioche de 250 g. Compote de fruits préparée avec 125 g de fruits.
150 g de confiture d'abricots. 3 cuillerées à soupe de rhum.

Petits conseils du chef

POUR ÉPLUCHER LES MARRONS

Il y a deux méthodes pour éplucher les marrons. La première, employée par les cuisiniers professionnels, est la plus rapide. Elle consiste à inciser le fond des marrons à l'aide d'un couteau bien aiguisé, puis à les mettre au four très chaud pendant 1 à 2 minutes. Il est alors très facile d'enlever les deux peaux. Un inconvénient pourtant : les marrons prennent une couleur jaune et ne peuvent guère être utilisés autrement que pour garnir un plat de viande ; on les fait alors braiser.

La seconde méthode devrait toujours être adoptée. Elle est un peu plus longue et demande davantage de soin, mais les marrons conservent leur belle couleur. Enlever la première peau à l'aide d'un couteau pointu, puis déposer les marrons dans une casserole avec beaucoup d'eau. Poser la casserole sur feu vif pour amener l'eau à ébullition et laisser celle-ci bouillir une minute. Baisser le feu de manière à maintenir l'eau à une température d'environ 80 °C (laissés dans une eau moins chaude, les marrons ne s'éplucheraient plus). Sortir les marrons de l'eau un par un pour ôter la seconde peau. Jeter les marrons dans de l'eau froide au fur et à mesure pour les raffermir et les maintenir bien blancs.

PÂTISSERIE ET CONFISERIE

LA PÂTISSERIE

- La pâte feuilletée, assez difficile à réussir, ne le sera peut-être pas dès le premier essai par un néophyte ; il ne faut persister jusqu'au succès. Utilisée dans de nombreux plats, elle vaut bien quelques mécomptes initiaux !

- Déposer la farine sur la planche à pâtisserie. Creuser une fontaine au centre, verser le sel, puis l'eau froide (un petit quart de litre). Du bout des doigts, mélanger la farine et l'eau aussi délicatement que possible, jusqu'à obtention d'une pâte ferme, mais pas sèche ; ajouter de l'eau si nécessaire. Cette pâte, appelée détrempe, doit être de la même consistance que le beurre, à savoir plutôt ferme. Ramasser la pâte en boule et laisser reposer 30 mn.

- Peser la boule pour déterminer le poids de beurre : celui-ci doit être égal à la moitié du poids de la détrempe. Étendre la pâte en une grande galette, déposer le beurre au milieu, puis rabattre les quatre côtés de la pâte par-dessus. Saupoudrer légèrement de farine, puis, à l'aide d'un rouleau, étendre la pâte en une bande assez longue et mince pour que le beurre transparaisse. Rabattre une des extrémités de la bande vers le centre, puis l'autre par-dessus. La bande est ainsi pliée en trois. Faire pivoter le morceau de pâte d'un quart de tour, et recommencer à allonger la pâte et à la replier en trois. C'est ce que l'on appelle donner deux tours à la pâte ; laisser reposer 20 mn, puis opérer de la même façon pour donner les deux tours suivants.

- Donner les deux derniers tours 20 mn plus tard. La pâte est alors prête à être détaillée pour préparer vol-au-vent, bouchées, petits pâtés, gâteaux de toutes sortes, galette (avec un peu moins de beurre), etc.

300 g de farine. 1/2 cuillerée à café de sel fin. 2 verres d'eau. Environ 250 g de beurre.

- Déposer la farine sur la planche à pâtisserie et creuser une fontaine au centre. Déposer, le beurre, le sel, le sucre et l'eau froide au milieu. Pétrir le tout à pleine main, sans trop travailler la pâte qui deviendrait élastique et durcirait à la cuisson. Ramasser la pâte en boule, envelopper celle-ci dans un linge et laisser reposer 1 à 2 h dans un endroit frais, avant emploi. Les proportions indiquées permettent de garnir un grand moule à tarte de 20 cm de diamètre ou 20 moules à tartelettes.

250 g de farine. 125 g de beurre. 5 g de sel. 25 g de sucre. 3/4 de verre d'eau.

- La pâte à brioche doit être préparée la veille, car elle doit, comme le pain et toutes les pâtes à base de levain, fermenter un certain temps avant la cuisson.

- Déposer le quart de la farine sur le plan de travail. Creuser une fontaine au centre, ajouter la levure préalablement délayée dans 2 cuillerées à soupe d'eau tiède. Laisser la farine absorber ce liquide, puis pétrir le tout du bout des doigts de manière à obtenir une boule de pâte molle, en ajoutant un peu d'eau si nécessaire. Fendre la boule en quatre avant de la mettre à lever dans une terrine d'eau tiède. Cette préparation s'appelle le levain.
- Pendant ce temps, creuser un puits dans le reste de farine ; déposer les œufs au milieu ; pétrir le tout, puis battre la pâte en la soulevant à pleine main et en la plaquant violemment sur la planche, jusqu'à ce qu'elle devienne très élastique et se détache facilement des doigts et de la table ; incorporer alors le sel et le sucre puis, 2 mn plus tard, le beurre, et enfin le levain, lequel a dû, dans l'eau chaude, doubler de volume.
- Déposer la pâte dans une terrine couverte et laisser lever 3 ou 4 h dans un endroit tempéré. Lorsque la pâte a doublé de volume, la battre du bout des doigts pour lui faire retrouver son volume initial. Laisser reposer au froid toute la nuit. Battre à nouveau la pâte le lendemain matin avant de lui donner la forme souhaitée (grosse brioche, petites brioches individuelles, brioche mousseline, brioche en couronne, etc.) en la roulant à la main sur la table farinée. Laisser lever encore une fois au chaud dans le moule, dorer la surface à l'œuf et cuire à four chaud.

250 g de farine. 200 g de beurre. 15 g de sucre. 5 g de sel. 8 g de levure de boulanger.
3 œufs. 1 verre d'eau.

PÂTE À PÂTÉ

- Procéder comme pour la pâte brisée, en la laissant reposer 2 h au moins avant emploi.

500 g de farine. 150 g de beurre. 1 cuillerée de saindoux. 2 jaunes d'œufs.
1 cuillerée à café de sel. 3 ou 4 verres d'eau froide.

PÂTE À GÉNOISE

- Déposer le sucre et les 4 œufs entiers dans une terrine «cul-de-poule», dans une casserole ou dans un saladier placé dans de l'eau chaude (mais non bouillante). Fouetter le tout sur feu très doux jusqu'à obtention d'un mélange léger et mousseux, ayant presque doublé de volume. Incorporer alors la farine en la versant en pluie, en continuant à remuer avec une spatule, puis le beurre fondu et refroidi. Mélanger délicatement, afin de ne pas alourdir la pâte, jusqu'à obtention d'une préparation homogène. Répartir la pâte dans un ou plusieurs moules beurrés et farinés. Cuire à four modéré, d'autant plus modéré que le moule est gros, un peu plus chaud pour des petits moules.
- On vérifie le degré de cuisson d'une génoise en y enfonçant une lame de couteau : elle doit ressortir sèche et sans adhérence de pâte.

Temps de cuisson, 30 mn

125 g de sucre. 100 g de farine. 75 g de beurre. 4 œufs entiers.

Pâte
à génoise,
recette p.

PÂTE À BISCUIT

Temps de cuisson, 30 mn

• Déposer le sucre, le parfum (vanille, zeste d'orange ou de citron, eau de fleur d'oranger, etc.) et les 4 jaunes d'œufs dans une terrine. Travailler vigoureusement le mélange à la spatule jusqu'à ce qu'il devienne blanchâtre et crémeux. Incorporer en même temps les blancs d'œufs battus en neige très ferme et la farine, en remuant délicatement à la spatule, et enfin le beurre fondu. Verser la pâte dans un moule beurré et fariné de forme adaptée au gâteau préparé, et cuire à four très doux.

• La pâte à biscuit de Savoie sert à préparer divers gâteaux : moka, biscuit fourré aux confitures, à la crème, biscuit roulé, bûche de Noël, etc.

À droite :
biscuit
de Savoie

125 g de sucre. 100 g de farine. 50 g de beurre. 4 œufs. Parfum au choix.

PÂTE À FRIRE

• Dans une terrine, mélanger du bout des doigts la farine, l'huile, le sel et la levure, préalablement dissoute dans un grand verre d'eau chaude ; la pâte doit être liquide, nappant juste le doigt. Laisser lever une bonne heure dans un endroit tempéré. Au dernier moment, incorporer le blanc d'œuf battu en neige, en remuant délicatement à l'aide d'une fourchette.

125 g de farine. 2 cuillerées à soupe d'huile. 1 pincée de sel. 1 verre d'eau chaude. 1 noisette de levure de boulanger. 1 blanc d'œuf.

218

PÂTE À CHOUX

• Mettre le beurre, le sel, le sucre et l'eau dans une casserole. Porter le tout à ébullition, puis retirer la casserole du feu et ajouter toute la farine, en la versant en une seule fois ; mélanger à l'aide d'une spatule jusqu'à obtention d'une pâte épaisse et ferme. Remettre la casserole 2 ou 3 mn sur feu doux, toujours en remuant, jusqu'à ce que la pâte se détache de la spatule et semble grasse ; retirer la casserole du feu. Incorporer, l'un après l'autre, les 4 œufs entiers, en remuant vigoureusement : la pâte doit être assez molle, coulante, mais pas liquide. Il est préférable d'ajouter le dernier œuf en plusieurs fois, de manière à ne pas risquer d'obtenir une pâte trop molle.

• Cette pâte constitue la base d'une infinité de gâteaux et entremets – Saint-Honoré, choux à la crème, éclairs, salammbos, pains de La Mecque, religieuses, profiteroles, pets-de-nonne, etc. Sans sucre, elle sert aussi à préparer les gnocchi, en y ajoutant du fromage râpé, du poivre et de la noix de muscade.

1/4 de litre d'eau. 100 g de beurre. 2 morceaux de sucre. 1 pincée de sel.
125 g de farine. 4 œufs.

TURINOIS

Temps de cuisson des marrons, 30 mn

• Ce gâteau, qui ne nécessite pas de cuisson à proprement parler, doit être préparé la veille.

• Pratiquer une incision circulaire sur les marrons, assez profonde pour entailler les deux peaux. Les faire blanchir 2 mn à l'eau bouillante pour finir de les éplucher facilement. Porter l'eau à ébullition dans une casserole avant d'y mettre les marrons ; laisser cuire 30 mn. En fin de cuisson, égoutter et passer les marrons au moulin à légumes (grille fine) au-dessus d'une terrine. Incorporer le sucre, le chocolat râpé et le beurre à la purée obtenue pendant qu'elle est encore chaude. Mélanger vigoureusement jusqu'à obtention d'une préparation bien lisse, verser celle-ci dans un moule beurré, en tassant bien la pâte. Liser la surface à l'aide d'une spatule et tenir au frais jusqu'au lendemain. Le moment venu, il ne reste plus qu'à démouler le gâteau sur le plat de service.

500 g de marrons. 1 litre d'eau. 100 g de beurre fin. 100 g de chocolat râpé.
100 g de sucre vanillé.

GALETTE DES ROIS

Temps de cuisson, 20 mn

• Préparer la pâte feuilletée comme indiqué dans la recette de base (voir page 216), en ne mettant que 200 g de beurre et en ne lui donnant que cinq tours. Ramasser la pâte en boule ronde, puis étendre celle-ci à l'aide d'un rouleau, en une abaisse de 1,5 cm d'épaisseur légèrement arrondie. Inciser le dessous pour introduire la fève dans la galette, dorer la surface à l'œuf battu et quadriller la pâte avec la pointe d'un couteau. Déposer la galette sur la plaque du four simplement humectée d'un peu d'eau et cuire à four bien chaud.

300 g de farine. 1/2 cuillerée à café de sel fin. 2 verres d'eau. 200 g de beurre. 1 œuf.

GÂTEAU AU CHOCOLAT ET AUX AMANDES

- Mettre dans une terrine le sucre, les amandes pilées, un œuf entier et 3 jaunes et travailler le tout très énergiquement à l'aide d'une spatule. Faire fondre le chocolat avec un petit fond d'eau avant de l'ajouter au mélange. Monter les 3 blancs en neige bien ferme. Incorporer en même temps les blancs d'œufs, la farine et la fécule, en remuant délicatement à la spatule, puis le beurre fondu. Verser la pâte dans un moule carré, beurré et fariné, et cuire à four très doux. Laisser refroidir le gâteau avant de le napper de confiture d'abricots chaude puis, éventuellement, de glacer la surface au fondant au chocolat.

Temps de cuisson, 50 mn

125 g de sucre. 80 g de fécule. 20 g de farine. 75 g d'amandes. 75 g de beurre.
100 g de chocolat. 4 œufs. 1/2 pot de confiture d'abricots.

PAIN DE GÊNES

- Mettre le beurre à ramollir dans une grande terrine. Ajouter le sucre et battre le tout longuement à l'aide d'un fouet jusqu'à obtention d'un mélange blanchâtre. Ajouter alors les amandes en poudre, en continuant à battre le mélange au fouet, puis, un par un et à 2 ou 3 mn d'intervalle, les 3 œufs entiers. Battre encore quelques minutes avant d'incorporer la pincée de sel, la farine et le kirsch (ou tout autre parfum). Beurrer le moule à pain de Gênes (moule plat à côtes) et tapisser le fond d'un cercle de papier sulfurisé beurré, puis verser la pâte dans le moule. Cuire à four très doux.

Temps de cuisson, 40 mn

150 g de sucre en poudre. 125 g de beurre. 100 g d'amandes en poudre.
40 g de farine ou de fécule. 3 œufs. 1 pincée de sel. 1 verre à liqueur de kirsch.

SAVARINS ET BABAS

- La même pâte sert à confectionner savarins et babas. En voici une recette simple qui permet de déguster le gâteau 2 h plus tard.
- Faire dissoudre la levure dans le lait tiède. Chauffer une terrine dans le four avant d'y déposer la farine, les œufs entiers et le lait additionné de levure ; pétrir la pâte du bout des doigts jusqu'à obtention d'un mélange bien lisse ; couvrir la terrine et tenir à chaleur douce 45 mn.
- La pâte doit alors avoir doublé de volume ; incorporer, à la main, le beurre bien mou, le sucre et le sel fin, ainsi que les raisins secs pour les babas.
- Verser la pâte dans le moule adapté (à savarin ou à baba), en ne le garnissant qu'au tiers de sa hauteur. Laisser reposer dans un endroit tempéré jusqu'à ce que la pâte ait levé au ras du moule. Enfourner à four très chaud, en ayant

Temps de cuisson, petits babas et savarins : 12 à 15 mn ; gros babas : 40 mn

Baba,
recette p.

soin d'adapter le temps de cuisson à la taille et au type de gâteau souhaité.
• Pendant la cuisson du gâteau, préparer le sirop en portant à ébullition pendant quelques minutes le sucre, l'eau et l'alcool choisi (rhum ou kirsch). Dès la sortie du four, arroser le gâteau de sirop bouillant, en procédant à l'aide d'une petite louche pour un savarin ou un gros baba, en les plongeant directement dans le sirop s'il s'agit de petits babas.

125 g de farine. 2 œufs. 1/2 verre de lait. 6 g de levure. 50 g de beurre.
1 cuillerée à café de sucre. 1 pincée de sel fin. 100 g de raisins de Corinthe.
Sirop : 250 g de sucre. 3/4 de litre d'eau. 2 verres de rhum ou de kirsch.

PLUM-CAKE

Temps de cuisson, 40 mn

• Couper les fruits confits en petits dés et les mettre à macérer dans le rhum. Mettre le beurre à ramollir dans une grande terrine. Ajouter le sucre et battre le tout à l'aide d'un fouet jusqu'à obtention d'un mélange mousseux, ajouter ensuite un œuf entier, en continuant à battre le mélange au fouet, puis, un par un et à 2 ou 3 mn d'intervalle, les 2 œufs suivants. Ajouter alors la farine, le sel, la levure en poudre en mélangeant à l'aide d'une cuillère en bois et, enfin, les fruits confits. Beurrer un moule à cake et tapisser le fond d'un cercle de papier sulfurisé beurré, puis verser la pâte dans le moule. Enfourner à four très chaud pendant les cinq premières minutes, puis modéré jusqu'à la fin de la cuisson. Ce gâteau accompagne très bien le thé et se conserve plusieurs jours.

125 g de beurre. 125 g de sucre en poudre. 3 œufs. 160 g de farine.
1/2 cuillerée à café de sel. 1/3 de paquet de levure. 150 g de fruits confits.
1 verre à madère de rhum.

TARTE AUX POMMES

• Éplucher les pommes ; préparer une compote en faisant cuire doucement la moitié des pommes coupées en morceaux avec 75 g de sucre et quelques cuillerées d'eau.

• Préparer la pâte brisée comme indiqué dans la recette de base (voir page 216). Laisser la pâte reposer au frais avant de l'étendre à l'aide d'un rouleau en une abaisse de 3 mm d'épaisseur. Déposer un cercle à tarte beurré sur une tôle propre non beurrée. Appliquer la pâte dans le cercle en appuyant légèrement avec les doigts et en la laissant dépasser de 1 cm ; couper l'excédent de pâte, pincer le pourtour avec la pince à tarte et piquer le fond de quelques coups de fourchette.

• Garnir le fond d'une couche de compote de pommes refroidie, disposer le reste de pommes coupées en tranches fines, décorer la surface de petits croisillons de pâte, puis enfourner à four bien chaud. En fin de cuisson, enduire la surface de confiture d'abricots chaude à l'aide d'un pinceau.

• Il est toujours préférable de faire cuire les tartes dans des cercles sans fond plutôt que dans des moules d'une seule pièce ; de même, les fonds de tarte doivent toujours cuire avec les fruits, même si ceux-ci sont déjà cuits.

Temps de cuisson, 25 à 30 mn

250 g de farine. 125 g de beurre. 5 g de sel. 100 g de sucre. 1 verre d'eau.
1 kg de pommes. 2 ou 3 cuillerées à soupe de confiture d'abricots.

Tarte
aux pommes

Tarte
aux fraises,
recette p. 224

TARTE AUX FRAISES

Temps de cuisson, 20 mn

• Préparer la pâte brisée comme indiqué dans la recette de base (voir page 216). Laisser la pâte reposer au frais avant de l'étendre à l'aide d'un rouleau en une abaisse de 3 mm d'épaisseur. Déposer un cercle à tarte beurré sur une tôle propre non beurrée. Appliquer la pâte dans le cercle en appuyant légèrement avec les doigts et en la laissant dépasser de 1 cm. Couper l'excédent de pâte et piquer le fond de tarte de quelques coups de fourchette. Répartir une couche de légumes secs (haricots blancs, lentilles, etc.) sur le fond de pâte et enfourner à four bien chaud. Enlever les légumes secs 6 ou 7 mn avant la fin de la cuisson pour permettre à la pâte de prendre une belle couleur dorée.

• Pendant ce temps, laver et équeuter les fraises. Disposer les fruits dans la tarte refroidie, napper la surface de gelée de groseilles tiède et servir.

250 g de farine. 125 g de beurre. 5 g de sel. 25 g de sucre. 3/4 de verre d'eau.
1 kg de fraises. 1/2 pot de gelée de groseilles.

TARTE AUX ABRICOTS

Temps de cuisson, 25 à 30 mn

• Procéder comme dans la recette précédente, en garnissant le fond de tarte d'une fine couche de sucre en poudre avant de disposer les abricots coupés en deux (frais ou en conserve), en les faisant se chevaucher légèrement. Napper la tarte de confiture d'abricots tiède en fin de cuisson.

250 g de farine. 125 g de beurre. 5 g de sel. 25 g de sucre. 3/4 de verre d'eau.
1 kg d'abricots. 2 cuillerées à soupe de sucre en poudre. 3 cuillerées à soupe de confiture d'abricots.

TARTE AUX PRUNES

Temps de cuisson, 25 à 30 mn

• Préparer la pâte brisée comme indiqué dans la recette de base (voir page 216), et dénoyauter délicatement les prunes, en laissant entières les mirabelles, mais en coupant en deux les quetsches. Laisser la pâte reposer au frais avant de l'étendre à l'aide d'un rouleau en une abaisse de 3 mm d'épaisseur. Déposer un cercle à tarte beurré sur une tôle propre non beurrée. Appliquer la pâte dans le cercle en appuyant légèrement avec les doigts et en la laissant dépasser de 1 cm. Couper l'excédent de pâte et piquer le fond de tarte de quelques coups de fourchette. Répartir une fine couche de sucre en poudre, puis disposer les fruits. En fin de cuisson, arroser les tartes aux quetsches de quelques cuillerées à soupe de gelée de groseilles tiède, les tartes aux mirabelles de confiture d'abricots.

250 g de farine. 125 g de beurre. 5 g de sel. 25 g de sucre. 3/4 de verre d'eau.
1 kg de mirabelles ou de quetsches. 2 cuillerées à soupe de sucre en poudre.
3 cuillerées à soupe de confiture d'abricots ou de gelée de groseilles.

TARTE AUX CERISES

- Préparer la pâte brisée comme indiqué dans la recette de base (voir page 216). Laisser la pâte reposer au frais avant de l'étendre à l'aide d'un rouleau en une abaisse de 3 mm d'épaisseur. Déposer un cercle à tarte beurré sur une tôle propre non beurrée. Appliquer la pâte dans le cercle en appuyant légèrement avec les doigts et en la laissant dépasser de 1 cm ; couper l'excédent de pâte et pincer le pourtour avec la pince à tarte. Piquer le fond de quelques coups de fourchette avant de le garnir d'une fine couche de sucre en poudre.
- Dénoyauter les cerises, fraîches de préférence (mais les cerises en conserve font un délicieux dessert d'hiver), puis garnir toute la tarte, en les serrant bien les unes contre les autres. Cuire ensuite à four bien chaud, de 25 à 30 mn ; arroser la surface de gelée de groseilles tiède à la sortie du four.

250 g de farine. 125 g de beurre. 5 g de sel. 25 g de sucre. 3/4 de verre d'eau.
2 cuillerées à soupe de sucre en poudre. 1 kg de cerises. 3 cuillerées à soupe
de gelée de groseilles.

Temps de cuisson, 25 à 30 mn

KUGELHOF

- Ce gâteau alsacien, du même type que le baba, se déguste sec, au petit déjeuner ou à l'heure du thé et se conserve deux à trois jours.
- Faire dissoudre la levure dans le lait chaud. Chauffer une terrine dans le four avant d'y déposer 60 g farine et le lait additionné de levure ; pétrir du bout des doigts jusqu'à obtention d'une pâte molle. Verser le reste de farine par-dessus, sans la mélanger ; tenir la terrine à chaleur douce jusqu'à ce que le levain, de dessous, fasse «craqueler» la farine. Ajouter alors les œufs entiers, un peu de lait pour ramollir légèrement la pâte, puis le beurre, le sucre en poudre, le sel et les raisins de Malaga, secs et épépinés, et pétrir le tout à la main.
- Graisser copieusement un ou deux moules à kugelhof (moules en terre vernissée à tube central), puis disposer les amandes au fond du moule. Verser la pâte dans le moule jusqu'à mi-hauteur. Laisser lever jusqu'à ce que le moule soit plein et cuire à four bien chaud (40 mn pour un seul moule, 20 mn si la pâte est répartie dans deux moules). Démouler sur une grille dès la sortie du four.

260 g de farine. 1 verre de lait. 12 g de levure de boulanger. 2 œufs. 80 g de beurre.
25 g de sucre en poudre. 1/2 cuillerée à café de sel. 125 g de raisins de Malaga.
25 g d'amandes effilées.

Temps de cuisson, 20 à 40 mn

PETITS GÂTEAUX ET PETITS FOURS

TUILES AUX AMANDES

Temps de cuisson, 4 à 6 mn

• Battre le sucre et les blancs d'œufs à l'aide d'un fouet, pendant 3 à 4 mn. Incorporer la farine et le beurre fondu en continuant à remuer à la spatule, puis les amandes effilées : la pâte est vite faite. Beurrer et fariner la plaque du four. Répartir la pâte en petits tas à l'aide d'une cuillerée à café bien pleine, aplatir légèrement les petits tas de pâte avec le dos de la cuillère. Saupoudrer les galettes de sucre glace, et enfourner à four bien chaud. Dès la sortie du four, soulever les galettes avec la lame d'un couteau ou une spatule pour les déposer aussitôt sur le rouleau à pâtisserie (ou tout autre objet arrondi) sur lequel elles prendront la forme de tuiles en refroidissant. Ces proportions permettent de préparer une trentaine de tuiles.

100 g de sucre en poudre. 2 blancs d'œufs. 50 g de farine. 50 g de beurre.
40 g d'amandes effilées. Sucre glace.

Tuiles aux amandes

artelettes
aux fruits

TARTELETTES AUX FRUITS

• On peut préparer de petites tartelettes, pour le thé, pour un pique-nique (elles sont moins fragiles que les grandes), pour un goûter d'enfants, etc., en procédant, à peu de chose près, comme pour une grande tarte. Les moules peuvent être garnis de pâte brisée ou feuilletée (voir page 216) ; les quantités indiquées permettent de réaliser une vingtaine de tartelettes.

• Étendre la pâte en une abaisse de 4 mm d'épaisseur. Diviser la pâte en cercles de dimension proportionnée à celle des moules, à l'aide d'un emporte-pièce rond cannelé. Beurrer les moules puis appliquer la pâte en laissant dépasser légèrement le rebord dentelé. Piquer les fonds, et cuire à four chaud. En fin de cuisson, répartir les fruits sur une mince couche de confiture.

Temps de cuisson, 12 mn

227

Petits conseils du chef

CUISSON DES CROÛTES À FLANS ET QUICHES

Lorsque l'on prépare un flan ou une quiche, et que l'on verse la préparation dans la pâte crue, on a souvent la désagréable surprise de voir la pâte se rétracter sous l'effet de la chaleur, et le liquide se répand sur la plaque à pâtisserie. Il existe une moyen simple pour y remédier : le cercle étant foncé, tapisser le fond de pâte d'un papier sulfurisé puis répandre une couche de légumes secs (haricots, lentilles, etc.). Enfourner quelques minutes, de manière à «raidir» la pâte sans pour autant la laisser se colorer. Enlever papier et légumes secs, verser la préparation voulue, puis terminer la cuisson. Ainsi décomposée en deux temps, la cuisson ne pose plus de problème : la plaque reste propre, flans et quiches ont un aspect irréprochable.

SABLÉS

Temps de cuisson, 15 mn

• Verser la farine sur le plan de travail et creuser une fontaine au centre. Déposer le beurre, le sucre, le sel, les jaunes d'œufs passés au tamis et le zeste de citron au milieu. Pétrir la pâte du bout des doigts puis laisser celle-ci reposer au frais environ une heure, jusqu'à ce qu'elle soit bien ferme. Étendre la pâte en une abaisse de 4 à 5 mm d'épaisseur sur la table farinée, puis découper les sablés à l'aide d'un ou de plusieurs emporte-pièce, en ayant soin d'éviter les pertes. Graisser la tôle du four, puis soulever les sablés à l'aide d'une spatule pour les déposer dessus. Enfourner tel quel, à four très chaud. Laisser refroidir les sablés sur une grille sans les superposer.

150 g de farine. 100 g de beurre. 75 g de sucre en poudre. 2 jaunes d'œufs durs. 1 pincée de sel. 1 zeste de citron.

CROQUETS AUX AMANDES

Temps de cuisson, 25 mn

• Verser la farine sur le plan de travail et creuser une fontaine au milieu. Déposer tous les ingrédients au centre, puis pétrir la pâte à pleines mains jusqu'à obtention d'une pâte ferme. Découper la pâte en plusieurs morceaux avec un grand couteau pour hacher grossièrement les amandes. Fariner légèrement le plan de travail, puis ramasser la pâte de manière à façonner un gros boudin et déposer celui-ci sur une tôle beurrée. Aplatir la pâte à la main, tout en lui conservant une forme légèrement bombée. Dorer la surface à l'œuf avant de la rayer avec les dents d'une fourchette. Cuire à four moyen. Laisser tiédir le gâteau avant de le découper en tranches de 1 à 1,5 cm d'épaisseur.

150 g de farine. 60 g de beurre. 80 g de sucre. 75 g d'amandes entières non épluchées. 1 œuf. 1 pincée de sel. 1 zeste de citron. 1/2 cuillerée à café de levure en poudre.

NAVETTES

• Pétrir vigoureusement tous les ingrédients, puis ramasser la pâte en boule et laisser celle-ci reposer 2 h. Diviser la pâte en seize à dix-huit morceaux de la grosseur d'un œuf de pigeon. Rouler les morceaux un par un, à la main, sur le plan de travail légèrement fariné, en leur donnant la forme de navettes ou de cigares. Passer les navettes dans le blanc d'œuf puis dans le sucre cristallisé avant de les déposer sur une tôle bien propre, non beurrée ; cuire à four modéré.

125 g de farine. 60 g de sucre. 60 g de beurre. 1 pincée de sel.
2 jaunes d'œufs et 1 blanc. 1/2 cuillerée à café de vanille en poudre.
2 cuillerées à soupe de sucre cristallisé.

Temps de cuisson, 15 mn

GALETTES À LA BÂLOISE

• Mélanger les amandes et le sucre, puis ajouter les jaunes d'œufs ou l'œuf entier. Déposer le mélange au milieu de la farine, ajouter le sel et la vanille et pétrir le tout à la main de manière à obtenir une pâte ferme ; laisser reposer 1 h au frais. Étendre puis diviser la pâte en galettes ovales ; dorer la surface à l'œuf, déposer une amande au centre de chaque galette et enfourner à four modéré.

125 g d'amandes en poudre. 150 g de farine. 125 g de sucre. 40 g de beurre. 3 jaunes d'œufs ou 1 œuf entier. 1/2 cuillerée à café de vanille en poudre. 1 pincée de sel.

Temps de cuisson, 15 mn

GALETTES BRETONNES

• Pétrir vigoureusement la farine, le beurre, le sucre, l'œuf, le sel, la cannelle et 60 g de raisins secs. Ramasser la pâte en boule et laisser celle-ci reposer 2 h. Diviser la pâte en morceaux de la grosseur d'un œuf, et aplatir chaque morceau en appuyant dessus avec une boîte farinée. Dorer la surface à l'œuf puis la rayer au couteau. Déposer quelques raisins de Corinthe au centre de chaque galette. Cuire à four chaud. Ces galettes sont délicieuses avec le thé ; on peut d'ailleurs renouveler la recette en remplaçant la cannelle par de la vanille, par un zeste de citron ou d'orange râpé, par de l'eau de fleur d'oranger, etc.

150 g de farine. 60 g de beurre. 70 g de raisins de Corinthe. 60 g de sucre. 1 œuf.
1 pincée de sel. 1 pincée de cannelle en poudre.

Temps de cuisson, 10 mn

BAGUETTES FLAMANDES

• Battre énergiquement le sucre, l'œuf et le jaune dans une terrine jusqu'à obtention d'un mélange mousseux et blanchâtre. Incorporer la vanille et la farine, puis, à l'aide d'une poche à douille ou d'une cuillère, déposer des «baguettes» de la grosseur du petit doigt et de 6 à 8 cm de long sur la plaque beurrée et farinée. Parsemer les baguettes d'amandes hachées et cuire à four modéré.

125 g de sucre. 125 g de farine. 60 g d'amandes hachées. 1 œuf entier. 1 jaune d'œuf.
1 cuillerée à café de vanille en poudre ou d'eau de fleur d'oranger.

Temps de cuisson, 8 mn

CHAUSSONS FEUILLETÉS AUX POMMES

*Temps
de cuisson,
20 mn*

- Éplucher et couper les pommes en quartiers. Déposer les fruits dans une casserole avec un petit fond d'eau, couvrir la casserole et laisser cuire à feu moyen 20 à 30 mn, en remuant de temps en temps pour empêcher les pommes d'attacher, jusqu'à obtention d'une compote assez épaisse ; laisser refroidir la compote.
- Étendre la pâte feuilletée en une grande abaisse de 1,5 cm d'épaisseur puis découper celle-ci en cercles à l'aide d'un emporte-pièce cannelé de 8 cm de diamètre. Humecter le pourtour des morceaux de pâte avec un peu d'eau et déposer un petit tas de marmelade de pommes au centre ; rabattre la pâte bord à bord en pressant légèrement pour souder les deux épaisseurs de pâte. Déposer les chaussons sur la plaque du four, dorer à l'œuf battu. Rayer la surface avec un couteau et cuire à four chaud. À la sortie du four, saupoudrer les chaussons de sucre glace et repasser au four quelques instants pour le glaçage.
- On peut aussi garnir les chaussons de crème pâtissière ou de crème aux amandes.

Pâte feuilletée préparée avec 500 g de farine. 1 kg de pommes. 1 œuf. Sucre glace.

MERINGUES

*Temps
de cuisson,
1 h*

- Battre les blancs d'œufs en neige très ferme. Ajouter le sucre par petites quantités, en mélangeant délicatement à l'aide d'une spatule. Transvaser la meringue dans une poche munie d'une grosse douille ronde unie ; beurrer et fariner la plaque du four. Dresser la meringue en petits tas ovales (à défaut de poche, on peut utiliser une cuillère à soupe). Saupoudrer copieusement les meringues de sucre semoule, puis incliner la tôle pour faire tomber l'excédent

Meringues

Choux à la

Palmiers
glacés,
ette p. 232

de sucre. Cuire à four extrêmement doux ; au bout de 25 mn, les meringues ont blondi et se décollent assez facilement de la tôle, mais elles sont encore molles à l'intérieur ; il faut les retourner et les remettre à cuire encore 30 à 35 mn. Laisser les meringues refroidir dans le four entrouvert.

● Ainsi préparées, lorsqu'elles sont bien sèches, elles se conservent assez longtemps dans une boîte hermétiquement close. Elles seront dégustées nature, avec de la crème Chantilly, de la crème pâtissière, de la glace à la vanille, etc.

3 blancs d'œufs. 125 g de sucre semoule.

CHOUX À LA CRÈME

● Préparer la pâte à choux comme indiqué dans la recette de base (voir page 220). À l'aide d'une poche munie d'une douille unie, ou d'une cuillère, déposer des petits tas, de la grosseur d'une mandarine, sur la plaque du four (non beurrée). Dorer la surface à l'œuf battu et cuire à four moyen, environ 20 mn.

● Mélanger les jaunes d'œufs et le sucre vanillé à l'aide d'un fouet, jusqu'à obtention d'un mélange mousseux et blanc, puis ajouter la farine. Ajouter le lait bouillant, par petites quantités, en remuant constamment au fouet pour ne pas coaguler les œufs. Verser la préparation dans une casserole et poser celle-ci sur feu doux. Continuer à remuer sans arrêt jusqu'au premier bouillon, puis retirer la casserole du feu ; la crème doit être assez épaisse. Incorporer délicatement les blancs montés en neige bien ferme dans la crème encore chaude.

● Garnir les choux de crème. Cette recette peut être modifiée en remplaçant la crème pâtissière par de la crème Chantilly (voir page 195).

*Temps
de cuisson,
30 mn*

Pour la pâte : 1/4 de litre d'eau. 100 g de beurre. 2 morceaux de sucre.
1 pincée de sel. 125 g de farine. 4 œufs. Pour la crème pâtissière : 3 jaunes d'œufs.
1/2 litre de lait. 125 g de sucre. 50 g de farine. 4 blancs d'œufs.

231

PALMIERS GLACÉS

Temps
de cuisson,
10 à 15 mn

- Préparer la pâte feuilletée comme indiqué dans la recette de base (voir page 216). Saupoudrer copieusement la pâte de sucre en poudre en lui donnant les deux derniers tours de manière à le faire pénétrer.
- Étendre la pâte en un grand carré régulier de 2 à 3 mm d'épaisseur. Replier l'un des côtés deux fois sur lui-même de façon que la partie repliée arrive au milieu du carré ; répéter l'opération sur le bord opposé : les deux parties doivent se rejoindre au milieu. Il ne reste alors qu'à replier l'une sur l'autre les deux parties pour que le morceau de pâte se présente comme une bande assez longue, constituée par six épaisseurs de pâte.
- Couper la pâte ainsi apprêtée en tranches de 10 à 12 mm d'épaisseur. Déposer les palmiers à plat sur une tôle bien propre (non beurrée), assez loin les uns des autres pour permettre à la pâte de s'étaler à la cuisson. Cuire à four bien chaud.

Pâte feuilletée préparée avec 250 g de farine. 125 g de sucre en poudre.

MADELEINES DE COMMERCY

Temps
de cuisson,
20 mn

- Mettre le beurre à ramollir dans une terrine (ou au four s'il est vraiment très dur). Travailler le beurre à l'aide d'un fouet pour le réduire en pommade. Ajouter le sucre et battre le tout à l'aide d'un fouet jusqu'à obtention d'un mélange mousseux, ajouter ensuite un œuf entier, en continuant à battre le mélange au fouet, puis, un par un et à 2 ou 3 mn d'intervalle, les 3 œufs suivants. Incorporer enfin la farine, en mélangeant à l'aide d'une cuillère en bois.
- Beurrer et fariner les moules à madeleines (de 20 à 24, selon la taille). Répartir la pâte dans les alvéoles, en les remplissant à ras bord. Cuire à four chaud.

125 g de sucre vanillé. 125 g de farine. 125 g de beurre. 4 œufs entiers.

Petits conseils du chef

MONTER DES BLANCS D'ŒUFS EN NEIGE BIEN LISSE

Il est parfois difficile de monter les blancs d'œufs en neige, surtout quand il s'agit de blancs d'œufs frais qui ont tendance à ne pas «prendre».

Contrairement à l'idée reçue selon laquelle une pincée de sel facilite la tâche, cet usage est déconseillé, surtout lorsqu'il s'agit de préparations sucrées (la quantité nécessaire pour obtenir un bon résultat serait si importante qu'elle nuirait à la saveur finale). Pour celles-ci (biscuits à la cuillère, soufflés, meringues, etc.), on réservera plutôt une petite quantité de sucre (dans la proportion d'une cuillerée à soupe pour 4 blancs d'œufs), en l'incorporant aux blancs par petites quantités.

GLACE ROYALE

• Verser le blanc d'œuf dans une terrine. Ajouter le sucre glace par petites quantités, en travaillant le mélange à l'aide d'une spatule en bois jusqu'à obtention d'une préparation à la fois mousseuse et ferme. La bonne consistance est atteinte lorsqu'un bec se forme au bout de la spatule. Ajouter une pincée de farine, qui empêchera la glace royale de couler en cuisant.

1 petit blanc d'œuf. 250 g environ de sucre glace. 1 pincée de farine.

PALETS DE DAMES

• Mettre les raisins à macérer dans le rhum et le beurre à ramollir dans une terrine. Verser le sucre sur le beurre et battre le mélange 3 à 4 mn à l'aide d'un fouet. Ajouter l'œuf entier en continuant à battre. Incorporer la farine, puis les raisins égouttés. Dresser les palets à l'aide d'une poche munie d'une douille ou d'une cuillère, sur une tôle beurrée et farinée. Enfourner à four très chaud.

Temps de cuisson, 5 mn

60 g de beurre. 60 g de sucre. 1 œuf. 75 g de farine. 40 g de raisins de Corinthe.
1 verre à liqueur de rhum.

PARISETTES

• Préparer la pâte comme pour les palets de dame (sans raisins de Corinthe). Dresser les palets sur la tôle beurrée et farinée, saupoudrer la surface d'amandes hachées ou effilées ; faire cuire à four très chaud.

Temps de cuisson, 5 à 6 mn

60 g de beurre. 60 g de sucre. 1 œuf. 75 g de farine. 40 g d'amandes hachées ou effilées.

PAINS SOUFFLÉS

• Mélanger tous les ingrédients jusqu'à obtention d'une pâte homogène ; laisser reposer 1 h, puis diviser la pâte en navettes. Déposer celles-ci sur la plaque beurrée et farinée, en laissant suffisamment d'espace entre les petits pains pour permettre à la pâte de s'étendre et de gonfler à la cuisson. Dorer la surface à l'œuf, faire cuire à four chaud.

Temps de cuisson, 10 mn

125 g de farine. 60 g de beurre. 75 g de sucre. 1 œuf entier. Le zeste de un citron.
1 pincée de bicarbonate de soude.

MACARONS DE NANCY

• Mélanger les amandes et le sucre ; incorporer les blancs d'œufs crus par petites quantités puis ajouter la vanille ; la pâte doit être assez ferme. Tapisser la plaque du four d'une feuille de papier sulfurisé. Dresser les macarons à l'aide

Temps de cuisson, 12 à 15 mn

d'une poche à douille ou d'une cuillère, en laissant suffisamment d'espace pour permettre à la pâte de s'étendre à la cuisson. Humecter la surface à l'aide d'un pinceau trempé dans l'eau, puis saupoudrer les macarons de sucre glace. Cuire à four doux. Laisser refroidir les macarons. Pour les décoller, ôter la feuille de papier, mouiller la plaque à pâtisserie, remettre la feuille dessus et attendre quelques secondes.

150 g d'amandes en poudre. 250 g de sucre. 3 blancs d'œufs.
1 cuillerée à café de vanille en poudre. 1 pincée de fécule.

MACARONS AU CHOCOLAT

Temps de cuisson, 12 à 15 mn

• Mélanger les amandes et le sucre ; incorporer les blancs d'œufs crus par petites quantités, puis ajouter le chocolat fondu. Dresser la pâte de la même manière que pour les macarons de Nancy. Déposer une pincée de sucre granulé sur chaque macaron et cuire à four modéré.

125 g d'amandes. 180 g de sucre. 60 g de chocolat. 2 blancs d'œufs.

FLORETTES

Temps de cuisson, 15 mn

• Foncer des moules à tartelettes assez profonds en pâte brisée, en respectant les proportions indiquées dans la recette de base (voir page 216). Garnir le fond de chaque moule d'une cuillerée de confiture d'abricots.
• Battre les blancs d'œufs en neige très ferme, incorporer délicatement le sucre et les amandes en poudre, puis le kirsch. Répartir la préparation dans les moules, parsemer la surface d'amandes hachées, saupoudrer de sucre et cuire à four modéré. Ces proportions permettent de préparer 15 à 20 florettes.

Pâte brisée. 1 pot de confiture d'abricots. 2 blancs d'œufs. 100 g de sucre en poudre.
90 g d'amandes en poudre. 40 g d'amandes hachées. 1 cuillerée à soupe de kirsch.

MIRLITONS DE ROUEN

Temps de cuisson, 15 mn

• Foncer des moules à tartelettes assez profonds en pâte feuilletée (voir page 216). Piquer les fonds de pâte avec la pointe d'un couteau, puis garnir chaque moule d'une cuillerée de confiture d'abricots.
• Battre les œufs entiers et le sucre en poudre jusqu'à obtention d'un mélange mousseux, ajouter les macarons écrasés (ou, à défaut, les amandes en poudre et la vanille). Répartir la préparation dans les moules, disposer trois amandes en forme de trèfle sur chaque mirliton et saupoudrer de sucre glace. Cuire à four modéré.

Pâte feuilletée. 1 pot de confiture d'abricots. 2 œufs. 125 g de sucre en poudre.
3 macarons ou 2 cuillerées à soupe d'amandes en poudre et une pincée de vanille
en poudre. 40 g d'amandes entières. Sucre glace.

Langues
de chat

GALETTES SALÉES

• Pétrir délicatement, du bout des doigts, tous les ingrédients ; laisser reposer 1 ou 2 h. Étendre la pâte en une abaisse aussi fine que possible à l'aide d'un rouleau. Piquer la pâte sur toute sa surface avec les dents d'une fourchette ; découper les galettes à l'aide d'un emporte-pièce rond uni de 5 à 6 cm de diamètre. Déposer les galettes sur une tôle beurrée, humecter la surface à l'aide d'un pinceau trempé dans le lait salé. Cuire à four très chaud ; dès la sortie du four, badigeonner à nouveau la surface de lait salé. Le lait s'évapore pendant que les galettes refroidissent et laisse une légère croûte, très agréable si elle n'est pas excessivement salée.

Temps
de cuisson,
5 mn

150 g de farine. 75 g de beurre. 5 g de sel fin. 3 ou 4 cuillerées de lait froid.

LANGUES DE CHAT

• Mettre le beurre à ramollir dans une terrine. Ajouter le sucre vanillé et travailler le mélange au fouet jusqu'à obtention d'un mélange onctueux, de la consistance d'une pommade. Ajouter les blancs d'œufs par petites quantités, en continuant à fouetter le mélange entre chaque ajout. Verser la farine en une seule fois et incorporer celle-ci en remuant vigoureusement avec une spatule, puis ajouter la crème fraîche. Transvaser la pâte dans une poche munie d'une

Temps
de cuisson,
5 mn

235

douille ronde unie n° 11 (douille à langues de chat). Beurrer et fariner la plaque du four, puis coucher de petits bâtonnets de la longueur du doigt, assez espacés les uns des autres pour permettre à la pâte de s'étaler à la cuisson. Cuire à four très vif. Délicieuses à l'heure du thé ou du goûter, les langues de chat se conservent un à deux jours en boîte hermétiquement close, mais elles ramollissent rapidement à l'air libre.

100 g de beurre. 100 de sucre vanillé. 3 blancs d'œufs. 125 g de farine.
6 cuillerées de crème fraîche.

ALLUMETTES GLACÉES

Temps de cuisson, 12 à 15 mn

• Étendre la pâte feuilletée (voir page 216) en une bande de 10 cm de large, de 1,5 cm d'épaisseur, et d'environ 60 cm de long (proportions convenant à la préparation de 15 à 20 pièces). Étaler une mince couche de glace royale (ci-dessous) à la surface de la pâte. Égaliser les côtés à l'aide d'un couteau puis diviser la pâte en bandes de 3 à 4 cm de large. Soulever délicatement les allumettes à l'aide d'une spatule pour les déposer sur une tôle humectée d'eau. Cuire à four très doux pour ne pas colorer la glace royale.

Pâte feuilletée préparée avec 250 g de farine.

Petits conseils du chef

PRÉPARER UN MOULE À BISCUIT DE SAVOIE

L'aspect final du biscuit dépend essentiellement du graissage du moule. En effet, c'est le soin apporté au graissage qui permettra de démouler le gâteau sans difficulté. Ce moule, de forme haute, côtelé, comporte une douille centrale.

Chauffer légèrement le moule au four. À l'aide d'un pinceau, enduire les parois intérieures de beurre. Dès que le moule est graissé et avant que le corps gras ne fige, chemiser les parois de sucre en poudre, puis fariner le moule. Enlever l'excédent de farine en tapotant doucement le fond du moule, sans désagréger sa carapace de sucre et de farine.

LA CONFISERIE

CARAMELS MOUS AU CHOCOLAT

• Il est nécessaire, pour confectionner ces caramels, de disposer de quatre règles métalliques, en vente chez les marchands d'ustensiles pour pâtissier. Ces règles, de 20 ou 30 cm de long, servent à délimiter la surface nécessaire pour contenir la couche de sucre cuit. Il faut également disposer d'une plaque de marbre. Règles et marbre doivent être huilés, de préférence avec de l'huile d'amandes douces (à défaut, on peut utiliser de l'huile d'arachide).

Temps de cuisson, 15 mn environ

• Mélanger tous les ingrédients – sucre, crème fraîche, cacao, miel, beurre – dans un grand poêlon, en cuivre pur de préférence, à l'aide d'une spatule bien propre. Porter le mélange à ébullition sur feu moyen (attention : l'appareil monte lorsque le point d'ébullition est atteint, c'est pourquoi le récipient doit être assez grand).

• Lorsque le sirop commence à cuire, il redescend et commence à épaissir ; il faut alors s'entourer l'index d'un petit linge propre, le tremper dans un bol d'eau froide, placé près de la casserole, et frotter le tour de celle-ci pour faire dissoudre le sirop qui se dépose sur la paroi. Celle-ci doit rester propre tout au long de la cuisson, il faut donc répéter l'opération régulièrement à mesure que le sirop retombe.

• Pour s'assurer que le bon degré de cuisson du sucre est atteint, faire tomber une petite quantité dans un verre d'eau froide : on doit pouvoir le malaxer dans l'eau sans qu'il se désagrège et former, en le roulant entre le pouce et l'index, une petite boule à la fois ferme et souple : ce degré de cuisson du sucre est dit «au boulé».

• Verser la préparation aussitôt sur le marbre huilé, entre les règles, en couche d'environ 3 cm d'épaisseur. Laisser refroidir avant de couper les caramels à l'aide d'un couteau-scie.

250 g de sucre semoule. 250 g de crème fraîche épaisse. 50 g de cacao.
1 cuillerée à soupe de miel. 25 g de beurre.

CARAMELS MOUS AU CAFÉ

• Procéder comme pour les caramels mous au chocolat, en remplaçant le cacao par une cuillerée à café d'essence de café.

ORANGES GLACÉES AU SUCRE

• Éplucher soigneusement, sans les écorcher, les oranges non traitées, et à peaux épaisses de préférence. Détacher les quartiers, retirer la peau blanche, très amère. Disposer les tranches, sans qu'elles se touchent, sur un tamis ou une grille pour les faire sécher à température ambiante pendant quelques heures.

• Réunir le sucre, l'eau et le vinaigre dans une casserole, en cuivre pur de préférence. Porter le mélange à ébullition sur feu moyen, jusqu'à ce que le sucre soit bien fondu, puis augmenter le feu. Laisser cuire le sirop jusqu'à ce qu'il commence à jaunir, en nettoyant régulièrement la paroi de la casserole, comme indiqué dans la recette des caramels au chocolat. Le bon degré de cuisson est atteint lorsque le sucre, une fois refroidi dans l'eau froide, peut être mastiqué sans coller aux dents. Il faut alors retirer la casserole du feu.

• Prendre chaque tranche d'orange par une extrémité pour la tremper dans le sucre, aux trois quarts pour ne pas se brûler les doigts. Déposer les quartiers d'orange sur le marbre huilé au fur et à mesure ; laisser refroidir. Redonner un bouillon au sucre, puis saisir les tranches par l'autre extrémité pour tremper la partie qui n'a pas pu l'être à la première immersion. Laisser refroidir sur le marbre, puis répartir les quartiers dans des petites caissettes en papier.

8 oranges. 300 g de sucre en morceaux. 1 verre d'eau. 2 cuillerées à café de vinaigre.

CERISES GLACÉES AU CARAMEL

• Préparer le sirop comme indiqué dans la recette précédente, puis tremper les cerises à l'eau-de-vie bien égouttées, en les tenant par le bout de la queue.

25 à 30 cerises à l'eau-de-vie. 200 g de sucre en morceaux. 1/2 verre d'eau. 1 cuillerée à café de vinaigre.

CERISES MARQUISE

• Mélanger le sucre glace, le kirsch et l'eau dans une petite casserole, de façon à obtenir une préparation sirupeuse ; faire chauffer le mélange en remuant à l'aide d'une spatule : il doit être chaud mais non brûlant. Tremper les cerises bien égouttées par le bout de la queue. Si le fondant s'éclaircit en chauffant, ajouter un peu de sucre ; ajouter un filet d'eau s'il est trop épais. On peut aussi mettre une ou deux gouttes de colorant alimentaire rouge pour teinter le fondant en rose.

25 cerises à l'eau-de-vie. 150 g de sucre glace. 1/2 verre d'eau. 1 cuillerée à café de kirsch.

GROSEILLES OU CASSIS GIVRÉS

Temps de préparation, 15 à 20 mn

• Cette exquise confiserie peut être préparée toute l'année avec des fruits conservés à l'eau-de-vie, ou avec des fruits frais, en saison.
• Verser le sucre dans une assiette creuse ou dans un bol. Faire fondre la gomme arabique dans l'eau tiédie au bain-marie (la gomme fond lentement). Augmenter la chaleur et porter le mélange à ébullition. Tremper les grappes de

els mous,
tte p. 237

groseilles ou de cassis dans la gomme bouillante, une par une. Égoutter les fruits avant de les plonger dans le sucre cristallisé ; laisser celui-ci adhérer à la gomme, puis déposer les grappes sur un tamis et laisser sécher à température ambiante. Servir dans des caissettes à petits fours.

• Cette recette peut également être appliquée aux grains de raisins et aux fraises. Les fruits à l'eau-de-vie doivent être égouttés quelques heures à l'avance pour que l'alcool s'évapore.

24 grappes de groseilles ou de cassis. 100 g de gomme arabique. 1 verre d'eau.
250 g de sucre cristallisé très fin.

239

LES COMPOTES

La grande variété de fruits frais dont nous disposons aujourd'hui en toute saison est une incitation à préparer de délicieuses compotes (à ne pas confondre, comme on le fait souvent, avec les marmelades), probablement un des desserts les plus faciles à réaliser. Il ne faut pas pour autant négliger les fruits séchés, qui, sans restituer la finesse de goût des fruits de saison, permettent aussi de réaliser de fort bons desserts : citons pour exemple les pruneaux, produits dans la région d'Agen, les abricots, les poires, les pommes, les bananes, l'ananas, etc. Les fruits secs doivent être mis à tremper la veille, afin qu'ils se réhydratent. Les recettes qui suivent reposent sur un principe unique, et pourront être adaptées selon les besoins.

COMPOTE DE RHUBARBE

Temps de cuisson, 25 mn

- Éplucher les côtes de rhubarbe, en retirant les gros filaments. Couper les tiges en morceaux de 4 à 5 cm de long. Préparer le sirop en portant à ébullition le sucre et l'eau. Baisser le feu, ajouter les morceaux de rhubarbe, et laisser cuire dans le sirop tout juste frémissant.
- On peut aussi faire macérer les morceaux de rhubarbe 3 à 4 h dans le sucre en poudre pour leur faire rendre leur eau. Le «sirop» qui en résulte servira à la cuisson.

1 botte de rhubarbe. 500 g de sucre. 1 verre d'eau.

COMPOTE D'ABRICOTS

Temps de cuisson, 10 mn

- Choisir des abricots à la fois mûrs et fermes. Couper les fruits en deux et ôter le noyau. Préparer le sirop en portant à ébullition le sucre et l'eau. Baisser le feu, ajouter les oreillons d'abricots et laisser cuire doucement, dans le sirop tout juste frémissant (les abricots sont très fragiles). Sortir délicatement les fruits avec une écumoire. Laisser réduire le sirop quelques minutes à feu vif avant de le verser dans le compotier. Déguster chaud ou tiède.

1 kg d'abricots. 1/4 de litre d'eau. 150 g de sucre en morceaux.

COMPOTE DE POMMES

Temps de cuisson, 15 mn

- Éplucher, épépiner et couper les pommes en quartiers (une variété ne se défaisant pas à la cuisson, de préférence). Réunir l'eau, le sucre et la vanille dans une casserole. Porter le tout à ébullition sur feu assez vif. Baisser le feu, ajouter les quartiers de pomme et laisser cuire doucement, à petits bouillons. Retirer les pommes cuites à l'aide d'une écumoire, disposer celles-ci dans un compotier ; ôter la gousse de vanille et laisser réduire le sirop si nécessaire avant de le verser sur les fruits. Servir chaud ou tiède.

1 kg de pommes. 1/4 de litre d'eau. 150 g de sucre en morceaux. 1 gousse de vanille.

COMPOTE DE PÊCHES

• Choisir des fruits assez mûrs pour pouvoir ôter aisément le noyau, couper les pêches en deux, sans les éplucher. Porter le sucre, la vanille et l'eau à ébullition sur feu assez vif. Baisser le feu, plonger les demi-pêches dans le sirop, et laisser pocher avec la peau. Sortir délicatement les fruits et enlever la peau : elle se détache d'elle-même et laisse ses jolies couleurs sur la chair. Arroser les fruits de sirop et servir la compote chaude ou tiède.

6 belles pêches. 1/4 de litre d'eau. 150 g de sucre en morceaux. 1 gousse de vanille.

Temps de cuisson, 6 à 8 mn

COMPOTE DE FRAISES

• Préparer le sirop en portant à ébullition le sucre, l'eau, la vanille et quelques gouttes de jus de citron. Ôter le pédoncule des fraises et les laver rapidement à l'eau très froide. Laisser épaissir le sirop avant d'y déposer les fraises ; pousser aussitôt la casserole sur le coin du feu. Laisser pocher ainsi, en veillant à ne pas laisser bouillir le sirop. Sortir délicatement les fraises à l'aide d'une écumoire. Laisser réduire le sirop quelques minutes à feu vif avant de le verser dans le compotier. Servir très frais.

500 g de fraises. 1 citron. 1 verre d'eau. 150 g de sucre en morceaux. 1 gousse de vanille.

Temps de cuisson, 10 mn

COMPOTE DE CERISES

• Préparer le sirop en portant à ébullition le sucre, le vin rouge et la cannelle. Laisser réduire le sirop sur feu assez vif avant d'y plonger les fruits, lavés, égouttés, équeutés et dénoyautés. Retirer la casserole sur le coin du feu et laisser pocher les cerises une dizaine de minutes. Ôter le bâton de cannelle, verser la compote dans le plat de service. Servir glacé.
• Les poires en compote se prêtent également très bien à la cuisson dans un sirop au vin rouge.

1 kg de cerises. 1 verre de vin rouge. 150 g de sucre. 1 bâton de cannelle.

Temps de cuisson, 10 mn

COMPOTE DE PRUNEAUX

• Choisir des pruneaux bien moelleux. La veille, les mettre à tremper dans le vin rouge. Le jour même, verser les pruneaux et le vin dans une casserole et laisser cuire 20 mn à feu doux, en ajoutant un peu d'eau ou davantage de vin si nécessaire ; ajouter le sucre 5 mn avant la fin de la cuisson. Déguster la compote tiède ou froide.

500 g de pruneaux. 1/4 de bouteille de vin rouge. 125 g de sucre.

Temps de cuisson, 20 mn

LES CONFITURES

Les maîtresses de maison soucieuses de constituer des réserves pour l'hiver profiteront de la belle saison pour préparer de succulentes confitures. Celles-ci enrichiront petits déjeuners et goûters tout au long de l'année.

On croit souvent qu'il suffit de peser les fruits, de mesurer un poids égal de sucre, puis de procéder à la cuisson. Mais le degré de maturité, la teneur en eau et en sucre, varient d'un fruit à l'autre, et ces facteurs doivent être pris en compte. De simples précautions permettent d'éviter des écueils fréquents, tels qu'une confiture qui ne «prend» pas, qui se cristallise ou qui se conserve mal.

C'est généralement un poids de sucre insuffisant qui est à l'origine des confitures qui ne prennent pas. On se consolera en les utilisant comme coulis pour accompagner certains entremets. Il est à noter que les confitures trop liquides se conservent moins bien et doivent donc être consommées plus vite.

Certaines confitures se cristallisent parce qu'elles sont trop sucrées : c'est souvent le cas des confitures de fraises et de cerises ; parfois, cet inconvénient est dû au fait que la cuisinière oublie d'écumer la surface pendant la cuisson : les cristaux de sucre qui se déposent sur la paroi de la bassine à confiture ne fondent plus en retombant dans la masse et provoquent la cristallisation des confitures après la mise en pots.

Quant aux confitures qui moisissent, elles manquent le plus souvent d'un petit temps de cuisson : mieux vaut cuire une confiture un peu trop longtemps que pas assez (ce point ne s'applique pas aux gelées).

CONFITURE D'ABRICOTS

• La veille, partager en deux les abricots bien mûrs ; concasser les noyaux pour en extraire l'amande. Déposer les abricots dans une grande terrine, ajouter le sucre cristallisé, bien mélanger le tout et laisser macérer 24 h.

• Le lendemain, les abricots ont rendu du jus ; celui-ci permet de faire cuire les fruits sans ajouter d'eau (ou très peu). Verser le contenu de la terrine dans la bassine à confiture (traditionnellement en cuivre). Porter la bassine sur feu assez vif ; laisser cuire en remuant constamment à l'aide d'une grande spatule pour empêcher le fond de brûler et d'attacher ; écumer régulièrement la surface pendant toute la cuisson. La confiture est cuite lorsqu'elle nappe la spatule et retombe en larges gouttes. Ajouter les amandes extraites des noyaux d'abricots, donner deux bouillons avant d'éteindre le feu. Procéder à la mise en pots ; couvrir aussitôt.

• On procède la même manière pour les confitures de prunes, en comptant 750 g de sucre par kilo de fruit pour les mirabelles et les reine-claudes, et 500 g pour les quetsches.

4 kg d'abricots. 3 kg de sucre cristallisé.

Confiture d'Abricots

CONFITURE DE FRAISES

- Mettre le sucre dans la bassine à confiture, avec suffisamment d'eau pour le faire fondre (mais pas trop pour ne pas attendre trop longtemps qu'il ait atteint la densité voulue). Porter le sirop à ébullition sur feu vif, jusqu'à ce qu'il soit cuit «au soufflé» ; le sirop, déjà très épais, doit s'échapper des trous de l'écumoire en petites bulles voltigeantes comme des bulles de savon lorsque l'on souffle au travers.
- À ce stade, retirer la bassine sur le coin du feu, puis ajouter les fraises ; laisser pocher les fruits, sans bouillir, une dizaine de minutes. Retirer les fraises à l'aide d'une écumoire. Remettre le sirop sur le feu pour le ramener au soufflé : les fraises ayant rendu tout leur jus, il a perdu la densité souhaitée. Remettre les fraises dans le sirop, et laisser celles-ci pocher au moins 1 h, en veillant toujours à ce qu'elles ne bouillent pas. Retirer les fraises, porter à nouveau le sirop au soufflé, puis remettre les fraises une dernière fois, environ 20 minutes.
- En fin de cuisson, transvaser la confiture dans une grande terrine ; laisser refroidir. Remuer délicatement la confiture froide pour bien répartir les fraises avant de procéder à la mise en pots (les fraises remontent à la surface des pots si l'on effectue l'opération quand la confiture est chaude).

3 kg de fraises. 1 kg de sucre.

CONFITURE DE POIRES

- Presser le jus du citron et éplucher les poires, enlever les pépins et les cœurs. Couper les fruits en quartiers et arroser ceux-ci de jus de citron. Déposer les poires dans une casserole, recouvrir d'eau et laisser pocher une dizaine de minutes. Sortir les fruits à l'aide d'une écumoire. Ajouter le même poids de sucre que de poires et la gousse de vanille à l'eau de cuisson. Porter ce sirop à ébullition sur feu assez vif jusqu'à ce qu'il soit assez épais, puis remettre les poires ; laisser cuire sur feu moyen, une vingtaine de minutes : en fin de cuisson, le sirop doit napper la cuillère en bois. Mettre en pots aussitôt.

2 kg de poires. 2 kg de sucre. 1 citron. 1/2 gousse de vanille.

CONFITURE DE MARRONS

- Porter de l'eau à ébullition dans une casserole avant d'y plonger les marrons épluchés ; laisser cuire 30 mn. En fin de cuisson, égoutter et passer les marrons au moulin à légumes (grille fine) au-dessus d'une terrine.
- Mettre le sucre cristallisé, l'eau et la gousse de vanille dans la bassine à confiture ; porter le tout à ébullition jusqu'à obtention d'un sirop très épais et bouillonnant. Ajouter la purée de marrons, et prolonger la cuisson pendant une trentaine de minutes minimum, en remuant constamment à la spatule. Vérifier le bon degré de cuisson en faisant tomber une goutte de confiture dans un verre d'eau : elle doit se déposer au fond immédiatement, comme une pastille. Mettre en pots aussitôt.

2 kg de marrons. 1,500 kg de sucre cristallisé. 1 litre d'eau. 1 gousse de vanille.

CONFITURE DE RHUBARBE

• Éplucher les côtes de rhubarbe, en retirant les gros filaments. Couper les tiges en morceaux de 4 à 5 cm de long. Préparer le sirop en portant à ébullition le sucre et l'eau. Ajouter les morceaux de rhubarbe, et laisser cuire longuement en remuant à la spatule, jusqu'à ce que la marmelade soit assez épaisse pour laisser nettement apparaître le fond de la bassine dans le sillage de la spatule. Mettre en pots aussitôt.

2 kg de rhubarbe. 2 kg de sucre.

CONFITURE DE COINGS EN MORCEAUX

• Après avoir fait cuire les coings pour préparer la gelée, il est évident qu'on peut les utiliser ; à cet effet, conserver un peu de jus de cuisson. Peser les fruits, verser le jus de cuisson, les coings et le sucre (700 g de sucre par kilo de fruits cuits) dans une casserole ; laisser cuire 20 à 30 mn, en remuant constamment à l'aide d'une grande spatule pour empêcher le fond d'attacher (les coings ont tendance à se défaire à la cuisson). La confiture de coings ne se conservant pas très longtemps, elle doit être consommée rapidement.

2 kg de coings. 1,400 kg de sucre.

GELÉE DE COINGS

• Presser le jus du citron et prélever le zeste. Éplucher les coings, ôter les pépins et les cœurs ; envelopper les pépins dans un carré de mousseline. Couper les fruits en quartiers, les arroser de jus de citron, puis les jeter dans l'eau froide au fur et à mesure. Déposer les fruits et le sachet de pépins dans une casserole, recouvrir largement d'eau froide, et porter le tout à ébullition, sur feu moyen. Laisser cuire les coings une trentaine de minutes. Sortir les fruits à l'aide d'une écumoire, peser le jus de cuisson, ajouter le même poids de sucre et le zeste de citron. Remettre la casserole sur le feu, sans les fruits (voir recette suivante), jusqu'à ce que la gelée nappe la spatule, les dernières gouttes s'en détachant difficilement. Mettre en pots immédiatement après la fin de la cuisson.

2,5 kg de coings. 2 kg de jus de cuisson. 2 kg de sucre. 1 citron.

GELÉE DE GROSEILLES

• Presser des groseilles dans un torchon, peser le jus obtenu et le même poids de sucre cristallisé. Verser le jus et le sucre dans la bassine à confiture, et laisser cuire à feu moyen, en écumant la surface régulièrement ; l'écume nuit à l'aspect de la gelée, mais elle est très bonne, parfois même plus parfumée que la confiture elle-même. Le juste degré de cuisson est atteint lorsque la gelée de groseilles nappe la spatule et que les dernières gouttes ont du mal à en tomber. Procéder à la mise en pots dès la fin de la cuisson.

2 kg de groseilles. 2 kg de sucre.

LES CONSERVES
À LA MAISON

Voici quelques recettes de conserves faciles à préparer, ne nécessitant ni un outillage compliqué ni beaucoup de temps.

CERISES AU NATUREL

- Choisir de préférence de bonnes cerises, anglaises ou montmorency. Dénoyauter les fruits en prenant soin de ne pas les déchirer. Ranger les cerises dans les bocaux au fur et à mesure, en les y tassant un peu.
- Préparer un sirop léger en portant à ébullition le sucre et l'eau. Verser le sirop sur les fruits, en remplissant les flacons aux deux tiers de la hauteur (il faut en effet tenir compte du jus que les cerises vont rendre), puis les fermer hermétiquement.
- Ranger les bocaux debout dans une grande marmite, couvrir d'eau froide, et porter l'eau à ébullition. Compter 6 mn de stérilisation à partir de l'ébullition pour les bocaux de 1/2 litre, 8 à 10 mn pour les bocaux de 1 litre. Laisser tiédir les bocaux avant de les sortir de l'eau.

Sirop : 100 g de sucre pour 1 litre d'eau.

ABRICOTS AU NATUREL

- Choisir des abricots fermes, pas trop mûrs. Couper les fruits en deux, retirer les noyaux puis ranger les demi-abricots dans les bocaux à conserve, la partie bombée vers le dessus.
- Préparer un sirop léger en portant à ébullition le sucre et l'eau. Verser le sirop sur les fruits, fermer hermétiquement les bocaux.
- Procéder à la stérilisation comme indiqué pour les cerises, en comptant 20 mn d'ébullition pour les bocaux de 1/2 litre, 25 mn pour les bocaux de 1 litre. Attendre le refroidissement des bocaux pour les retirer de la marmite.
- Les abricots ainsi préparés serviront à garnir les tartes hors-saison.

Sirop : 100 g de sucre pour 1 litre d'eau.

ABRICOTS AU SIROP

- Les abricots doivent être à peine mûrs, bien fermes. On les prépare et on les stérilise de la même manière que les abricots au naturel, en augmentant seulement la quantité de sucre nécessaire à la préparation du sirop, et en y ajoutant une gousse de vanille (qu'il ne faut pas oublier de retirer avant de verser le sirop dans les bocaux).
- Laisser refroidir les bocaux dans la marmite avant de les sortir de l'eau.
- Les abricots ainsi préparés constitueront un délicieux dessert hivernal, servis tels quels ou accompagnés de crème glacée à la vanille, de riz au lait ou de riz à la Condé.

Sirop : 350 g de sucre pour 1 litre d'eau. 1 gousse de vanille.

MIRABELLES AU NATUREL

- Les conserves de mirabelles sont idéales pour garnir les tartes et préparer des compotes. Dénoyauter les fruits sans les déchirer. Ranger les mirabelles dans les bocaux au fur et à mesure, en les y tassant un peu. Préparer le sirop en portant à ébullition le sucre et l'eau. Verser le sirop dans les bocaux, puis fermer ceux-ci hermétiquement.
- Ranger les bocaux debout dans une grande marmite, couvrir d'eau froide, et porter l'eau à ébullition. Compter 20 mn de stérilisation à partir de l'ébullition pour les bocaux de 1/2 litre, 30 mn pour les bocaux de 1 litre. Laisser tiédir les bocaux avant de les sortir de l'eau.

Sirop : 150 g de sucre pour 1 litre d'eau.

PETITS POIS

- Écosser et trier les petits pois en même temps, en séparant les pois fins des pois moyens ou gros, le temps de cuisson n'étant pas le même.
- Porter à ébullition de l'eau légèrement salée, en assez grande quantité ; jeter les pois dans l'eau bouillante, et compter de 5 à 8 mn de cuisson suivant la grosseur. Égoutter et rafraîchir les pois sous le robinet avant de les répartir dans les bocaux, jusqu'à un bon centimètre du bord.
- Préparer le liquide de remplissage en faisant bouillir de l'eau salée à raison de 20 g de gros sel par litre d'eau. Ajouter le sucre puis laisser refroidir le liquide avant d'en couvrir les petits pois ; fermer hermétiquement les bocaux. Procéder à la stérilisation en comptant 40 mn d'ébullition pour les demi-litres et 50 mn pour les litres. Laisser refroidir les bocaux dans l'eau. Conserver les bocaux dans un local frais.

20 g de gros sel et 10 g de sucre pour 1 litre d'eau.

HARICOTS VERTS

- Éplucher les haricots avant de les faire blanchir à l'eau bouillante, de 3 à 5 mn suivant leur grosseur. Égoutter et rafraîchir les légumes sous le robinet avant de les répartir dans les bocaux.
- Préparer le liquide de remplissage en faisant bouillir l'eau salée ; laisser refroidir avant de le verser sur les haricots.
- Fermer hermétiquement les bocaux avant de les ranger côte à côte dans une grande marmite. Couvrir d'eau froide, et porter l'eau à ébullition. Compter 30 mn d'ébullition pour les demi-litres et 45 mn pour les litres ; le temps de stérilisation peut être légèrement diminué ou augmenté s'il s'agit de haricots extra-fins, ou au contraire très gros.

20 g de sel pour 1 litre d'eau.

HARICOTS VERTS AU SEL

- Éplucher et ébouillanter les haricots comme indiqué dans la recette précédente. Coucher les haricots dans un tonnelet, puis préparer une saumure en quantité suffisante pour recouvrir les haricots.
- La saumure doit indiquer 10 degrés au pèse-sel ; si l'on ne dispose pas de ce petit instrument peu onéreux, il faut mettre du sel dans de l'eau froide et attendre qu'il fonde : la quantité de sel est suffisante lorsqu'un œuf plongé dans la saumure surnage à la surface.
- Porter la saumure à ébullition. Laisser refroidir avant de la verser sur les haricots verts. Vérifier la densité de la saumure, selon le même procédé, au bout de quatre ou cinq jours : les haricots ayant rendu leur eau de végétation, elle aura diminué.
- Porter la saumure à ébullition pour la ramener à 10 degrés ; laisser refroidir puis recouvrir à nouveau les haricots.
- Cette méthode permet d'ajouter les haricots au fur et à mesure de la récolte pour les personnes qui ont un potager. Il faut cependant veiller à ce qu'ils soient toujours recouverts de saumure et ne remontent pas à la surface (il suffit de les couvrir d'une planchette lestée d'un gros caillou).
- Laisser tremper les haricots 24 h dans l'eau froide, souvent renouvelée, avant de les faire cuire (comme des haricots frais).

HARICOTS BLANCS

- Les haricots flageolets blancs doivent être récoltés à maturité. Il suffit ensuite de former des bottillons et de les suspendre dans un endroit sec et aéré ; on les écosse au fur et à mesure des besoins.

TOMATES ENTIÈRES

À droite : purée de tomates, recette p.

- Choisir des tomates mûres sans excès, bien fermes et pas trop grosses ; les équeuter, les essuyer, puis les ranger dans des bocaux en les empilant les unes sur les autres. Préparer le liquide de remplissage en faisant bouillir l'eau salée ; laisser refroidir avant de verser le liquide dans les bocaux.
- Les tomates n'ont pas toutes la même densité et ont tendance à remonter à la surface du liquide. Pour remédier à cet inconvénient, couvrir la surface du liquide d'une rondelle de bois épaisse, en hêtre de préférence, et emboîtant juste le goulot du bocal, pour maintenir les tomates au fond. Ajouter une petite quantité d'huile pour soustraire les tomates au contact de l'air. Boucher les bocaux et tenir au frais.
- Les tomates ainsi préparées se conservent sans ramollir, et peuvent être accommodées comme les tomates fraîches.

18 g de gros sel pour 1 litre d'eau. 1 à 2 verres d'huile.

PURÉE DE TOMATES

• Choisir des tomates bien mûres et parfaitement saines (dénuées de taches suspectes ou de traces de choc).

• Déposer les tomates coupées en quartiers, le sel, quelques grains de poivre, les oignons émincés et le bouquet garni dans une casserole. Porter le tout à ébullition, puis baisser le feu et laisser cuire pendant une vingtaine de minutes, en remuant de temps à autre.

• Égoutter soigneusement les tomates, puis passer la pulpe au tamis fin à l'aide d'un pilon de bois ; porter la purée obtenue à ébullition quelques minutes, de manière à la faire réduire. Verser la purée encore bouillante dans des bocaux d'environ un quart de litre.

• Fermer hermétiquement les bocaux, puis les ranger debout dans une grande marmite. Couvrir d'eau froide, et porter la casserole sur le feu. Compter 30 mn de stérilisation à partir de l'ébullition. Laisser refroidir les bocaux avant de les sortir de l'eau.

Pour 2 litres de purée environ : 6 kg de tomates. 1 cuillerée à soupe de sel. 10 oignons. 1 bouquet garni. Poivre en grains.

CORNICHONS AU VINAIGRE

• La veille, déposer les cornichons dans un torchon avec une grosse poignée de sel fin ; refermer le torchon sur les cornichons, frotter et secouer énergiquement le tout jusqu'à ce que le torchon commence à être mouillé par l'eau rendue par les cornichons. Suspendre le torchon au-dessus de l'évier et laisser ainsi jusqu'au lendemain.

• Essuyer les cornichons avec un linge propre et sec. Déposer les cornichons dans une grande terrine. Faire chauffer, à vide, un poêlon en cuivre, sur feu très vif ; verser le vinaigre dans le poêlon très chaud : il doit bouillir presque immédiatement. Verser le vinaigre bouillant sur les cornichons ; laisser macérer 24 h.

• Le lendemain, faire bouillir le vinaigre une seconde fois dans le poêlon très chaud. Verser à nouveau le vinaigre bouillant sur les cornichons ; laisser macérer une nouvelle fois 24 h.

• Répéter l'opération une troisième fois, en renouvelant le vinaigre. Ajouter les petits oignons épluchés, quelques feuilles d'estragon et 1 ou 2 piments rouges avant de verser le vinaigre sur les cornichons. Transvaser la préparation dans des bocaux ; fermer les bocaux (les bouchons en liège sont parfaits) et tenir au frais.

• Les cornichons, verts et bien croquants, sont prêts à être dégustés deux à trois semaines plus tard.

500 g environ de cornichons. 20 petits oignons. 1 branche d'estragon. 2 petits piments rouges. 1 litre environ de vinaigre blanc.

ESTRAGON AU VINAIGRE

- Rincer et effeuiller l'estragon ; transvaser les feuilles dans de petits bocaux, couvrir de vinaigre et boucher les flacons à l'aide de bouchons en liège. Laisser macérer une à deux semaines. Les feuilles d'estragon ainsi conservées s'utilisent comme l'estragon frais, le vinaigre aromatisé à l'estragon peut être utilisé pour assaisonner les salades.

OSEILLE

- Éplucher et laver l'oseille. Mettre un morceau de beurre à fondre dans une sauteuse, ajouter l'oseille ; laisser celle-ci cuire à feu doux, en remuant à l'aide d'une spatule, jusqu'à ce qu'elle ait rendu toute son eau. Assaisonner la purée obtenue avant de la verser dans les bocaux. Fermer hermétiquement, ranger les bocaux debout dans une grande casserole d'eau froide et porter le tout à ébullition. Compter 40 mn de stérilisation à partir de l'ébullition pour les bocaux de 1/2 litre, 1 h pour les bocaux de 1 litre.
- Ainsi conservée, l'oseille convient pour faire des soupes.
- Une autre méthode consiste à faire cuire l'oseille à l'eau, puis à l'égoutter et à la passer au tamis ; on met la purée obtenue en conserve et on stérilise de la même façon.

LES BOISSONS

LES BOISSONS CHAUDES

CAFÉ

• Le moka – qui doit son nom au port du Yemen duquel il fut exporté vers l'Europe, puis vers les colonies françaises et hollandaises, à la fin du XVIIe siècle – est à l'origine de tous les cafés «arabica» dont nous buvons aujourd'hui le produit, chaque souche ayant engendré des variétés à l'arôme subtilement différent.

• Les «arabica» sont cultivés dans les hauts plateaux de Colombie, du Brésil (le plus gros producteur) et du Mexique, aux Antilles, etc.

• Les «robusta», originaires des forêts d'Afrique équatoriale, ont une teneur supérieure en caféine ; ils sont cultivés en Afrique, à Madagascar, en Inde et en Indonésie.

• Il n'est pas inutile de rappeler la manière de préparer un bon café. Le point le plus important réside bien entendu dans la qualité du café à proprement parler : il doit d'abord être torréfié (c'est-à-dire grillé à sec) à point ; il doit ensuite être moulu assez fin, au dernier moment, puis correctement dosé. En outre, on notera qu'un bon café doit être conservé dans un récipient hermétiquement clos, et de préférence au frais, pour conserver tout son arôme.

• Compter une cuillère à soupe de café moulu par personne ; déposer le café dans le filtre, puis verser une grande tasse d'eau bien bouillante et laisser ainsi une dizaine de minutes, afin que le café gonfle et développe tout son arôme.

• Ajouter ensuite le reste de l'eau, toujours bouillante, tasse par tasse (le fin du fin consiste à tenir le filtre au bain-marie pendant toute l'opération).

• Servir aussitôt pour bénéficier pleinement des vertus digestives de ce délicieux breuvage.

CHOCOLAT

• Faire fondre le chocolat (40 g par personne) au bain-marie avec un petit fond d'eau ; ajouter le lait nécessaire en mélangeant à l'aide d'une spatule ; laisser chauffer doucement 5 mn.

• Servir sans attendre.

240 g de chocolat à croquer. 1 litre de lait.

CACAO

• Compter une cuillerée à soupe rase de cacao en poudre par tasse.

• Délayer le cacao dans une cuillerée à café d'eau chaude, directement dans chaque tasse.

• Ajouter le lait bouillant en remuant, sucrer selon le goût du consommateur.

CAFÉ VIENNOIS

• Préparer le café comme indiqué ci-dessus et verser le liquide dans les tasses ; incorporer la crème liquide (1 à 3 cuillerées par tasse) ; ajouter une cuillerée de crème fouettée sur chaque tasse. Délicieux chaud, le café viennois peut être dégusté glacé à la belle saison.

6 tasses de café. 1 pot de crème fraîche liquide. 6 cuillerées à soupe de crème fouettée.

CHOCOLAT À LA VIENNOISE

• Préparer le chocolat comme indiqué dans la recette de base ; laisser refroidir un peu, puis incorporer les jaunes d'œufs. Remettre la casserole sur le feu, en ayant soin de ne pas laisser bouillir la préparation. Retirer la casserole du feu et fouetter le mélange. Servir avec une cuillère de crème fouettée sur chaque tasse.

240 g de chocolat à croquer. 1 litre de lait. 3 jaunes d'œufs.
6 cuillerées à soupe de crème fouettée.

THÉ

• Le thé a pris droit de cité chez nous : on en consomme en France presque autant qu'en Angleterre. Il en est du thé comme du café : les variétés et les provenances sont multiples et le choix est avant tout affaire de goût. Les thés de Chine sont certainement les plus fins : ils ne supportent ni le lait, ni le sucre, ni le citron. Le thé de Ceylan est plus classique et accepte aussi bien le lait que le citron. Le darjeeling, originaire des pentes de l'Himalaya, est idéal pour le thé de l'après-midi. Il faut également mentionner les thés parfumés : au jasmin, à l'orange, à la bergamote, à la framboise, à la rose, etc. Quel qu'il soit, le thé doit toujours être conservé en boîte métallique fermant bien, et consommé rapidement après achat.
• Verser les feuilles de thé (une cuillérée à café par tasse) dans la théière. Ajouter un peu d'eau bouillante pour ouvrir les feuilles et laisser infuser 5 mn avant de finir de remplir la théière.

THÉ À LA MENTHE

• Déposer les feuilles de thé vert dans la théière ; ajouter une petite quantité d'eau bouillante, 3 à 4 feuilles de menthe fraîche et 2 morceaux de sucre par tasse. Compléter avec de l'eau bouillante et laisser infuser 5 bonnes minutes avant de servir. Particulièrement désaltérant, le thé à la menthe est traditionnellement bu dans des verres.

BAVAROISE AU CHOCOLAT

• Préparer le chocolat comme indiqué dans la recette de base. Travailler les jaunes d'œufs et le sucre en poudre à l'aide d'une spatule, dans une casserole haute et étroite, jusqu'à obtention d'un mélange mousseux et blanchâtre. Ajouter le chocolat et le sirop de capillaire. Porter la casserole sur le feu, en fouettant constamment la préparation, et en ayant soin de ne pas la laisser bouillir. Servir chaud. Cette boisson peut être préparée de la même manière et selon les mêmes proportions avec du café ou du thé.

4 jaunes d'œufs. 100 g de sucre en poudre. 160 g de chocolat. 1/2 litre de lait. 1/4 de litre de sirop de capillaire.

VIN CHAUD

● Réunir tous les ingrédients dans une casserole. Laisser chauffer sur feu moyen jusqu'à l'apparition d'une mousse blanche qui indique la proche ébullition. Répartir le breuvage dans des verres, ajouter une rondelle de citron et servir sans attendre.

1 bouteille de bordeaux rouge. 180 g de sucre. 1 zeste de citron. 1 clou de girofle. 1 pincée de cannelle en poudre. 6 rondelles de citron.

PUNCH AU RHUM

● Préparer le thé et laisser infuser assez longuement ; ajouter le sucre (200 g pour 1/2 litre), puis le rhum préalablement chauffé et flamber. Servir bouillant, en ajoutant une rondelle de citron dans chaque verre.

30 g de thé. 1/2 litre d'eau. 200 g de sucre. 1/2 litre de rhum. 6 rondelles de citron.

GROG

● Déposer 2 morceaux de sucre dans chaque verre. Remplir les verres aux 3/4 d'eau bouillante ; compléter en ajoutant 3 cuillerées à soupe de rhum par verre. Servir bouillant avec une rondelle de citron.

9 dl d'eau. 18 cuillerées à soupe de rhum. 12 morceaux de sucre. 6 rondelles de citron.

TISANES ET INFUSIONS

● Rien de plus agréable qu'une infusion à l'issue d'un bon repas : tilleul, menthe, anis, verveine, camomille, etc. Chaque infusion possède des vertus différentes mais toutes se préparent de la même manière : placer les feuilles ou les fleurs dans une théière, verser l'eau bouillante par-dessus ; laisser infuser 5 mn.

LAIT DE POULE

● Le lait de poule n'est autre que du lait bouillant bien sucré, additionné de rhum ou de cognac, auquel on incorpore, hors du feu, un jaune d'œuf (ou un œuf entier) par bol. Le lait de poule est réputé préparer au sommeil !

LES VINS

La réputation des vins français n'est plus à faire, mais il n'est pas toujours aisé de distinguer leurs mérites respectifs. Tout d'abord, ils sont classés en quatre catégories :
- A.O.C., ou vins d'appellation d'origine contrôlée ;
- V.D.Q.S., ou vins délimités de qualité supérieure ; vins de pays, ou vins de table avec indication de provenance ; vins de table, sans indication de provenance.

Quant à la région de production, elle est bien sûr déterminante.
- Le Bordelais : on y distingue trois zones de production : Bordeaux-Côtes-de-Bordeaux, Médoc-Graves, Saint-Émilion-Pomerol-Fronsac.
Parmi les rouges les plus cotés : médoc, saint-estèphe, saint-émilion, saint-julien, listrac, fronsac, montrose, pontet-canet, langon, léoville, lafitte, margaux, haut-brion, latour.
La région produit aussi des vins blancs : côtes-de-bourg, entre-deux-mers, graves, sauternes, barsac, lamothe, cérons-bayle, langoiran, loupiac, rions, etc.

- La Bourgogne : on y distingue les vins de l'Yonne, tels le Chablis, le Sauvignon de Saint-Bris (blanc) ; les côtes-de-nuits, presque tous rouges : gevrey-chambertin, nuits-saint-georges, vougeot, chambertin, etc. ; les côtes-de-beaune, blancs ou rouges : puligny-montrachet, beaune, volnay, savigny, etc ; les vins de la Saône-et-Loire, blancs et rouges : mâcon, pouilly-fuissé, saint-véran, etc. ; les vins du Rhône ou Beaujolais : chiroubles, juliénas, morgon, moulin-à-vent, saint-amour, brouilly, pour ne citer que les plus connus.

- La région de la Loire produit d'excellents vins : les muscadet, les sancerre, les pouilly fumés, essentiellement blancs ; les vins d'Anjou et de Saumur, blancs, rosés, ou rouges, et parfois même pétillants ; les vins de Touraine, dont le bourgueil et le saint-nicolas de bourgueil (rouges ou rosés), le chinon et le vouvray (blancs).

- Citons encore la vallée du Rhône, qui produit notamment le fameux châteauneuf-du-pape ; l'Alsace et ses vins blancs secs tels que riesling, muscat, sylvaner et pinot, etc.

Il faudrait, pour compléter ce rapide inventaire, citer encore les vins du Jura et de Savoie, les vins du Languedoc, de Provence, du Roussillon, sans oublier la Corse… Et, enfin, les vins de Champagne, symboles de toutes les réunions et fêtes de famille.

ORDRE DE SERVICE DES VINS

Notre objet est seulement de rappeler que le service des vins doit être établi en observant certaines règles, immuables, qu'il s'agisse de grands crus ou de vins d'origine plus modeste :
le vin moins corsé précède le vin plus corsé,
le vin sec précède le vin sucré,
le vin blanc sec précède le vin rouge,
le vin rouge précède le vin blanc sucré.

Par conséquent :
le bordeaux rouge précède le bourgogne rouge,
le bourgogne blanc précède le bordeaux blanc,
Le bourgogne blanc précède le bordeaux ou le bourgogne rouge,
le bordeaux ou le bourgogne rouge précède le bordeaux blanc sucré.

Servir des vins très corsés et alcoolisés, tels que Jerez, Porto, Madère, au début du repas est une grave erreur : ils neutralisent le palais et l'empêchent de percevoir la qualité et les finesses des vins servis ultérieurement. En revanche, ce sont d'admirables vins de dessert qui assurent une fin de service tout à fait remarquable.

Au cours d'un repas, les vins doivent donc constituer une gamme allant du plus léger au plus généreux.

Quant au champagne, c'est une erreur trop fréquente que de le servir systématiquement avec les desserts. Brut ou sec, il sera présenté au début du repas ; doux ou demi-doux à la fin.

LA TEMPÉRATURE

Les bordeaux rouges doivent être chambrés, c'est-à-dire servis à température de la salle à manger (18 °C) ; on évitera toutefois de les placer à proximité d'une source de chaleur directe (radiateur). Les bourgognes rouges se dégustent légèrement plus frais que les bordeaux, à une température de 14 à 16 °C. Certains rouges légers gagnent à être dégustés frais, à une température de 10 à 12 °C.

Les grandes années doivent être décantées, c'est-à-dire mises en carafe, de manière à s'oxyder et à permettre au tanin de se déposer au fond de la carafe ; l'opération peut être effectuée 2 à 3 h à l'avance pour les vins jeunes, tandis qu'il vaut mieux l'effectuer à la dernière minute pour les vins âgés (ils risquent de se «faner» quand ils sont décantés trop tôt).

La technique du rafraîchissement des vins blancs est fort controversée : les uns bannissent le réfrigérateur, d'autres méprisent le seau à glace et certains préfèrent frapper le verre en y agitant un morceau de glace.

Les plus avisés exposent les bouteilles à l'air libre quand la température s'y prête, mais évitent soigneusement de les placer en plein courant d'air.

De toutes ces méthodes, une seule doit être résolument écartée, le verre frappé, car il reste toujours quelques gouttes d'eau. Retenons donc l'exposition à l'extérieur, le seau à glace, le réfrigérateur.

Tous les vins blancs, y compris les vins de Champagne, demandent à être bus frais mais non pas froids et encore moins glacés : un froid excessif «tue» le vin.

Les vins blancs d'Alsace, d'Anjou, de Bordeaux et de Bourgogne doivent être portés à une température de 8 à 10 °C, de sorte qu'ils soient bus à une température de 10 à 12 °C après avoir été servis. C'est incontestablement la température idéale pour apprécier vraiment toutes les qualités d'un vin blanc.

Le porto blanc se sert un peu plus frais que la température de la pièce ; le rouge, un peu moins. Il peut être décanté si la bouteille contient un dépôt, mais il ne réagit pas à l'oxydation ; en revanche, il est très sensible au froid.

Les vins de liqueur et les vins doux naturels – muscat, banyuls, malaga, pineau des Charentes, etc. – doivent être bus à la température de la pièce.

Quant au champagne, on le sert entouré de glace, dans un seau dit… à champagne ! La température idéale est entre 6 et 8 °C.

Affectation suivant les différents mets

VINS ROUGES

a) Mets avec lesquels les vins légers sont préférables :

Brochettes de rognons	Cailles rôties	Flageolets nouveaux
Côtelettes d'agneau	Dindonneau rôti	Laitues au jus
Gigot d'agneau	Grives rôties	Lentilles
Selle d'agneau	Perdreaux rôtis	Petits pois
Veau rôti	Pigeons rôtis	Pommes de terre nouvelles
Ris de veau	Pintade rôtie	Foie gras
Côtes de mouton grillées	Poulet rôti	Pâtés à base des gibiers cités
Abattis de volaille	Poulet en cocotte	

b) Mets avec lesquels les vins corsés ou à grande sève s'imposent :

Gigot aux haricots		Cassoulet d'oie	Sanglier
Ragoût de mouton		Poulet chasseur	Sarcelles
Selle de mouton jardinière		marengo	Cardons au jus
	bifteck		Carottes à la crème
	filet et contrefilet	Pigeon	Céleri au jus ou braisé
Bœuf	rumsteck	Bécasse	Cèpes à la bordelaise
	tournedos grillés	Bécassine	Chou-fleur au gratin
	rôti	Chevreuil	Fonds d'artichauts
	rouennais	Faisan	Haricots au lard
Canard	aux olives	Lièvre	Pommes de terre au lard
	aux navets	Perdreaux au chou	Pâtés à base des gibiers cités

VINS BLANCS

a) Mets avec lesquels les vins blancs secs sont préférables :

Huîtres, coquillages	Volailles rôties	Chou-fleur
Œufs	Agneau rôti	Escargots
Homard ou langouste	Laitues au jus	Écrevisses
Poissons froids	Céleris au jus	Galantine
Poissons grillés	Endives au jus	Jambon
Poissons frits	Navets au jus	Biscuits glacés

b) Mets avec lesquels les vins moelleux ou demi-secs sont préférables :

Bouchées à la reine	Sole normande	Fonds d'artichauts
Ris de veau	Poissons à la sauce blanche	Haricots
Timbales	Poissons gras ou demi-gras	Pâtes
Tripes à la mode de Caen	Poulet sauté	Petits pois
Vol-au-vent	Poule au riz	Pommes de terre
Bouillabaisse	Asperges sauce blanche	Foie gras
Homard à l'armoricaine	Cardons	Entremets

MENUS ÉTABLIS SELON LES SERVICES DES VINS

SERVICE DES VINS TYPE (pour menus simples)	SERVICE N° 1	SERVICE N° 2	SERVICE N° 3	SERVICE N° 4
Vin blanc sec	Hors-d'œuvre (sans vinaigrette)	Merlan au vin blanc	Crevettes	Escargots de Bourgogne
Vin rouge	Bifteck pommes frites Fromages	Fricassée de veau Fromages	Cassoulet toulousain Fromages	Entrecôte Fromages
Vin blanc moelleux	Crème au caramel	Compote de pommes	Fruits	Mousse au café
SERVICE DES VINS TYPE	SERVICE N° 5	SERVICE N° 6	SERVICE N° 7	SERVICE N° 8
Champagne sec, alsace, chablis, pouilly, meursault ou montrachet	Huîtres	Saumon grillé	Langouste	Turbot poché sauce mousseline
Grand bordeaux rouge ou grand bourgogne rouge	Jambon en croûte	Selle de veau	Gigot d'agneau	Filet de bœuf
–	Poulet en cocotte	Pigeonneau	Galantine de volaille truffée	Canard aux olives
–	Fromages	Fromages	Fromages	Fromages
Grand sauternes, grand anjou ou porto	Mont-Blanc aux marrons	Île flottante	Fraises des bois à la crème	Pommes au riz créole

Recommandation importante

Contrairement à un usage assez répandu, il n'est pas recommandé de servir deux vins rouges de vignobles différents au cours d'un même repas. Si l'on y tient cependant, le premier vin servi doit être plus jeune, moins corsé, et surtout nettement moins racé que le second. En revanche, et à condition d'observer cette règle, on peut très bien servir deux vins issus d'un même vignoble.

LES SIROPS ET
LES LIQUEURS

SIROP DE GROSEILLE

• Rincer et égrener les groseilles avant de les écraser au travers d'un tamis pour en exprimer le jus ; laisser reposer 24 h. Le lendemain, peser le jus, peser deux fois son poids de sucre, puis verser le tout dans une casserole de cuivre ; porter la casserole sur le feu et donner deux ou trois bouillons (pas plus car le sirop risquerait de «prendre» comme une gelée) en écumant la surface. Laisser le sirop refroidir, puis procéder à la mise en bouteilles. Boucher les flacons hermétiquement. Servir frais, étendu d'eau.

2 kg de groseilles. Sucre.

SIROP DE CERISE

• Laver et équeuter les cerises avant de les écraser, noyaux compris, à l'aide d'un pilon ; laisser macérer la purée obtenue 24 h. Le lendemain, passer le tout au travers d'un torchon, peser le jus puis verser celui-ci dans une casserole de cuivre ; sucrer à raison de 2,5 kg de sucre pour 2 kg de jus. Procéder à la cuisson et à la mise en bouteilles comme indiqué dans la recette précédente.

3 kg de cerises. 2,5 kg de sucre environ.

SIROP DE FRAMBOISE

• Écraser les framboises au travers d'un tamis pour en exprimer le jus ; laisser reposer 24 h. Le lendemain, peser le jus, peser deux fois son poids de sucre. Porter le tout à ébullition pendant 1 à 2 mn, dans une casserole de cuivre, en écumant la surface. Laisser le sirop refroidir avant de procéder à la mise en bouteilles. Boucher les flacons hermétiquement.

À droite : sirop de framboise et brochet fruits roug

2 kg de framboises. Sucre.

LIQUEUR DE COING

• Rincer et essuyer les coings avant de les éplucher. Déposer les pelures dans un bocal, ajouter une bouteille de bonne eau-de-vie à 60° environ, laisser macérer six semaines. Ce temps écoulé, préparer un sirop en portant à ébullition pendant 5 mn 350 g de sucre et un demi-litre d'eau pour 75 cl d'eau-de-vie. Laisser refroidir le sirop, ajouter l'eau-de-vie de coing préalablement filtrée puis mettre en bouteilles. La pulpe des fruits servira à préparer une confiture ou de l'eau de coing (voir ci-contre).

EAU DE COING

• Couper en quatre des coings bien mûrs. Écraser la pulpe à l'aide d'un pilon, couvrir d'eau et laisser macérer 48 h. Passer la préparation au tamis pour en exprimer le jus, ajouter un volume égal d'eau-de-vie à fruits, 300 g de sucre par litre, une pincée de cannelle en poudre, un clou de girofle, et laisser infuser deux mois. Filtrer le mélange avant de mettre en bouteilles.

CURAÇAO DE MÉNAGE

• Choisir des oranges non traitées ; prélever les écorces et laisser celles-ci sécher à température ambiante, jusqu'à ce qu'elles soient cassantes. Rincer les écorces, couvrir de rhum et laisser macérer six semaines. Ce temps écoulé, préparer un sirop en portant à ébullition pendant 5 mn le zeste de 3 oranges fraîches, 350 g de sucre et un demi-litre d'eau pour 75 cl de rhum. Laisser refroidir le sirop, ajouter le rhum préalablement filtré, puis mettre en bouteilles. Cet alcool servira à parfumer une crème, un gâteau, un fondant, etc.

CERISES À L'EAU-DE-VIE

• Les variétés les plus adaptées à cette préparation sont les cerises anglaises et les cerises de Montmorency. Rincer les fruits à l'eau claire et raccourcir les queues. Mettre les cerises en bocaux, en ne dépassant pas les deux tiers de la hauteur ; couvrir d'alcool à 45°, ajouter une gousse de vanille et un clou de girofle dans chaque bocal. Boucher hermétiquement les flacons et laisser macérer 4 à 6 semaines, de préférence à l'abri de la lumière. Préparer un sirop en portant à ébullition pendant 5 mn 350 g de sucre et un demi-litre d'eau pour 75 cl d'eau-de-vie. Laisser refroidir le sirop avant de le répartir dans les bocaux.
• Les cassis et les framboises peuvent être préparés de la même manière, en augmentant légèrement la quantité de sucre.

REINES-CLAUDES À L'EAU-DE-VIE

• Les reines-claudes ainsi préparées ne doivent pas être trop mûres. Laver et essuyer les prunes, puis les piquer plusieurs fois à l'aide d'une aiguille avant de les mettre dans une bassine de cuivre remplie d'eau. Porter la casserole sur le feu et laisser chauffer jusqu'à ce que de minuscules bulles d'air remontent à la surface. Rafraîchir les prunes, puis bien les égoutter. Mettre les reines-claudes en bocaux. Préparer un sirop en portant à ébullition pendant 5 mn 200 g de sucre et 35 cl d'eau pour 75 cl d'eau-de-vie ; mélanger le sirop refroidi et l'eau-de-vie, verser le mélange sur les prunes et fermer hermétiquement les bocaux. Laisser macérer six semaines avant de consommer. Les mirabelles, les abricots et les pêches peuvent être préparés de la même façon.

ANNEXES

LES RÉGIMES

Le rôle de l'alimentation dans le maintien de l'organisme en bonne santé n'est plus à démontrer. Variété et équilibre sont les bases mêmes de la diététique. Éviter les excès, quels qu'ils soient, est une règle d'hygiène alimentaire valable pour tous et dans tous les cas. Cependant, il peut arriver que le simple respect de ces principes ne suffise plus à conserver une bonne santé. C'est ainsi que de nombreuses personnes se voient astreintes à suivre un régime, sous surveillance médicale, et doivent apprendre à renoncer à quantités de bonnes choses.

Cette contrainte n'implique pas pour autant le renoncement aux plaisirs de la table : un peu d'imagination et de bons produits peuvent suffir à transformer le régime le plus rigoureux en une succession de repas savoureux.

RÉGIME DES HÉPATIQUES

Ce qui est permis

Les viandes grillées et rôties, le jambon maigre
Les œufs, en petites quantités.
Les poissons maigres au court-bouillon, tels que sole, limande ou merlan.
Les légumes étuvés, cuits à l'étouffée, à la vapeur ou à l'eau : salades, pois, carottes, pommes de terre, salsifis, artichauts, tomates, potiron, oignons, etc.
Les pâtes alimentaires et le pain, en quantité modérée.
Les fruits, crus ou cuits ; les produits laitiers écrémés.

Ce qu'il faut éviter

Les corps gras cuits, les pâtisseries grasses.
Les poissons gras (maquereau, turbot, etc.).
Les légumes secs et les crudités.
Les sauces.
Les mollusques, les crustacés.
Les boissons alcoolisées et le café.

RÉGIME DES DYSPEPTIQUES

Ce qui est permis

Les potages maigres ou bien dégraissés, les bouillons de légumes ou de céréales.
Les viandes maigres, rôties ou grillées – bœuf, mouton, veau –, le poulet, le jambon maigre, le rôti de porc froid et dégraissé, la cervelle, les ris de veau.
Les poissons maigres cuits au court-bouillon ou grillés.

Les œufs pochés ou à la coque.

Les légumes verts et les légumes secs : purée de pommes de terre ou pomme de terre au four, pois, lentilles, salades cuites, épinards, carottes, asperges, etc.

Les fromages frais.

Les fruits cuits (compotes, confitures, marmelades).

Le pain grillé et les biscottes.

Les produits laitiers, en quantité modérée.

Les tisanes et les infusions.

Ce qu'il faut éviter

Les plats en sauce et les aliments frits ; les corps gras cuits et les épices.

La charcuterie et les conserves.

Les crustacés, les mollusques et les poissons gras.

Les œufs durs.

Les choux, les champignons, l'oseille, les aubergines, les tomates, les crudités en général.

Les fromages fermentés.

Les fruits crus.

Les boissons alcoolisées, les eaux gazeuses.

RÉGIME DES ENTÉRIQUES

Ce qui est permis

Les potages de légumes passés, les bouillons de viande ou de poulet, bien dégraissés.

Le bœuf et le mouton, grillés ou rôtis, plutôt saignants, le rôti de porc froid et le jambon bien dégraissés, le veau et l'agneau rôtis, en quantité modérée, le lapin rôti, le gibier à plumes, non faisandé et jeune, les volailles rôties, à condition de ne pas consommer la peau, très grasse.

Les poissons maigres et les crustacés.

Les légumes verts, les purées, les pâtes sans œufs, le riz.

Les produits laitiers écrémés, les yaourts, le lait fermenté ; les fromages non fermentés (gruyère, hollande, port-salut).

Les fruits cuits, les fruits crus bien mûrs (à quelques exceptions près), les gâteaux secs et certains entremets (crème renversée par exemple).

Le pain grillé, les biscottes.

Les eaux minérales non gazeuses, les vins légers en quantité modérée, les bières légères, les infusions.

Ce qu'il faut éviter

Les corps gras cuits ; les bouillons gras, les potages à base de lait.

Les viandes en sauce et très cuites.

Les abats, les conserves, les charcuteries et les salaisons, le gibier d'eau, le gibier à poils, certaines volailles (oie, canard).

Les poissons gras – maquereau, sardine, thon, hareng, turbot, alose, saumon, anguille, carpe – les poissons fumés et en conserve, les mollusques.

Les œufs sur le plat, pochés, durs, en omelette, frits.

Les légumes frits, les légumes secs et les crudités, les pois frais, les épinards, l'oseille, les choux.

Le lait entier.

Les sorbets et les glaces, la pâtisserie en général, les fruits secs (amandes, noix, noisettes), les groseilles, les framboises, les fraises, les prunes, le melon, les figues, les bananes.

La mie de pain frais, le pain complet et le pain de seigle.

Les boissons alcoolisées et gazeuses, le cidre non cuit, le café et le café au lait, le cacao, le chocolat.

RÉGIME DE L'OBÈSE

Ce qui est permis

Les potages et bouillons de légumes.

Les huîtres, le caviar ; les poissons maigres, grillés ou pochés.

Les viandes rôties (bœuf, mouton, veau, lapin, dinde), le jambon maigre.

Tous les légumes frais, à l'exclusion des farineux, crus ou cuits.

Les fromages et les laitages en quantité modérée.

Tous les fruits frais .

Ce qu'il faut éviter

Les matières grasses, les viandes grasses et les viandes en sauce, le foie gras et la charcuterie.

Les poissons gras ; les féculents.

Le sucre, sous toutes ses formes.

Le chocolat, le cacao, les boissons alcoolisées, les sirops, les sodas, les eaux gazeuses.

RÉGIME DU DIABÉTIQUE

Ce qui est permis

Toutes les viandes, la charcuterie, tous les poissons.

Les œufs.

Les fromages frais ou fermentés.

Les légumes, crus ou cuits, à l'exception des farineux et de ceux qui contiennent du sucre (voir ci-dessous).

Les fruits secs (noix, noisettes, amandes).

Les boissons non sucrées.

Ce qu'il faut éviter

Les farines (toutes céréales), les pâtes, la semoule, le riz, le maïs, les lentilles et tous les farineux d'une manière générale, les carottes, les salsifis, les oignons et tous les légumes contenant du sucre.

Les fruits, le miel, la pâtisserie, les confitures, les entremets, les bonbons, le chocolat, les glaces et les sorbets.

Les boissons sucrées.

RÉGIME DE L'ARTÉRIOSCLÉREUX

Ce qui est permis

Les potages maigres et les bouillons de légumes.

Les crudités (radis, tomates, concombres).

Les œufs en quantité modérée.

Les poissons maigres ; certaines viandes – bœuf, mouton, veau, poulet, porc, lapin – et le jambon maigre.

Tous les légumes, excepté les choux (y compris le chou-fleur et les choux de Bruxelles), les épinards, les asperges, les truffes.

Les pâtes, le riz ; le lait, la crème et les fromages non fermentés.

La pâtisserie, les entremets, les fruits crus ou cuits (confitures, gelées, compotes).

Le pain rassis ou grillé, les biscottes.

Les vins légers, les eaux minérales, le cidre, le café décaféiné, les infusions.

Ce qu'il faut éviter

Les crustacés et les mollusques.

La charcuterie ; le canard et le gibier, les viandes faisandées, marinées, fumées ou salées, la cervelle.

Les aliments frits ; les fromages fermentés.

Les épices violentes, le café, le thé, et tous les excitants.

MENUS FAMILIAUX

Céleri-rave rémoulade
Blanquette de veau
Pommes de terre en purée
Compote de fruit

Salade de tomates
Bœuf à la bourguignonne
Pâtes fraîches au fromage
Fruits frais

Salade de chou rouge
Côtelettes de mouton à la Champvallon
Purée de pois cassés
Fruits de saison

Salade niçoise
Boudin grillé
Purée de pommes de terre
Tartelettes aux pommes

Radis roses
Foie de veau sauté
Choux de Bruxelles
Beignets soufflés

Coquilles de poisson mayonnaise
Salade
Gâteau de riz au caramel
Fruits

Potage à l'oseille
Fricadelles de bœuf
Céleri-rave à la Mornay
Compote de pruneaux

Soupe aux poireaux
Congre à la cocotte
Pommes de terre fondantes
Pommes à la bonne femme

Soupe à l'oignon
Veau aux carottes
Salade
Yaourt

Pot-au-feu
Bœuf et légumes sauce tomate
Fromage
Oranges

Potage julienne
Gigot de mouton à la boulangère
Salade
Tarte aux fruits

Potage Parmentier
Colin à la portugaise
Poireaux à la vinaigrette
Fraises au sucre

LES CONDIMENTS
EN CUISINE

S ous le nom de condiments, on désigne ce qui sert à assaisonner ou aromatiser les mets ; le renom de la cuisine française tient précisément à ce que nos cuisiniers ont la notion très exacte du dosage des condiments.

Ceux-ci doivent toujours se trouver à portée de la main dans une cuisine, rangés dans des récipients distincts, étiquetés à leur nom pour qu'il ne soit pas perdu de temps à chercher et bousculer tous les flacons pour arriver à trouver ce que l'on cherche.

En voici une nomenclature aussi complète que possible :

CONDIMENTS SECS

Gros sel • Sel fin • Poivre en poudre • Poivre en grains • Chapelure blonde • Clous de girofle • Thym et laurier • Noix de muscade • Cannelle • Épices.

CONDIMENTS PÉRISSABLES

Oignons • Échalotes • Ail • Moutarde • Gruyère râpé • Poireaux • Carottes • Navets • Citrons • Persil et fines herbes • Cornichons • Cubes de bouillon de poule • Tomates en purée • Caramel colorant.

Un *bouquet garni* est composé d'une bonne pincée de persil, d'une brindille de thym et d'une demi-feuille de laurier. Il faut très peu de ces deux derniers condiments, parce qu'ils ont un arôme très prononcé qui risquerait de dénaturer le goût franc du mets auquel ils sont ajoutés. Il en va de même pour l'ail qui ne doit donner une note accentuée que dans les plats méridionaux.

Vous aurez soin de disposer en permanence des herbes propres aux infusions, telles que *camomille, tilleul, verveine, anis, menthe,* etc. C'est souvent le soir qu'elles sont utiles, alors que les magasins où l'on peut se les procurer sont fermés depuis longtemps !

Il est, bien entendu, recommandé de constituer une petite provision de pâtes de natures diverses – *nouilles, macaroni, riz, tapioca, semoule, vermicelle, etc.* – celles-ci se conservant fort bien.

L'*huile* et le *vinaigre*, le *saindoux*, la *graisse* ou l'*huile pour friture* doivent toujours être à portée de main ; de même que les articles de nettoyage : savons, poudre abrasive, etc.

GLOSSAIRE

Abaisser. Étendre au rouleau une pâte quelconque pour la découper ensuite avec un emporte-pièce ou l'étendre sur un moule pour le foncer (voir ce mot).

Appareil. Mélange de différentes substances alimentaires, généralement liées avec une sauce ou une crème.

Barder. Envelopper une viande, volaille ou gibier, dans une mince lame de lard gras, pour éviter son dessèchement à la cuisson.

Beurrer. Étendre une couche de beurre fondu ou ramolli, à l'aide d'un pinceau ou du bout des doigts, dans un moule ou au fond d'un plat.

Blanchir. Ce mot, appliqué à certains mets ou légumes, tels les épinard, les pois, etc., signifie les cuire entièrement à l'eau, tandis que d'autres sont dits blanchis en étant simplement passés à l'eau bouillante quelques minutes, par exemple les ris de veau, la tête de veau, les choux verts, le céleri, etc.

Braiser. Cuire longuement une viande ou un légume avec sa sauce d'accompagnement. Un bœuf à la mode ou en daube est braisé.

Brider. Ce terme signifie attacher les volailles ou les pièces de gibier avant leur cuisson, au moyen d'une aiguille spéciale dite « à brider » et de deux ficelles ; la première maintient le haut des cuisses et les ailerons bien appliqués contre le corps, la seconde rabat le bout du pilon contre la pointe de la poitrine.

Dégorger. Cette opération consiste à plonger viandes ou poissons dans l'eau froide pendant un temps variable pour faire évacuer le sang qu'ils contiennent et rendre leur chair plus blanche.

Foncer. En pâtisserie, cela signifie tapisser un moule avec une galette de pâte. En cuisine, ce mot veut dire garnir de lard gras et de légumes en rondelles une cocotte ou un plat pour y faire braiser viande ou légumes.

Glacer. Ce terme change de sens selon qu'il s'applique à un dessert ou à plat de viande. En pâtisserie, glacer signifie saupoudrer de sucre fin la surface d'un gâteau ou d'un entremets et le passer un instant à four vif pour caraméliser ce sucre. En cuisine, le glaçage a pour but de donner à un morceau de viande braisée un aspect luisant, en le présentant pendant quelques minutes à un feu très vif et en l'arrosant très souvent de son jus un peu gras.

Masquer ou napper. Répandre sur un mets une couche de sauce ou de crème pour l'en recouvrir complètement.

Pocher. Se dit lorsqu'il faut obtenir la cuisson d'un mets dans un liquide qui doit rester proche de l'ébullition, mais sans bouillir – les œufs et les poissons par exemple.

Poêler. Se dit d'une viande que l'on fait cuire à couvert, soit entièrement au beurre avec quelques condiments (pour une volaille par exemple), soit lorsque, après l'avoir fait rissoler et l'avoir mouillée d'un peu de sauce, on lui donne le même temps de cuisson que si on la faisait rôtir (par exemple un filet de bœuf poêlé).

TABLE DES RECETTES

LES SAUCES

POISSONS ET CRUSTACÉS

LES VIANDES

VOLAILLES ET GIBIER

LÉGUMES ET PÂTES ALIMENTAIRES

LES ENTREMETS

PÂTISSERIE ET CONFISERIE

LES CONSERVES À LA MAISON

LES BOISSONS

PETITS CONSEILS DU CHEF

CRÉDIT PHOTOGRAPHIQUE

Couverture : Pierre Ginet ; p. 4 Azambre/Option Photo ; p. 8-9 Christine Fleurent/Agence Top ; p. 12 à gauche Azambre/Option Photo, à droite Hussenot/Agence Top ; p. 13 Azambre/Option Photo ; p. 16 à gauche Darqué/Option Photo, à droite Magis/Photothèque culinaire ; p. 18 Christine Fleurent/Agence Top ; p. 19 Azambre/Option Photo ; p. 22-23 Photothèque culinaire ; p. 26 à gauche Barberousse/Agence Top, à droite Ryman-Cabannes/Agence Top ; p. 27 Azambre/Option Photo ; p. 30 Photothèque culinaire ; p. 31 Photothèque culinaire ; p. 37 Ph. Asset/Option Photo ; p. 41 Photothèque culinaire ; p. 44 Photothèque culinaire ; p. 45 Photothèque culinaire ; p. 48-49 Azambre/Option Photo ; p. 52 Azambre/Option Photo ; p. 53 à gauche Darqué/Option Photo, à droite Ph. Asset/Option Photo ; p. 56 Magis/Photothèque culinaire ; p. 57 à gauche et à droite Barberousse/Agence Top ; p. 60-61 Photothèque culinaire ; p. 64 Darqué/Option Photo ; p. 65 Azambre/Option Photo ; p. 68 Manfred Seelow/Agence Top ; p. 69 Photothèque culinaire ; p. 72 à gauche Darqué/Option Photo, à droite Barberousse/Agence Top ; p. 73 Alain Muriot/Photothèque culinaire ; p. 76 Pierre Ginet ; p. 77 Belondrade/Option Photo ; p. 80 Darqué/Option Photo ; p. 81 Pierre Ginet ; p. 84 Azambre/Option Photo ; p. 85 Czap/Agence Top ; p 88-89 Christine Fleurent/Agence Top ; p. 92 Azambre/Option Photo ; p. 93 Darqué/Option Photo ; p. 96 Azambre/Option Photo ; p. 97 à gauche Muriot/Photothèque culinaire, à droite Azambre/Option Photo ; p. 100 Photothèque culinaire ; p. 101 Photothèque culinaire ; p. 104 Christine Fleurent/Agence Top ; p. 105 Photothèque culinaire ; p. 108 Demail/Option Photo ; p. 109 à gauche Azambre/Option Photo, à droite Demail/Option Photo ; p. 112 Jack Blues/Agence Top ; p. 113 Dubourg/Option Photo ; p. 116 Option Photo ; p. 117 Manfred Seelow/Agence Top ; p. 121 Muriot/Photothèque culinaire ; p. 124 Pierre Ginet ; p. 125 à gauche Christine Fleurent/Agence Top, à droite Ryman-Cabannes/*Madame Figaro* ; p. 128 Christine Fleurent/Agence Top ; p. 130-131 Pierre Ginet ; p. 134 Ryman-Cabannes/Agence Top ; p. 135 Photothèque culinaire ; p. 138 Darqué/Option Photo ; p. 139 Pierre Ginet ; p. 142 Belondrade/Option Photo ; p. 143 Ryman-Cabannes/*Madame Figaro* ; p. 146 à gauche Azambre/Option Photo, à droite Darqué/Option Photo ; p. 147 Pierre Ginet ; p. 150-151 Darqué/Option Photo ; p. 154 Pierre Ginet ; p. 155 Symon/Photothèque culinaire ; p. 158 Manfred Seelow/Agence Top ; p. 159 Pierre Ginet ; p. 162 Magis/Photothèque culinaire ; p. 163 Pierre Ginet ; p. 166 à gauche R. Meule/Option Photo, à droite Darqué/Option Photo ; p. 167 Rivière/Agence Top ; p. 170 à gauche Azambre/Option Photo, à droite Bianquis/Option Photo ; p. 171 Azambre/Option Photo ; p. 174 à gauche et à droite Azambre/Option Photo; p. 175 Azambre/Option Photo ; p. 178 Ph. Asset/Option Photo ; p. 182 Pierre Ginet ; p. 183 Pierre Ginet ; p. 186 Darqué/Option Photo ; p. 187 Photothèque culinaire ; p. 190-191 Ryman-Cabannes/*Madame Figaro* ; p. 194 Pierre Ginet ; p. 195 à gauche et à droite Photothèque culinaire ; p. 198 Darqué/Option Photo ; p. 199 Ryman-Cabannes/Agence Top ; p. 202 à gauche Darqué/Option Photo, à droite Photothèque culinaire ; p. 203 Azambre/Option Photo ; p. 206 Magis/Photothèque culinaire ; p. 207 Photothèque culinaire ; p. 211 Magis/Photothèque culinaire ; p. 214-215 Christine Fleurent/Agence Top ; p. 218 Photothèque culinaire ; p. 219 Lechat/Photothèque culinaire ; p. 222 p. Hussenot/Agence Top ; p. 223 à gauche Mississipi/Petillot/Option Photo, à droite Christine Fleurent/Agence Top ; p. 226 Photothèque culinaire ; p. 227 Photothèque culinaire ; p. 230 à gauche Photothèque culinaire, à droite Pierre Ginet ; p. 231 Ryman-Cabannes/*Madame Figaro* ; p. 235 Pierre Ginet ; p. 239 Hussenot/Agence Top ; p. 243 Photothèque culinaire ; p. 246-247 Darqué/Option Photo ; p. 251 Pierre Ginet ; p. 254-255 Pierre Ginet ; p. 261 Magis/Photothèque culinaire ; p. 265 Philippe Demail/Option Photo ; p. 274 Magis/Photothèque culinaire.

CHEZ LE MÊME ÉDITEUR

FAITES VOTRE PÂTISSERIE
304 pages, 200 recettes, 40 photographies
en couleurs. *Cartonné.*

DESSERTS TRADITIONNELS DE FRANCE
256 pages, 145 recettes, 100 photographies
en couleurs. *Relié sous jaquette.*

FAYE LEVY ET FERNAND CHAMBRETTE
LA CUISINE DU POISSON
288 pages, 140 recettes, 16 photographies en couleurs,
70 illustrations en noir et blanc. *Cartonné.*

CHRISTINE MASSIA
CUISINE PLAISIR
288 pages, 155 recettes, 22 photographies
en couleurs et 20 en noir et blanc. *Cartonné.*

GINETTE MATHIOT
CUISINE POUR TOI ET MOI
500 recettes, 30 illustrations en couleurs.

ERNEST PASQUET
LA PÂTISSERIE FAMILIALE
280 pages, plus de 700 recettes, 100 photographies
en couleurs et 69 en noir et blanc.
Relié sous couverture couleur.

PELLAPRAT
LE POISSON DANS LA CUISINE FRANÇAISE
280 pages, 520 recettes, 100 photographies
en couleurs et 50 en noir et blanc. *Cartonné.*

LA CUISINE FAMILIALE ET PRATIQUE
288 pages, 500 recettes, 125 photographies
en couleurs. *Relié sous couverture couleur.*

LOUIS PLESSIS
LE VIN À LA MAISON
176 pages, 72 photographies en couleurs et 19 cartes
régionales. *Cartonné.*

CHRISTIANE SAND
À LA TABLE DE GEORGE SAND
240 pages, 247 recettes, tout en couleur sur toutes
les pages. *Relié sous jaquette.*

SCHUYT ET ELFFERS
L'ARTICHOUETTE – Jeux à déguster
127 pages, 64 illustrations en noir et blanc et
56 en couleurs. *Broché.*

ROGER VERGÉ
LES FÊTES DE MON MOULIN
320 pages, 140 recettes, 137 photographies
en couleurs. *Relié sous jaquette.*

LES LÉGUMES DE MON MOULIN
256 pages, 145 recettes, 100 photographies
en couleurs. *Relié sous jaquette.*

LA BIBLIOTHÈQUE CULINAIRE
Ouvrages reliés, non illustrés.

ALI-BAB
GASTRONOMIE PRATIQUE
1 288 pages, 5 000 recettes.

PAUL BOCUSE
LA CUISINE DU GIBIER
287 pages, 300 recettes.

ESCOFFIER
LE GUIDE CULINAIRE
940 pages, 5 000 recettes.

ANDRÉ GUILLOT
LA VRAIE CUISINE LÉGÈRE
396 pages, 700 recettes.

FERNAND POINT
MA GASTRONOMIE
176 pages, 210 recettes.

CHARMAINE SOLOMON
L'ART CULINAIRE ASIATIQUE
464 pages, 810 recettes.

LA MAZILLE
LA BONNE CUISINE DU PÉRIGORD
320 pages, 460 recettes.

LE CORDON BLEU
LA CUISINE ET LA PÂTISSERIE EXPLIQUÉES
760 pages.

Achevé d'imprimer en mai 1997
sur les presses de G. Canale & C. S.p.A. - Borgaro T.se - Turin
Dépôt légal : 3e trimestre 1994